Hendrik Groen

Pogingen iets van het leven te maken

ROMAN

MEULENHOFF

Eerste druk juni 2014
Dertigste druk november 2016

Copyright © 2014 Hendrik Groen en Meulenhoff Boekerij bv,
Amsterdam
Vormgeving omslag DPS Design & Prepress Studio, Amsterdam
Vormgeving binnenwerk Text & Image, Eexterveen
Tekening omslag © Victor Meijer

ISBN 978-90-290-8997-5
ISBN 978-94-023-0166-3 (e-boek)
NUR 301

Dinsdag 1 januari 2013

Ik hou ook het komend jaar niet van bejaarden. Dat geschuifel achter die rollators, dat misplaatste ongeduld, dat eeuwige klagen, die koekjes bij de thee, dat zuchten en steunen.

Ik ben zelf 83 ¼ jaar.

Woensdag 2 januari

Er was royaal poedersuiker gemorst. Om de tafel beter af te kunnen nemen met een vaatdoekje zette mevrouw Smit de schaal met appelflappen even op een stoel.

Mevrouw Voorthuizen kwam aanlopen en ging met haar enorme reet midden in de schaal met flappen zitten zonder het zelfs maar te merken.

Pas toen mevrouw Smit de schaal ging zoeken om hem terug te zetten kwam iemand op het idee onder mevrouw Voorthuizen te kijken. Toen die opstond plakten er drie appelflappen aan haar bloemetjesjurk.

'Ze passen mooi bij het motiefje,' zei Evert. Ik stikte haast van het lachen.

Dit prachtige begin van het nieuwe jaar had moeten leiden tot algemene hilariteit maar gaf, in plaats daarvan, aanleiding tot drie kwartier gezemel over de schuldvraag. Ik werd van verschillende kanten boos aangekeken vanwege het feit dat ik het blijkbaar grappig had gevonden. En ik, ik mompelde excuses.

In plaats van nog harder te lachen, mompelde ik excuses.

Ik, Hendrikus Gerardus Groen, ben namelijk altijd correct, innemend, vriendelijk, beleefd en behulpzaam. Niet omdat ik dat ook allemaal ben maar omdat ik niets anders durf te zijn. Zelden zeg ik wat ik zeggen wil. Altijd kies ik voor de veilige weg. Mijn specialiteit: het sparen van kool én geit. Mijn ouders hadden een vooruitziende blik toen ze mij Hendrik noemden: veel braver zul je ze niet snel tegenkomen. 'Kent gij Hendrik niet, die altijd zoo beleefd zijnen hoed afneemt als hij voorbij gaat?' Dat ben ik.

Ik word nog depressief van mezelf, dacht ik. Toen heb ik het besluit genomen om ook iets van de ware Hendrik Groen te laten horen: precies één jaar lang zal ik mijn ongecensureerde kijk geven op het leven in een bejaardenhuis in Amsterdam-Noord.

Als ik voor het eind van het jaar doodga is dat overmacht. In dat geval zal ik mijn vriend Evert Duiker vragen om op mijn begrafenis een kleine bloemlezing te houden uit mijn dagboek. Als ik opgebaard lig in de kleine zaal van crematorium 'De Einder', netjes gewassen en gestreken, zal de ongemakkelijke stilte doorbroken worden door de raspende stem van Evert die enkele aardige passages zal voorlezen aan het onthutste publiek.

Over één ding maak ik mij zorgen: stel dat Evert eerder doodgaat dan ik?

Dat zou niet netjes zijn van hem, vooral omdat ik nóg meer ziektes en gezwellen heb dan hij. Op je beste vriend moet je kunnen rekenen. Ik zal het er met hem over hebben.

Donderdag 3 januari

Evert was enthousiast maar wilde niet garanderen dat hij langer zou leven dan ik. Hij had ook een paar bedenkingen. De eerste was dat hij na de voordracht uit mijn dagboek waarschijnlijk uit moest zien naar een andere aanleunwoning. De tweede zorg was de staat van zijn kunstgebit. Dat laatste had te maken met een onzorgvuldige biljartstoot van Vermeteren. Sinds hij staar heeft aan zijn rechteroog moet Vermeteren geholpen worden bij het mikken. Evert, nooit de beroerdste, had achter hem gestaan om aanwijzingen te geven, neus op keuhoogte. 'Iets naar links en een beetje diep raken en...' en voor hij klaar was had Vermeteren met de achterkant van zijn keu het gebit van Evert doormidden geramd. Carambole! Evert loopt erbij of hij aan het wisselen is. Hij is nauwelijks te verstaan omdat hij zo slist. Dat gebit moet gerepareerd worden voor hij kan voorlezen aan mijn baar. Maar, het zal nondedju niet, de kunstgebittenreparateur heeft een burn-out. Twee ton per jaar, een pracht van een assistente, drie keer per jaar naar Hawaï en toch overspannen; hoe is het mogelijk. Misschien somber geworden van al die valse oude tanden waar de etensresten soms zo lang tussen zaten dat er maden aangetroffen zijn. Bij wijze van spreken.

De oliebollen die ze beneden in de conversatieruimte serveren, hebben ze dit jaar uit de kringloopwinkel gehaald. Gistermorgen nam ik uit beleefdheid een bol, en daar heb ik twintig minuten over gedaan, met daarbij de aantekening dat ik ook nog een losse veter heb moeten voorwenden om onder tafel het laatste stuk bol in mijn sok te kunnen stoppen.

Vandaar dat er nog schalenvol stonden. Normaal is alles wat hier gratis is binnen een mum van tijd op.

In de conversatieruimte wordt gewoonlijk om 10.30 uur koffie geserveerd. Is de koffie er om twee minuten over half elf nog niet dan beginnen de eerste bewoners al heel overdreven op hun horloge te kijken. Alsof ze nog meer te doen hebben. Voor de thee, die om 15.15 uur geserveerd hoort te worden, geldt hetzelfde.

Een van de spannendste momenten van de dag: wat voor koekje wordt er vandaag geserveerd? Eergisteren én gisteren dus bij de koffie én bij de thee bejaarde oliebollen. Want 'we' gaan natuurlijk geen eten weggooien. Dan stikken we er nog liever in.

Vrijdag 4 januari

Ik heb gisteren een wandelingetje gemaakt naar de bloemenstal en daar bollen in een bakje gekocht. Heb ik over een week, als de hyacinten uitkomen, toch mooi de lente weer gehaald.

In de meeste kamers van dit tehuis staan in april de kerststukjes nog. Naast een stokoude sanseveria en een terminale primula. 'Zonde om weg te gooien.'

Áls de natuur al een opbeurende rol kan spelen in het leven van een mens, dan in ieder geval niet in de woon-slaapkamer van de Nederlandse bejaarde. Daar is de staat van de huiskamerplant meestal een getrouwe afspiegeling van de situatie waarin zijn verzorger zich bevindt: wachtend op een troosteloos einde. Omdat ze niks anders te doen hebben of erg vergeetachtig zijn geven de oudjes zo'n plant drie keer per dag water. Daar kan op den duur zelfs een sanseveria niet tegen.

Mevrouw Visser heeft me voor morgenmiddag uitgenodigd voor een kopje thee. Ik had moeten weigeren, al is het maar omdat ze stinkt, maar ik heb gezegd dat ik graag even bij haar langskom. Daar gaat mijn middag. God, wat ben ik toch een slappe zak. Er schoot me op het beslissende moment geen smoes te binnen dus dat wordt prietpraat en droge cake. Hoe ze erin slaagt om van de natste cake in korte tijd stoffig karton te maken is een raadsel. Per plakje heb je drie kopjes thee nodig. Ik ga morgen een daad stellen en het tweede plakje weigeren. Het begin van een nieuw leven.

Een nieuw leven op netjes gepoetste schoenen. Daar ben ik de halve ochtend mee bezig geweest. De schoenen zelf gingen redelijk snel. Ik was vooral veel tijd kwijt om de schoensmeer uit de mouwen van mijn overhemd te krijgen. Maar ze glimmen nu aardig. De schoenen. De mouwen heb ik uiteindelijk maar opgerold. Die kreeg ik niet meer schoon.

Daar zal commentaar op komen. 'Hoe krijgt u toch áltijd die mouwen zo vies, meneer Groen?'

Het leven bestaat hier uit nóóit of áltijd. Het eten is de ene dag 'nóóit op tijd en áltijd te heet' en de volgende dag 'áltijd te vroeg en nóóit eens warm'.

Ik heb mensen wel eens voorzichtig herinnerd aan nogal tegenstrijdige eerdere uitspraken, maar van logica is men hier niet gediend. 'U weet het zeker weer beter hè, meneer Groen?'

Zaterdag 5 januari

Het was gisteren weer feest bij het avondeten: er stond nasi op het menu. De meeste oude jongens en meisjes hier zijn van de gestampte pot, bij hun hoef je niet aan te komen met exotische liflafjes. Al bij de invoering van de spaghetti in Nederland, midden jaren '60, zijn ze afgehaakt. Dat paste niet in het schema: maandag andijvie, dinsdag bloemkool met een papje, woensdag gehaktdag, donderdag sperziebonen, vrijdag vis, zaterdag soep met brood en zondag rosbief. Als ze echt gek wilden doen aten ze op dinsdag gehakt en waren de rest van de week in de war.

Buitenlandse fratsen, daar zijn wij niet zo van. Meestal kunnen we een week van tevoren kiezen uit drie verschillende menu's maar soms gaat het wel eens fout. Gisteren was er om onduidelijke redenen alleen nasi. Iets met foute leveringen. Het lag zéker niet aan onze kok.

Dus konden we kiezen uit nasi. Mensen met moeilijke diëten kregen brood.

Een golf van verontwaardiging. Mevrouw Hoogstraten van

Dam, die erop staat zo aangesproken te worden, peuterde alleen de stukjes gebakken ei eruit, van Gelder 'vreet' geen nasi maar wel de hele pot met zuur en dikke Bakker eiste op hoge toon jus over zijn rijst.

Mijn vriend Evert, die soms mee-eet als hij genoeg heeft van zijn eigen kookkunsten, bood zijn nietsvermoedende tafelgenoten sambal aan. 'Wilt u misschien wat ketchup over de nasi?'

Hij hield zich volmaakt van de domme toen mevrouw De Prijker daarna haar kunstgebit in de atjar hoestte. Ze werd rochelend afgevoerd en Evert ging even later, alsof het Assepoesters glazen muiltje was, met haar tanden in het rond om ze links en rechts te laten passen. En de vermoorde onschuld uithangen toen hij bij het afdelingshoofd op het matje werd geroepen. Hij dreigde zelfs nog naar de Keuringsdienst van waren te stappen omdat hij een gebit in de atjar had 'aangetroffen'.

Voor het diner nog op theevisite geweest bij mevrouw Visser. Haar geleuter is nog slapper dan haar thee. Gezegd dat ik van de dokter geen cake mocht. Waarom dan niet? Ik zei dat het voor mijn bloedspiegel was. Die is met 20 tot 25 aan de hoge kant. Ik had die onzin eruit geflapt voor ik er erg in had maar zij vond het zeer verstandige taal. Ik heb wel drie plakken cake mee moeten nemen, voor als de spiegel weer gezakt was. Die liggen nu in het aquarium op de derde verdieping.

Zondag 6 januari

Ik begin steeds meer te druppelen. Witte onderbroeken zijn heel geschikt om gele vlekken goed te laten uitkomen. Gele onderbroeken zouden veel handiger zijn. Ik schaam me nogal tegenover de dames van de wasserette. Dus wat ik tegenwoordig doe is, op de hand, zelf de ergste vlekken eruit boenen vóór ik ze meegeef. Zeg maar een voor-voorwas. Als ik niets mee zou geven zou dat argwaan wekken. 'Heeft u wel schoon ondergoed aangetrokken, meneer Groen?' zou de dikke dame van de huishoudelijke dienst vragen. 'Nee, dikke dame van de huishoudelijke dienst, deze onderbroek zit zo vastgekoekt aan mijn oude kont dat ik hem de rest van mijn leven maar aanhoud,' zou ik dan graag willen antwoorden.

Het is een moeizame dag: het lichaam kraakt in al zijn voegen. Niets kan de aftakeling stuiten. Je hebt hooguit eens een dag wat minder last van het een of ander maar echt de goede kant op, dat gaat het nooit meer. Er gaat niet opeens weer haar groeien. Tenminste niet op je kop, wel uit je neus en oren. De aderen slibben niet weer open. Er verdwijnt geen bult en de kraan beneden stopt niet met druppelen. Eenrichtingsverkeer naar de kist is het. Nooit word je jonger, geen dag, geen uur, geen minuut.

Ik zit te klagen als een bejaarde. Als ik daar zin in heb kan ik beter beneden in de conversatiezaal gaan zitten. Daar is het tijdverdrijf nummer één. Ik denk niet dat er ooit een half uur voorbijgaat zonder dat iemand een ziekte ter sprake brengt.

Ik geloof dat ik een beetje een sombere bui heb. Je wordt geacht te genieten van je oude dag, maar dat valt verdomd niet altijd mee.

Tijd voor een wandelingetje, het is tenslotte zondagmiddag. Daarna een stukje Mozart met een flinke bel cognac. Misschien ook even langs Evert, die heeft in zijn botheid goede therapeutische kwaliteiten.

Maandag 7 januari

Er blijkt gisteren een onderzoek te zijn gestart naar de plotselinge dood van de vissen op de derde verdieping. Er dreef nogal veel cake in het water.

Het was niet slim van me om de cake van mevrouw Visser in het aquarium te gooien. Als haar ter ore komt dat de vissen overleden zijn aan een overdosis natte cake, zal het spoor regelrecht naar mij leiden. Ik moet mijn verdediging gaan voorbereiden en zal straks langsgaan bij advocaat Duiker voor goede raad. Evert is een expert in de leugen om bestwil.

In dit tehuis zijn huisdieren niet toegestaan met uitzondering van vissen en vogels, 'mits niet groter dan respectievelijk 10 en 20 centimeter', zo staat in het huisreglement van orde. Om te voorkomen dat we haaien en zeearenden gaan houden.

Er is heel wat geleden door baasjes die zonder genade van hun honden en poezen gescheiden werden toen ze hun intrek namen in Huize De Ondergang. Hoe rustig en bedaard, oud en gebrekkig de viervoeters ook waren, regels zijn regels: naar het asiel.

'Nee mevrouw, het maakt niet uit of Rakker de enige ter wereld is om wie u geeft; we kunnen nou eenmaal geen uitzondering maken.'

'Inderdaad, uw poes ligt alleen maar de hele dag op de vensterbank maar als we een poes toestaan wil er straks iemand drie Deense doggen op zijn vensterbank. Of een paarse krokodil.'

Mevrouw Brinkman is recordhouder hier; zij is erin geslaagd zeven weken lang een oude teckel te verstoppen in het gootsteenkastje, voordat hij werd ontdekt. Vermoedelijk was er verraad in het spel. Allemaal de oorlog meegemaakt en toch een bejaard hondje aangeven bij de directrice. En in plaats van dat deze directrice de NSB'er die dit op zijn geweten heeft met pek en veren afvoert, deporteert ze liever een hondje naar het asiel. Dat hondje heeft daar nog twee dagen gejankt en ging toen van ellende dood. En waar was de dierenpolitie?

De directrice vond het beter een en ander voor mevrouw Brinkman te verzwijgen. Toen die na drie dagen de juiste tram naar het asiel had gevonden lag haar hondje al onder de grond.

Mevrouw Brinkman heeft gevraagd of haar hondje als zij zelf doodgaat naast haar herbegraven mag worden. 'Dat is niet conform de regels,' is haar inmiddels meegedeeld.

Morgenochtend moet ik naar de dokter.

Dinsdag 8 januari

Er hing een briefje op het mededelingenbord naast de lift.

In het aquarium van de derde verdieping is een grote hoeveelheid cake aangetroffen. De vissen in het aquarium zijn door het eten van de cake overleden. Iedereen die inlichtingen kan verschaffen over dit voorval wordt verzocht dit zo spoedig mogelijk te doen bij mevrouw De Roos, afdelingshoofd. Indien gewenst kan anonimiteit worden gewaarborgd.

Om 11 uur ben ik naar mevrouw De Roos toe gestapt. Wonderlijke speling van het lot, zo'n achternaam. Mevrouw Brandnetel was nog te veel eer geweest.

Het zou logisch zijn als echt lelijke mensen, ter compensatie, extra aardig zouden doen maar het tegenovergestelde lijkt hier het geval: ze is een stevig gemetselde muur van chagrijn.

Maar goed: mevrouw De Roos dus.

Ik vertelde haar dat ik misschien enige opheldering kon verschaffen over het cake-incident. Ze was meteen een en al rood oor. Ik zei dat ik de zelfgebakken cake van mevrouw Visser niet had willen weigeren en de plakken toen op een bordje had gelegd en op de tafel van de pantry van de derde verdieping neergezet, in het volste vertrouwen dat een van de bewoners dit anonieme geschenk zou aanvaarden. Tot mijn spijt had ik moeten constateren dat op een of andere manier de cake in het aquarium terecht was gekomen en mijn blauwe bordje was verdwenen.

De Roos hoorde het met onverholen achterdocht aan. Waarom had ik het niet zelf opgegeten? Waarom juist op de derde verdieping? Kon iemand mijn verhaal bevestigen?

Ik vroeg haar om dit voorval onder ons te houden. Ze zou kijken wat ze voor me kon doen.

Vervolgens ging ze onmiddellijk uitzoeken hoe mevrouw Visser die cake zelf had kunnen bakken. Koken en bakken op de kamers was verboden. Ik haastte me nog te zeggen dat ik niet zeker wist of hij zelfgebakken was maar het was te laat: het cakevoorval lag op straat. Ik zou de sympathie van mevrouw Visser verliezen; dat was op zich geen ramp. Maar de achterdocht op de afdeling, waar toch al geen gebrek aan was, zou voor weken gevoed worden en het geroddel zou overal gonzen.

Ik ben ook nog naar de dokter geweest. Die was ziek. Als hij maandag nog niet beter is komt er een vervanger. Voor spoedgevallen kunnen we terecht bij de arts van een concurrerend bejaardenhuis. Sommigen gaan nog liever dood dan dat ze 'die kwakzalver van Huize de Schemering' naar hun gerimpelde gratenzak laten kijken. Anderen laten het liefst voor elke scheet de traumahelikopter komen. Mij maakt het niet veel uit welke dokter tegen me zegt dat er niet zo veel aan te doen is.

Woensdag 9 januari

Ik was gisteren toch een beetje van slag door dat gedoe met die dooie vissen. Van al die thee van mevrouw Visser en van de zenuwen had ik flink diarree gekregen. De halve ochtend op de wc gezeten met een oude leesportefeuille die ik geleend had uit de conversatieruimte.

Mooi woord, 'conversatieruimte', maar de vlag dekt de lading niet helemaal. 'GGG-ruimte' zou juister zijn. Waarbij de drie G's staan voor geneuzel, geroddel en geklaag. Een dagtaak voor sommigen.

Evert is nog wel even langs geweest en heeft me door de wc-deur op de hoogte gebracht van de laatste ontwikkelingen: iedereen wantrouwt nu iedereen en ziet in elke huisgenoot een potentiële vissenmoordenaar. Mijn afwezigheid wekte argwaan. Ik heb Evert gevraagd of hij mijn diarree onopvallend kon rondbazuinen, als een soort alibi. Zelf kon ik niet veel meer doen dan de wc-deur én de deur naar de gang op een kier laten staan. Normaal kan ik mezelf wel luchten maar nu werd ik misselijk van mezelf. In dubbel opzicht, want wat ben ik toch eigenlijk een berekenende slappe drol, een beeldspraak die in dit geval wel passend is.

Over luchten gesproken, ik moet er nodig even uit. Na een dagje beschuit met Norit durf ik me straks wel weer naar buiten te wagen. Op zoek naar het speenkruid, volgens de krant en het fenologisch waarnemingsnetwerk Natuurkalender (toe maar) het eerste echte lentesignaal. Mocht ik behalve speenkruid ook klein hoefblad, fluitenkruid of een maarts viooltje vinden dan is de lente echt een feit. Alleen geen idee hoe die plantjes eruitzien.

De natuur heeft een voorsprong van zes weken op zichzelf genomen. Maar, slecht nieuws voor de trekvogels die net hadden besloten dit jaar thuis te blijven, de kou komt eraan.

Donderdag 10 januari

Dit tehuis heeft een mooie tuin. Maar om onduidelijke redenen zit hij op slot. Er mag niemand in 's winters. Vermoedelijk betutteling. De directie weet wat goed is voor de bewoners.

Dus ben je in deze tijd van het jaar voor het halen van een frisse neus aangewezen op de directe omgeving van ons huis. Lelijke flats van eind jaren zestig. Treurige groenstroken als vuilnisbakken. Je zou haast denken dat er 's nachts karretjes van de Stadsreiniging rondrijden die het vuil niet ophalen maar over de straten en plantsoenen uitstorten. Je wandelt in een zee van blikjes, chipszakken en oude kranten. De flatbewoners van het eerste uur zijn bijna allemaal vertrokken naar een rijtjeshuis in Purmerend of Almere. Alleen de mensen die dat niet konden betalen bleven. Turkse, Marokkaanse en Surinaamse gezinnen vulden de vrijgekomen woningen. Dat levert geen gezellige mix op.

Mijn actieradius is tegenwoordig ongeveer tweemaal 500 meter met halverwege een bankje. Veel verder red ik niet. De wereld wordt klein. Van huis uit heb ik vier verschillende rondjes van ongeveer een kilometer.

Evert is zojuist even langs geweest. Hij geniet enorm van de beroering rond de dood van de vissen en heeft het plan opgevat er nog een schepje bovenop te doen. Hij wil een tweede aanslag plegen, deze keer met jodenkoeken. Hij heeft gisteren de bus genomen naar een supermarkt hier een paar kilometer vandaan om ze in te slaan. Hier bij onze inpandige mini-superette zouden ze zich zijn aankoop zeker herinneren. De koeken liggen nu in zijn kast. Ik vroeg hem of ze daar wel veilig waren. 'Dit is een vrij land en iedereen mag net zo veel jodenkoeken in zijn huis verbergen als hij zelf wil,' zei hij. Ik had wat moeite met het type koek. Maar dat van die jodenkoeken was een geintje; het waren roze koeken. Daar verwachtte hij een mooier kleureffect van.

Zaterdag 12 januari

De directrice, mevrouw Stelwagen – over haar zullen we het zeker nog vaak hebben – heeft een milieumaatregel afgekondigd: de thermostaten in de kamers van de bewoners mogen niet hoger dan 23 graden. Hebben de oudjes het dan nog koud dan trekken ze maar een jas aan, is de boodschap. Er is een Indisch vrouwtje dat de temperatuur laat oplopen tot 27 graden. In haar kamer staan overal bakjes water voor een hoge luchtvochtigheid. De tropische planten doen het uitstekend. Er zijn nog geen maximum maten voor kamerplanten maar ik vermoed dat Stelwagen eraan werkt.

Mevrouw Stelwagen is altijd vriendelijk, heeft voor iedereen een luisterend oor en een bemoedigende opmerking en verbergt onder dat vernis van medeleven een ongezonde dosis zelfingenomenheid en machtswellust. Ze is 42 en nu anderhalf jaar de baas hier maar altijd doende zich een weg omhoog te likken of te trappen, afhankelijk van wie ze voor zich heeft. Ik observeer haar nu een jaartje nauwgezet.

Ik heb ook een belangrijke informant: haar secretaresse mevrouw Appelboom. Anja Appelboom was 23 jaar de secretaresse van de vorige directeur, meneer Lemaire, die de laatste fusiegolf niet heeft overleefd en met vervroegd pensioen is gegaan. Ze heeft nog twee jaar te gaan tot haar AOW en is vastbesloten zich niet klein te laten krijgen door Stelwagen, die haar met de aanstelling van een nieuwe chef de bureau heeft gedegradeerd. Anja heeft nog wel toegang tot alle vergaderstukken en vertrouwelijke notities. Zij was tot een paar jaar geleden mijn buurvrouw en heeft me behoed voor de daklozenopvang door hier een plaats voor me te regelen. Misschien daarover ooit meer.

Op donderdagochtend ga ik vaak bij haar op de koffie. Dan zijn directrice en chef de bureau naar het managementoverleg met sectorhoofden en de regiodirecteur. Regiodirecteur worden is de eerstvolgende stap die Stelwagen hoopt te zetten.

Anja en ik praten dan wat bij. 'Kun je iets voor je houden?' zegt ze met enige regelmaat en dan volgt een kleine ontboezeming over de manipulaties van Stelwagen. We hebben zo een en ander verzameld.

Zondag 13 januari

Evert heeft gisteravond zes roze koeken in het aquarium op de tweede verdieping gegooid. De goudvissen hebben zich te barsten gegeten. De lijken drijven tussen de resten koek. In huis is de hel losgebarsten.

Hij is gewoon tijdens de koffie zogenaamd naar de wc gegaan, heeft de trap omhoog genomen, goed om zich heen gekeken en de koeken, die hij onder zijn jasje had, in het water gegooid. Plastic zakje netjes in de prullenbak, wat bewijstechnisch een beetje dom was, maar gelukkig heeft de schoonmaker nu alle bakken geleegd.

Het aquarium staat in een vrij donkere hoek en niemand heeft gisteravond iets opgemerkt. Zonder risico was de hele operatie niet, want als hij gesnapt was had hij meteen de verhuiswagen kunnen bellen. Misschien kan het hem in de grond van zijn hart niet schelen of hij gepakt wordt, al zal hij glashard ontkennen en liegen en tekeergaan als hij in het nauw wordt gebracht. Dat is hoe het spel volgens hem gespeeld moet worden. Zijn filosofie: het leven is niet meer dan op een zo aangenaam mogelijke manier de tijd doden. Zo kun je er losjes in staan. Ik benijd hem. Maar ik leer snel.

Ikzelf was aardig gespannen gisteren, want Evert had de aanslag vooraf bij mij aangekondigd zodat ik voor mijzelf voor een sluitend alibi kon zorgen. Dat viel nog niet mee. Ik moest in de conversatiezaal wachten tot er eindelijk twee bewoners van mijn etage omhoog gingen. 'Ik loop even met jullie op. Wél zo gezellig.' Meneer en mevrouw Jacobs keken me een beetje bevreemd aan.

Vanmorgen even over negenen werd er alarm geslagen. Op weg naar de kerk zag mevrouw Brandsma de vissen op hun rug liggen. Er schijnt nog een poging te zijn gedaan ze in de doofpot te stoppen maar Brandsma had het, op weg naar de zuster van dienst, al verteld aan iedereen die ze tegenkwam. Zojuist klopte mijn buurman bij mij aan: 'Wat ik nou toch hoor...'

Ik verheug me op de gesprekken aan de koffietafel zo dadelijk.

Maandag 14 januari

Nog meer dierenleed: mevrouw Schreuder heeft bij het schoonmaken van de kooi per ongeluk haar kanarie opgezogen. Toen ze na zenuwslopende minuten met haar trillende handen eindelijk de stofzuiger open had gekregen was er niet veel over van haar vrolijke fluiter. Ze had de stofzuiger ook meteen uit moeten zetten. Haar Pietje had nog even enigszins geleefd maar gaf een paar minuten later toch de geest. Schreuder is ontroostbaar en wordt verteerd door schuldbesef.

De slachtofferhulp van het personeel bestond uit het advies de kooi maar zo snel mogelijk op te ruimen.

Iedereen hier heeft een uitgesproken mening over koeken in een aquarium. Maar als je iemand vraagt wat ie vindt van de oorlog in Syrië, kijkt die je aan alsof je hebt gevraagd om de relativiteitstheorie uit te leggen. Een paar vissen op hun dode rug zijn een stuk erger dan een bus vol opgeblazen vrouwen en kinderen in een ver land.

Maar laat ik niet al te hypocriet zijn: ik geniet met volle teugen van het vissenschandaal, dat kan ik niet ontkennen. De ontsteltenis die zich meester heeft gemaakt van de complete bevolking hier is indrukwekkend. Ik ga zo weer naar de conversatiezaal om eens gezellig te converseren over vissen.

De winter is gearriveerd. Er ligt nog geen vlokje sneeuw maar ik zag gisteren de eerste bejaarde al met wollen sokken óver zijn schoenen naar buiten stappen. Tegen het uitglijden.

Dinsdag 15 januari

Het eerste pak sneeuw dit jaar is gevallen. Dat betekent: niemand de deur uit en massaal hamsteren. Er is in ons winkeltje beneden geen sprits of chocolaatje meer te krijgen. Ja, de oorlog hè.

God zij dank voor de jeugd van tegenwoordig zijn wij zo'n beetje de laatsten die de oorlog hebben meegemaakt en is iedereen binnenkort verlost van die eeuwige ouwe-koeienverhalen over tulpenbollensoep en zeven uur lopen voor een bos wortelen.

Per saldo zijn er zeven vissen overleden.

Gisteren is de politie erbij gehaald. De twee jonge agentjes hadden werkelijk geen idee hoe deze zaak aan te pakken. Van de voortvarendheid die je altijd op tv ziet geen spoor. Eerst keken ze van alle kanten vorsend in het aquarium. Alsof ze overwogen of er nog gereanimeerd moest worden.

'Ja, die zijn dood,' zei de een.

'Waarschijnlijk van de koek,' zei de ander.

De directrice had opdracht gegeven om de dooie vissen te laten drijven als bewijsstukken. Misschien verwachtte ze wel een patholoog-anatoom, je weet het niet.

De agenten leken in ieder geval zo snel mogelijk weg te willen. De directrice eiste op hoge toon een diepgaand onderzoek maar de jongste agent zei dat er dan eerst aangifte gedaan moest worden.

'Of dat nu meteen kon gebeuren?' Nee dat kon alleen op afspraak op het bureau of via internet.

'Ja maar wat moest er dan met de lijken gebeuren?' De agent suggereerde de prullenbak. 'Maar dan niet te lang laten liggen. Of anders de wc.' En daarna verlieten de heren, 'Goedenavond nog,' het gebouw. Mevrouw Stelwagen bleef geschokt achter. 'Schandalig! Ik vind het schandalig. Zo ga je niet met je burgers om.'

Het was prettig haar zo machteloos te horen tieren. Haar almacht reikt gelukkig niet verder dan de muren van dit huis.

Woensdag 16 januari

Evert was op visite. Om de conversatiezaal te mijden hebben we een schuifelend wandelingetje door de sneeuw gemaakt: vijf minuten lopen, vijf minuten rusten. De keuze wordt onvermijdelijk. Wordt het een rollator, een scootmobiel of een Canta LX? Drie sexy alternatieven.

Bij de middelbare school hier om de hoek stond vorige week een jongen van 16, 17 de blits te maken met een tomaatrode Canta die hij vast illegaal van zijn oma had geleend. Hij bracht in zijn autootje de tassen van de mooiste meisjes van de klas naar huis. De meisjes zelf fietsten erachteraan. Ik heb nog geen jongelui gezien die voor de grap op een scootmobiel reden of achter een rollator liepen. Om die reden gaat mijn voorkeur uit naar een mooi gepimpte Canta. Dan maar op een hoop gegooid worden met alle onwaarschijnlijk slechte chauffeurs die in zo'n koekblik rondrijden.

Niet lang geleden reed een Canta zonder te remmen de Jamin binnen en kwam tot stilstand in een ravage van trekdroppen en roomboter allerhande. Twee dikke vrouwen zaten in shock tegen de voorruit geplakt. Hun hondje was klem komen te zitten onder het rempedaal. De werkelijkheid overtreft de fantasie.

Hier ten huize gaat bijna iedere conversatie over sneeuw of over de grote vissenmoord. De oudjes bedenken de wonderbaarlijkste complottheorieën en sommigen zijn niet vies van ongefundeerde verdachtmakingen: mevrouw Greetje D. was rond het tijdstip van de moord door twee bewoners gesignaleerd op de gang van het betreffende aquarium...

Dat haar kamer aan die gang ligt en ze niet via het raam op drie hoog naar binnen kan vond men geen argument. Arme Greetje, een scharrelmusje van nog maar veertig kilo, dat altijd schichtig wegkijkt maar nog nooit een vlieg of vis kwaad heeft gedaan.

De directrice had na het politiebezoek een informatiebijeenkomst belegd 'om een stukje onrust weg te nemen'. Ze deelde mee dat alle kamers op de tweede verdieping 'pro forma' grondig waren geïnspecteerd. Alsof de kamer van de dader nog bezaaid zou liggen met koek. Niemand vroeg of de directie wel het recht heeft kamers te inspecteren. Ik ook niet. Ik durfde niet.

Er werden aan de koffietafel wel veel gefluisterde suggesties gedaan voor kamers op andere verdiepingen die ook best eens grondig onderzocht mochten worden. Daarbij werd heftig geknikt: 'Inderdaad.'

Donderdag 17 januari

Ik heb mijn eigen dagboek eens teruggelezen. Misschien is het een beetje zwartgallig tot nu toe. Er zijn hier ook leuke mensen hoor! Natuurlijk is er mijn vriend Evert. Hij woont in een aanleunwoning met zijn hond, een oude, aardsluie, vriendelijke, zeer intelligente, merkloze hond. Het beest heet Mohammed. Als Evert soms te veel last heeft van jicht dan laat ik Mo uit. Dat uitlaten stelt vanwege mijn actieradius al niet veel voor, maar de actieradius van Mo is nóg kleiner. Eén rondje om het gebouw, dat is het. Tegen tien bomen een sproeiertje en eenmaal daags op het grasveldje een drol, die ik moet opruimen en afvoeren in een plastic zakje omdat ik vanuit tientallen kamers word bespied. Zou ik een drol laten liggen waar hij gedrukt was, ze zouden vechten om me als eerste te mogen aangeven.

Dan is er Edward. Hij praat niet veel. Door een beroerte is hij slecht te verstaan. Maar hij kiest zijn nauwelijks verstaanbare woorden zorgvuldig. Áls hij wat zegt dan weet je dat het de moeite waard is om een paar keer 'Wat zeg je?' te vragen. Wat hij aan spreektijd uitspaart gebruikt hij voor scherpzinnige observaties.

Grietje: schatje, vriendelijk en invoelend zonder te slijmen.

Graeme, als laatste van deze voorlopige selectie, lijkt onzeker en introvert maar zegt waar het op staat zonder dat je er boos om wordt.

Met deze mensen zit ik graag rond de koffietafel. Dat gaat ook min of meer vanzelf. Want zoiets eenvoudigs als ergens wel of niet zitten voldoet aan strenge ongeschreven regels. Iedereen heeft zijn vaste plaats: aan tafel, bij de bingo, bij 'bewegen op muziek', in het stiltecentrum. Als je je gehaat wilt maken moet je op iemands plaats gaan zitten. En blijven zitten als zo'n bejaarde kleuter naast je stoel komt staan en zegt: 'Hier zit ik.'

'Nou, volgens mij zie ik u toch echt stáán. Recht voor mijn neus.'

Als je niet al eerder, in de buurt van een lege stoel gekomen, te horen hebt gekregen: 'Daar zit mevrouw Dingetjedee hoor!' Waarna iedereen hier altijd excuses maakt en verderschuifelt. Terwijl je

zou moeten gaan zitten. En zeggen, wijzend op de lege stoelen:
'Die zit vandaag daar ergens en anders rot ze maar op.'

Vrijdag 18 januari

Er geldt nu drie dagen een negatief reisadvies van de directie. Een gebroken heup zit immers in een klein hoekje. Dat betekent dat de sfeer er niet op vooruitgaat. Niet dat bewoners voortdurend op pad gaan wanneer het niet glad is, maar toch, de meeste mensen hebben wel hun dagelijkse gangetje naar het winkelcentrum, de brievenbus of het parkje. En als iets niet kan wordt de behoefte eraan groter. De oudjes zitten vandaag voor de ramen te kijken naar de sneeuw die maar niet wil smelten. En klagen over de gemeente die autowegen schoonhoudt maar stoepen en fietspaden vol bruine pap laat liggen. En daar hebben ze een punt.

Het personeel heeft de stoep voor het huis sneeuwvrij gemaakt zodat we ongehinderd van de voordeur naar het busje van Connexxion kunnen lopen. Maar de martelende onzekerheid over wat je aantreft als je na de reis dat busje weer uit stapt doet de meeste mensen besluiten maar niet te vertrekken. Angst is een veel geconsulteerde raadgever.

De storm rond de vissen is een beetje gaan liggen. Het wachten was op iets dat de aandacht zou afleiden. Welnu, behalve de sneeuw is dat het gerucht dat het stadsdeelbestuur de tarieven voor betaald parkeren wil verhogen. De oudjes vrezen teruglopend bezoek als hun kinderen een euro meer in de meter moeten gooien. Kinderen die vanwege één lullige euro nog vaker wegblijven, zou ik niet eens meer op visite wíllen hebben. Toen ik dat, in heel voorzichtige bewoordingen, ter koffietafel bracht, vonden ze dat ik makkelijk praten had omdat ik geen kinderen heb en trouwens sowieso nooit bezoek krijg.

Daar zit een kern van waarheid in. Achter bijna alle namen op mijn verjaardagskalender staat een kruisje. Van twee mensen zonder kruisje weet ik niet of ze nog leven. Eén iemand weet niet meer wie ik ben. Blijven alleen Evert en Anja over. Graeme en Grietje staan er niet op. Geen indrukwekkende lijst vrienden. Het is óf zelf vroeg doodgaan óf je door een lange stoet begrafenissen heen worstelen. Ik heb nu nog maximaal vijf begrafenissen te gaan, beleefdheidsbegrafenissen niet meegerekend.

Zaterdag 19 januari

Vrijdag is de 'Lekker-bewegen-voor-ouderen-dag'. Dan scharrelen de oude kippetjes in de meest opmerkelijke gympakjes door de gangen op weg naar de 'gymzaal'. De dames zijn werkelijk alle schaamte voorbij en dat is geen prettig gezicht. Roze leggings over dunne knokige of juist dikke blubberende benen, strakke hemdjes over de treurige resten van wat eens borsten waren. Het verval in de etalage. Daar kan ik als oudere heer niet lekker op bewegen.

Plaats van handeling: een weinig gebruikte vergaderruimte waar de tafels aan de kant zijn geschoven en de stoelen in een kring gezet. Het bewegen vindt voornamelijk zittend plaats om de rolstoelrijders niet voor het hoofd te stoten. Op de maten van een vrolijk muziekje wordt er wat gezwaaid met armen en benen. En gekreund. En luidkeels kond gedaan van kwalen die het uitvoeren van bepaalde oefeningen verhinderen: 'Dat kan ik niet hoor, met mijn stoma.'

Vervolgens is het tijd voor balspelen. Laten we zeggen: de bal slijt niet erg. Vooral de stembanden worden geoefend door anderen toe te juichen voor de meest simpele prestaties. Zoals een moeder staat te klappen voor een peuter die na twintig keer eindelijk een bal vangt: 'Jaaaaaa, goed zo! Jééé, wat knap!'

De sfeer op het veld was sportief, zullen we maar zeggen.

Inderdaad, ik heb gisteren voor het eerst meegedaan met 'Lek-ker-bewegen-voor-ouderen'. En voor het laatst. Toen de activiteitenleidster, 'Zeg maar Tine', me na afloop op het hart drukte toch vooral volgende week weer te komen, heb ik meteen gemeld dat mijn komst eenmalig was.

'O, en waarom dan wel?' vroeg ze argwanend.

'Omdat ik me, met zoveel vrouwelijk schoon om me heen, niet goed kan concentreren op het bewegen. Dan verkramp ik helemaal.' Ik zei het zonder nadenken. Pas daarna kreeg ik het er warm van. Veel warmer dan van de gymles.

Hé, ik zeg bijna waar het op staat! Ik ga met sprongen vooruit. Misschien wel door dit dagboek.

Tine stond met een mond vol lelijke tanden. Het sarcasme was duidelijk, maar lag er toch ook weer niet zó dik bovenop dat ze er iets tegen in kon brengen, met alle opgedirkte ouwe taarten nog om haar heen. Die vinden zichzelf merendeels 'best nog wel aantrekkelijk'. Met het ouder worden neemt de zelfkennis flink af. Zoals die, omgekeerd, bij kinderen in de loop der jaren toeneemt.

Zondag 20 januari

Wij oudjes zijn helemaal niet het kind van de rekening van de crisis. Volgens berekeningen van een gewichtig instituut gaat een alleenstaande met alleen AOW er 2 (twee!) euro per maand op vooruit. Heeft Henk Krol met zijn 50PLUS voor niets zo veel paniek gezaaid. Deze partij heeft hier in huis de verkiezingen vorig najaar dik gewonnen. Het is dat veel van onze bewoners het niet zo op homo's hebben, anders had Henk nog meer stemmen gekregen. Daar staat tegenover dat meneer Hagedoorn alleen op hem heeft gestemd omdat hij dacht dat Henk Krol de broer was van Ruud Krol. Diezelfde Hagedoorn vroeg zich destijds ook af of de voormalig Japanse premier Naoto Kan familie was van Wim Kan.

Mensen met flinke aanvullende pensioenen en vutters krijgen voortaan minder maar hebben nog steeds meer. Vutters zitten hier trouwens niet.

Het is verbazingwekkend hoe zuinig de bewoners zijn. Van alleen AOW wordt nog flink gespaard, God weet waarvoor.

Vorig jaar vielen er miljoenenprijzen van de postcodeloterij in een bejaardenhuis. Een flink aantal winnaars werd doodongelukkig van dat gedoe met al dat geld.

Ikzelf zorg ervoor dat ik flink rood sta als ik doodga.

Aan de hand van de Mariakalender die ik in december bij de bingo heb gewonnen, heb ik uitgerekend dat de zon vanaf de kortste dag, 21 december, tot nu, een maand later, maar 11 minuten vroeger is opgekomen en 37 minuten later is ondergegaan. Raar hè.

Ik ben namelijk enigszins geconstipeerd, en de Mariakalender hangt op de wc. Er staan aanbevolen Bijbelteksten op, maar ook recepten, wijsheden en mopjes. Morgen, 21 januari, is de dag van de Heilige Agnes, maagd en martelares, overleden in 304. Dat u het weet.

Er was weer heisa in de krant over een verstandelijk gehandicapte jongen die vastgeketend zat aan de muur van zijn zorginstelling. Waarom werd niet gemeld; ik denk dat hij er regelmatig op los slaat. Bij ons op de dementenafdeling wonen oudjes die nauwelijks nog kunnen staan of slaan maar die er ook bij liggen als een boeienkoning die zijn truc is vergeten. Kom gerust eens kijken, paparazzi.

Maandag 21 januari

Vandaag zou mijn dochter 56 jaar zijn geworden. Ik probeer me voor te stellen hoe ze er nu uitgezien zou hebben. Het beeld is stil blijven staan bij een drijfnat meisje van vier jaar, slap in de armen van een buurman. Ik zag ze aankomen in seconden die nooit voorbij zijn gegaan.

Pas vijftien of twintig jaar later ging de eerste dag voorbij dat ik er niet aan dacht.

Niemand de deur uit: sneeuwstormen!

Nog meer somberheid: Duiker heeft suiker. Dat rijmt.

Dat heeft hij al een hele poos. Evert houdt zich niet zo precies aan de voorschriften van de dokter en dat is hem fijntjes te verstaan gegeven door de doktersassistente.

'Ja meneer Duiker, als u zo blijft drinken én onverstandig eet én rookt, dan kan ik natuurlijk niet meer zo veel voor u doen.'

'Dat zijn toevallig ongeveer de enige zaken die het leven nog aantrekkelijk maken, meisje.'

'Ik ben uw meisje niet.'

'En mijn dokter ook niet, mevrouw de assistente.'

Een beetje bang is hij toch wel, Evert. Hij was vroeger vaste klant in het buurtcafé waar hij bevriend was met een dikke stamgast met suiker die op 'normale' avonden vijfentwintig biertjes dronk. Thuis nam hij dan nog een paar whiskytjes. Hij gebruikte altijd het verkleinwoord om het onschuldiger te laten klinken.

Op zekere dag werd de grote teen van die vriend zwart. De teen moest eraf. Daarna volgden meer tenen. Toen een voet, een onderbeen. Alles wat zwart werd moest eraf worden gezaagd in het ziekenhuis. Ze kenden hem goed daar. Het was een aardige vent die onmogelijk kon stoppen met drinken en roken. Hij zat nog een tijdje met een kunstbeen aan de bar tot hij in een rolstoel terechtkwam en niet meer kon komen. Twee maanden later was hij dood.

Het schrikbeeld van Evert: langzaam zwart worden aan de uiteinden en overgeleverd zijn aan doktoren en verpleegsters.

Morgen ga ik weer over vrolijke zaken schrijven.

Dinsdag 22 januari

Opnieuw ophef over betaald parkeren. De altijd chagrijnige heer Kuiper heeft een voorstel ingediend bij de bewonerscommissie om ín huis betaald parkeren in te voeren.

Bijna niemand loopt nog gewoon met een stok. In plaats daarvan duwen de meesten tegen zo'n karretje met vier wieltjes, handremmen en een ingebouwde boodschappentas. Als je moe wordt kun je erop zitten. Een kleiner aantal mensen rijdt in een scootmobiel, ook binnenshuis. Zo'n voertuig neemt aardig wat plaats in. Het lijkt wel of ze ook steeds groter worden. Het is een statussymbool.

De directie vreest opstoppingen en heeft verzocht de rollators en wagentjes binnenshuis zo min mogelijk te gebruiken. Dat was behoorlijk tegen het zere been van al die strompelaars. Maar toen Kuiper voorstelde om, net als de gemeente Amsterdam, het parkeerprobleem op te lossen door betaald parkeren in te voeren, was het hek pas echt van de dam. Nou is die Kuiper inderdaad niet goed bij zijn hoofd.

Dit tehuis is gebouwd ergens eind jaren zestig, toen kinderen het te druk kregen om oude vaders en moeders in huis te nemen. Of daar gewoon helemaal geen zin in hadden, en ik zal de laatste zijn die daar niet zeer veel begrip voor kan opbrengen. Enfin, de bejaardenhuizen schoten als paddenstoelen uit de grond veertig jaar geleden. En zo lekker ruim van opzet! Kamertjes van vierentwintig vierkante meter, inclusief natte hoek en kitchenette. Echtparen acht vierkante meter meer voor een apart slaapkamertje. Er is de afgelopen twintig jaar twee keer halfbakken gerenoveerd maar het blijft te klein. Er is nooit rekening gehouden met een armada van rollend materieel. Er kunnen maar twee scootmobielen of vier rollators tegelijk in de lift. Voor dat allemaal in- en uitgeparkeerd is ben je een kwartier verder. Én maar ongeduldig tegen benen aanrijden. Én maar recht voor de lift blijven staan terwijl er nog mensen uit moeten. De directrice heeft als oplossing één lift gevorderd voor het personeel. De rijen bij de andere liften zijn daardoor nog langer geworden. Je moet eerder van huis om op tijd op de plaats van bestemming te zijn. Ze mogen wel verkeersinformatie gaan geven. Ik nam tot voor kort de trap maar ik red het niet meer, dus noodgedwongen sta ik nu ook regelmatig in de file.

Als hier ooit een flinke brand uitbreekt, dan worden alle bewoners in één keer gecremeerd. Alleen het personeel komt veilig buiten.

Woensdag 23 januari

Ik informeerde bij de dokter eens luchtigjes naar de eventuele verkrijgbaarheid van de pil die aan alle kwalen een einde maakt. Hij deed of hij me niet begreep: 'Zo'n geneesmiddel bestaat niet, helaas.' Ik durfde niet verder te vragen.

Overigens vond hij mijn lijst met kwalen indrukwekkend: druppelen, pijn in mijn benen, duizelig, bulten, eczeem. Alleen kon hij er niet veel aan doen. Een beetje pappen en nathouden met een pilletje hier en een zalfje daar. Hij vond zelf nog iets nieuws: hoge bloeddruk. Dat had ik nog niet. Daar heb ik nu ook pillen voor.

De oudste bewoner is overleden, mevrouw De Gans. Was wel al jaren zo dement als een goudvis en moest vastgebonden worden aan haar stoel omdat ze er anders steeds afviel, maar toch, hiep hiep hoera, achtennegentig jaar geworden. Had nog net de Eerste Wereldoorlog meegemaakt.

Drie maanden geleden was de wethouder op haar verjaardag een taart komen brengen omdat ze de oudste inwoner van het stadsdeel was. Ze hadden haar voor de fotograaf van het plaatselijke huis-aan-huisblaadje aan een tafel gezet, maar in een moment van onoplettendheid was ze voorover in de slagroomtaart gevallen. Een prachtfoto leverde dat op. Helaas mocht die van de directrice onder geen beding in de krant. De wethouder, die zichzelf zo graag in krantjes ziet, liet een nieuwe taart aanrukken maar toen was mevrouw De Gans al in slaap gevallen en niet meer wakker te krijgen.

En nu is ze dus nooit meer wakker te krijgen. Het verschil was niet zo groot tussen voor en na de dood.

Ik denk niet dat ik naar de crematie ga. Ik kan er niet zo goed tegen.

Donderdag 24 januari

De stemming in huis wordt er niet beter op. Er ligt nu ruim een week sneeuw en er waait een snijdende oostenwind. Dus blijft iedereen binnen zitten mokken dat ie niet naar buiten kan. Kleine dagelijkse wandelingetjes en boodschapjes zijn de activiteiten waar het leven normaal gesproken omheen wordt gedrapeerd. Vallen die weg, dan is er nog meer tijd om op elkaar te letten. De dag moet ergens mee worden gevuld.

Ik wilde gisteren toch even een frisse neus halen en ging op het bankje naast de voordeur zitten. Na een paar minuten werd mij door de portier te verstaan gegeven dat dat niet de bedoeling was. Een blauwe bejaarde voor de deur was geen goede reclame. 'U kunt toch ook door het raam naar buiten kijken.'

Ik bromde nog: 'Frisse neus.'

'Paarse neus, meneer Groen, u heeft een paarse neus.'

Meneer Hoogdalen rijdt sinds een paar maanden in een scootmobiel. Drie dagen geleden heeft zijn zoon, een garagehouder, dat wagentje meegenomen en vanochtend bracht hij hem weer terug. Helemaal gepimpt. Spoilers, extra brede banden, een TomTom, een toeter, een geluidsinstallatie met boxjes en, als kers op de taart, een airbag. Allemaal nergens voor nodig maar daarom niet minder mooi. Trots als een pauw reed Hoogdalen rondjes door het huis in zijn scoot-Lamborghini. Natuurlijk waren er zure afgunstige commentaren maar gelukkig oogstte hij ook bewondering. Zo moet het: blijven leven en doen wat je leuk vindt.

Na Mamaloe, wier heengaan hier diep werd betreurd, is de tweede bekende Nederlander van het jaar overleden: Ellen Blazer, een 'beroemde' televisieregisseur van onder anderen Sonja Barend. Een van de weinige BN'ers die alleen van naam bekend is. 'Hoe zag ze er eigenlijk uit?' vroeg iemand gisteravond bij de koffie. Niemand die het wist. Toen was de aardigheid er meteen ook af. Misschien is dat de beste manier om beroemd te zijn, als alleen vrienden en bekenden weten dat jij het bent.

Vanmorgen stond er een stuk over Ellen in de krant. Van wie zouden kranten allemaal een necrologie klaar hebben liggen? Als ik een krant zou bellen met die vraag, zouden ze dan antwoord geven? Of, nog iets specifieker, zou bijvoorbeeld Nelson Mandela op verzoek zijn eigen necrologie van tevoren even mogen inzien en hier en daar wat mogen wijzigen?

Vrijdag 25 januari

Toch nog tamelijk ver gekomen voor het noodlotje toesloeg. Ik schrok van een brommer die me bijna van de stoep reed en het volgende moment lag ik languit.

'Net doen of er niets aan de hand is' is de natuurlijke reflex in dergelijke gevallen, en die reflex werkte nog uitstekend. Ik krabbelde overeind, veegde de sneeuw van mijn jas en keek om me heen of niemand het gezien had. Gelukkig, ik kon zonder schade terug naar huis wandelen. Toen ik de portier groette keek die me met grote ogen aan: 'Wat is er met u gebeurd?'

'Niets bijzonders. Een beetje uitgegleden.'

'Niks bijzonders? U zit helemaal onder het bloed!'

Ik voelde aan de plek op mijn hoofd die hij aanwees en daar was het inderdaad nogal kleverig. Er werd een verpleegster bij gehaald die onmiddellijk over hechten begon en het eind van het verhaal was dat ik anderhalf uur met mijn bebloede kop bij de eerste hulp heb gezeten en nu met een witte tulband om mijn hoofd zo veel mogelijk op mijn kamer blijf om al het moralistisch gezever te ontlopen.

'Doet het erg pijn?' Daar begint het meestal mee, maar vroeg of laat komt erachteraan: 'Je moet met die gladheid ook niet de straat op gaan.' Daar krijg ik nog het meeste hoofdpijn van.

'Die witte hoed staat je goed,' kwam Evert nog even wat zout in de wonde strooien. Mocht er een tekort aan strooizout ontstaan dan heeft Evert altijd nog een voorraad voor persoonlijk gebruik.

Voor straf heb ik hem afgeslacht met schaken. Meestal stuur ik aan op een tamelijk gelijkwaardig eindspel met nu eens winst voor de een en dan voor de ander, maar nu stond hij na een kwartier verbouwereerd mat.

'Die klap heeft je goedgedaan,' merkte hij op. 'In ieder geval qua schaken.'

Ik zei dat ik hoopte dat ik er morgen ook beter door zou gaan biljarten.

'Je geheugen heeft wel een opdonder gehad, Henk, want het biljarten is pas over drie dagen.'

Hij had gelijk. Gek dat ik er helemaal naast zat.

Zaterdag 26 januari

Laatste zaterdag van de maand: bingoavond. Gokverslaafde hoogbejaarden strijden om een doos kersenbonbons. De voorzitter van de bewonerscommissie leest hoogstpersoonlijk de nummers voor. Waag het niet erdoorheen te praten. Klinkt er '44' dan zegt mevrouw Slothouwer steevast 'Hongerwinter' en kijkt de hele zaal verstoord op.

Er was onlangs een actiegroep die de bingo naar de woensdagavond wilde verplaatsen omdat er op zaterdag veel familiebezoek zou zijn, wat niet zo is. De ware reden was waarschijnlijk het televisieaanbod van de zaterdag. De woensdagavondzangclub protesteerde onmiddellijk en stelde maandagavond voor, waar de biljartclub niets van wilde weten. Die vond de vrijdagavond veel geschikter. Dat stuitte op fel verzet van de leden van 'Lekker-bewegen-voor-ouderen', die te moe waren van hun middagje gymmen om ook nog 's avonds te bingoën.

Toen na drie vergaderingen de bewonerscommissie er nog steeds niet uit was, besliste onze eigen Salomon, mevrouw Stelwagen, dat voorlopig alles bij het oude blijft. De verstandhoudingen binnen de commissie zijn danig verslechterd. De messen worden geslepen.

Pesten op scholen en op internet is een populair onderwerp in de krant en op tv, maar over bejaardenhuizen hoor je weinig. Respectabele oude mensen pesten niet. Dat is een misverstand. Loop hier een dagje mee en je weet beter. We hebben echte specialisten. De dames Slothouwer, twee ongetrouwde zussen, zijn een gevreesd duo. De een draaide het dekseltje van het zoutvaatje los, de ander gaf het door aan hun meest gewilde slachtoffer mevrouw De Leeuw, die al het zout inclusief dekseltje op haar gebakken eitje strooide. Mevrouw De Leeuw keek onthutst van haar eitje naar het lege potje en daarna opzij. 'Daar kan ik niks aan doen hoor. Dat is uw eigen schuld. U bent gewoon altijd onhandig,' bitste Slothouwer terwijl haar zus zat te knikken. Geen idee waarom ze het doen. Mevrouw De Leeuw is, in tegenstelling tot haar naam, een bang schaap. Ze verontschuldigt zich voor de zekerheid altijd voor alles wat er in haar buurt fout gaat. Om aandacht voor het getreiter te krijgen moet hier eerst iemand zelfmoord plegen en een duidelijk briefje over de oorzaak achterlaten.

Zondag 27 januari

Ik heb het geprobeerd maar ik heb het einde van de bingo niet gehaald. Toen er ruzie uitbrak over de vijfde prijs, een Aldi-leverworst van 90 cent, heb ik gezegd dat ik migraine had en ik ben naar mijn kamer gegaan. Migraine is handig om te hebben, want die wordt alom geaccepteerd als excuus. Bij mijn komst hier, toen niemand me kende, heb ik mijn verzonnen migraine geïntroduceerd en sindsdien heb ik er vele malen gebruik van gemaakt. Een beetje scheel kijken en over mijn voorhoofd wrijven is genoeg. Er vraagt altijd wel iemand bezorgd of ik soms migraine heb. Dan moet ik nodig 'even gaan liggen'. Geen gezeur aan je kop, klaar is Kees.

Ik kom zojuist uit het stiltecentrum. Ik wip wel eens binnen als daar op zondag de oecumenische dienst plaatsvindt. De ene zondag gaat een dominee voor, de andere zondag is een priester de voorganger. Ze vallen niet op, want zijn allebei bijna net zo oud als de kerkgangers. De dominee is grappig. Die neemt God met een korreltje zout. De priester is van de oude stempel en preekt hel en verdoemenis. Veel verschil maakt het niet, in zoverre dat ze allebei nauwelijks te verstaan zijn.

Er klampen zich, met de dood in zicht, toch nog aardig wat bewoners vast aan het geloof.

Na de dienst is er krentenbrood en ketelkoffie.

Er was gisteren ophef over de verhoogde eigen bijdrage aan het verzorgingshuis. Het had in de krant gestaan: er kwam een 'vermogensinkomensbijtelling' van acht procent bovenop de vermogenstoets van vier procent. Er werd schande van gesproken. Toen Greame vroeg wie er dan een eigen bijdrage moest betalen, stak alleen mevrouw Bregman haar hand op. Die dacht dat het over de contributie aan de bewonersvereniging ging.

We hebben hier voornamelijk arme bewoners, met hooguit een aanvullend pensioentje.

Grappig was dat zelfs de ouderenpartij 50PLUS in de Tweede Kamer akkoord was gegaan met de hogere eigen bijdrage. Henk Krol licht toe waarom: 'We zaten toen net in de kamer en zagen iedereen voorstemmen, zelfs de SP. We zijn er gewoon ingestonken.' Ik heb het citaat uit de krant voorgelezen. Sommigen vonden dat de andere partijen Henk hadden moeten waarschuwen.

Maandag 28 januari

Vanochtend bij de koffie heb ik meneer Hoogdalen gefeliciteerd met zijn prachtige scootmobiel. Hij heeft me alles laten zien. Alleen de airbag kon hij niet demonstreren.

Hij wil een scootmobielclub oprichten: de Antilopen. De naam heeft hij ergens gepikt, gaf hij toe. Ik vertelde hem dat ik eigenlijk de aanschaf van een Canta cabrio overwoog maar dat ik er nog eens rustig over zou denken. Hij op zijn beurt zou erover nadenken of hij ook Canta's tot de club toe zou laten.

In eerste instantie was het mijn bedoeling de boot beleefd af te houden, maar ik begin enthousiast te worden. Misschien is het wel een heel grappig idee om toertochten te organiseren. Een lange rij scootmobielen die traag door oneindig laagland gaat. Af en toe stuurt een bejaarde de sloot in.

Er is twee jaar geleden, in Genemuiden, een ongeluk gebeurd met een Canta. (Ik bewaar opmerkelijke krantenknipsels.) De inzittenden kwamen om het leven. En nu opgelet: ze waren zes- en zevenennegentig jaar oud! Frontaal tegen een auto aan. Misschien omdat de dokter ze geen euthanasiepil wilde geven, wie zal het nu nog zeggen. Twee wereldoorlogen overleefd en dan ondersteboven in een koekblik in een berm bij Genemuiden je Waterloo vinden. Samen 193 jaar. Niet slecht. Er stond niet bij of het een echtpaar was. Misschien was zij, net als bij Ted Kennedy in Chappaquiddick, zijn maîtresse. Dat zou te mooi zijn om waar te zijn.

Over krantenknipsels gesproken: vrijdag uitgeknipt: 15 duizend

35

krokodillen ontsnapt. (Ik weet niet of je in één zin twee keer een dubbele punt kunt zetten.)

Dinsdag 29 januari

Gisteravond kwart voor zeven zaten bijna alle bewoners paraat voor de breedbeeld-tv in de conversatieruimte. 'O, o, wat zou Beatrix in haar verjaardagstoespraak gaan zeggen?' En ja hoor: ze treedt af. Verder viel haar praatje van een paar minuten eigenlijk een beetje tegen. De simpele mevrouw Groenteman vroeg zich af of de koningin nu naar een bejaardenhuis zou gaan.

De kamer van de pas overleden mevrouw Gans is met spoed ontruimd om hem per de eerste van de maand, aanstaande vrijdag, weer te kunnen verhuren. Zaken zijn zaken, geld is geld. De enige dochter van Gansje kreeg drie dagen de tijd om haar moeders spullen af te voeren en ergens op te slaan of de hele handel aan het Leger des Heils te geven. Het alternatief was een maand extra huur betalen.

Ze had iemand laten komen die in de Gouden Gids adverteerde dat hij complete inboedels inkocht tegen een uitstekende prijs. Die vertrok, na een blik op de nalatenschap, meteen weer. 'Dat is de moeite van het inladen niet waard.' Subtiele man.

Toegegeven: mevrouw Gans had geen geld en geen smaak.

Uiteindelijk heeft de dochter een paar souvenirs uitgezocht en daarna alles gratis meegegeven aan de milieubrigade. Ze had mevrouw Stelwagen gesmeekt om drie dagen uitstel maar geen dag gekregen.

'Sorry, echt heel erg vervelend, ik zou het wel anders willen, maar ik moet me houden aan de regels van het bestuur,' had Stelwagen schijnheilig gezegd. We zullen Anja eens vragen of dat klopt. Als het tehuis zelf de ontruiming moet regelen, sturen ze de nabestaanden een rekening van minimaal € 580,-, ook al is het maar een uurtje werk.

Mevrouw Gans zou zich omkeren in haar graf als ze dit allemaal zou weten. Het graf waar ze nog niet eens in ligt. Gistermiddag was er gelegenheid tot afscheid nemen, zeg maar de laatste kijkdag. De harde wetten van de bejaardenjungle: kijken of bekeken worden. Vanmiddag wordt ze begraven.

Zondagochtend zat de hele bevolking juichend voor de ramen naar de regen te kijken. Weg sneeuw! Zondagmiddag was het nog te gevaarlijk maar gisteren hebben de rollators weer massaal de straten onveilig gemaakt.

En, ik geef het toe, ook ik heb innerlijk juichend mijn wandelingetjes gemaakt.

Woensdag 30 januari

Ik hang mijn republikeinse sympathieën maar even niet aan de grote klok. Dit is niet het juiste moment om 'Weg met de koning' te roepen. Ik heb geen hekel aan Beatrix maar ik denk dat het de hoogste tijd is voor een stapje terug. Wat meer schilderen en wat minder naar de kapper. Die kapsels irriteren me al jaren. Ik zou me daar overheen moeten zetten, maar het lukt me niet. Op de voorpagina van *de Volkskrant* een stuk of dertig fotootjes van Bea. Nooit één ontsnapt haartje te bekennen.

De koningin wordt hier op handen gedragen. *Vorsten* ligt op de leestafel, samen met de *Libelle* en de *Margriet*. Evert heeft er eens een *Playboy* tussen geschoven bij wijze van experiment. Binnen het uur verdwenen! De bladen zijn gemerkt met een groot zwart stempel van het huis zodat niemand het in zijn hoofd haalt er een mee te nemen. Op die *Playboy* stond geen stempel.

Een paar bewoners hebben al het Connexxion-busje naar de Dam besteld voor 30 april. Het kroningsfeest zal hun niet ontglippen.

Ik ga straks nog even langs bij Evert. Die heeft een jichtaanval en dus moet ik zijn hond Mo uitlaten. Volgens Evert blijkt de intelligentie van Mo uit het feit dat hij gaat grommen zodra de directrice nadert. Een keer negeerde ze het gegrom en wilde hem toch aaien; toen beet hij in haar hand, of eigenlijk er net naast, in haar jurk. Wel een dure jurk. Sindsdien is de verhouding tussen de directrice en Evert zacht gezegd nogal ijzig.

Er hangt nu een bordje op de deur: 'Respecteer het grommen.'

Gisteravond bij mijn eerste uitlaatbeurt zat Evert suf in zijn stoel. Als hij jicht heeft drinkt hij niet en slikt in plaats daarvan royaal pillen. Is de jichtaanval over dan draait hij dat weer om.

Ik zorg in de tussentijd voor hond en baas. Mo is dankbaar en Evert bromt dat het allemaal niet hoeft. Aan zielig zijn heeft hij een bloedhekel, dus moet iedereen maar uit de buurt blijven. 'Niet zeuren' zou hij graag in grote neonletters op de gevel van ons tehuis geplaatst zien. Ik word gedoogd. Doe een paar boodschappen, stop een kant-en-klaarmaaltijd voor hem in de magnetron en maak me uit de voeten. Als hij beter is komt hij altijd met een cadeautje aanzetten: vijftig tulpen, een pond paling, een pin-upkalender.

Donderdag 31 januari

De koningshuisdeskundigen hebben het massaal af laten weten: niemand heeft ons van tevoren gewaarschuwd voor het aftreden. Na twee dagen Beatrix-zondvloed in de krant, op radio en tv en aan de koffietafel ga ik bijna naar een flinke ramp verlangen voor een beetje tegenwicht.

De échte verjaardag van Beatrix, vandaag dus, wordt hier altijd ingetogen gevierd met tompoezen. Of is het tompoucen? Ze zijn niet oranje, die zijn alleen op Koninginnedag te koop. Ook wordt er door diverse bewoners gevlagd. Met bescheiden tafelvlaggetjes, want een grote vlaggenstok aan de muur kan natuurlijk niet. De regels zijn duidelijk: geen gaten in de muren. Elke kamer heeft, van instellingswege, op vier vaste plekken ophanghaakjes voor schilderijen en daar moet je het mee doen.

Meneer Ellroy heeft geprobeerd zijn elandenkop aan een zo'n haakje op te hangen. Die stortte toen neer op zijn dressoir. Thee-servies aan gruzelementen. Hij kreeg geen grotere haak, hoe hij ook smeekte, want hij is zeer gehecht aan zijn eland. 'Als we daaraan gaan beginnen is het eind zoek,' zei het hoofd gebouwenbeheer. Het argument dat aan alle argumenten een eind maakt in dit woon-oord. Alsof de bewoners opeens massaal groot wild aan de muur gaan spijkeren als Ellroy een grotere haak krijgt voor zijn eland. De kop staat nu op een stoel. Hij kan hem nu niet meer zo goed als kapstok gebruiken. Wel gooit hij er zijn hoed nog van een af-standje naartoe. Meestal mis. Het bukken kost hem veel moeite maar altijd gaat hij de uitdaging met het gewei aan. Aardige man, alleen zo doof als een kwartel. Jammer, want je zou anders vast een heel aardig gesprek met hem kunnen voeren.

Vrijdag 1 februari

Ik kreeg zojuist onverwacht bezoek van de maatschappelijk werk-ster. Gelukkig voor haar ben ik bijna altijd thuis. Iedereen hier is bijna altijd thuis. Ik was nogal verbaasd.

Ik maakte een kopje koffie voor haar en vroeg toen waaraan ik de eer van haar bezoek te danken had. Ze zat een beetje te schut-teren. Of het leven nog een beetje aangenaam was? Of ik niet som-ber was?

Ze zat zich heel charmant geen raad te weten met zichzelf. Ze is nogal jong en onervaren voor haar vak, maar deed aandoenlijk haar best.

Ik vroeg waar al deze belangstelling opeens vandaan kwam.

'Nou, dat doet er niet zo toe.'

'Nou mevrouw, als het er niet zo toe doet, kunt u het ook vast wel zeggen.'

En toen kwam eruit dat ze door de huisarts was gestuurd. Waarschijnlijk omdat ik tussen neus en lippen door geïnformeerd had naar de euthanasiepil. Om te voorkomen dat ik van het dak af zou springen had hij dit schaap op me af gestuurd.

Ik verzekerde haar dat ik voor de korte termijn geen plannen had tot zelfdoding. Ze schrok een beetje van het woord: 'O, zo bedoelde ik het niet hoor.'

'Ik begrijp best wat je bedoelt. Het is goed. En zeg maar tegen de dokter dat ik het op prijs zou stellen als hij voortaan de lastige klusjes zelf opknapt. Wil je nog een kopje koffie?'

Nee, ze moest er weer vandoor.

Ik ben gisteren op visite geweest bij Anja, mijn informant op het kantoor van de bazin, en heb van haar een kopie van het verslag van mevrouw Stelwagen over de vissenmoorden gekregen. Ik word niet genoemd als verdachte. Evert ook niet. Ze is ervan overtuigd dat de dader onder het personeel gezocht moet worden. Het doel zou zijn geweest haar positie te ondergraven. Ze gaat camera's laten plaatsen in de gangen. Ik vraag me af of dat zomaar mag.

Zaterdag 2 februari

'Stop het verval, blijf bewegen.' Dat was de titel van een oud krantenartikel met daarboven: 'Wetenschappers speuren wereldwijd naar oorzaken en oplossingen voor problemen van veroudering.' Nou wetenschappers, lekker op tijd zijn jullie. Hier valt niets meer te redden. Maar kom gerust eens langs, er schuifelt genoeg studiemateriaal rond.

Biologisch gezien is een mens vanaf pakweg zijn veertigste overbodig, want de kinderen zijn dan volwassen en hebben geen ouders meer nodig. Het verval zet vanaf die tijd kalmpjes in met kaalheid en een leesbril. Ook op celniveau komt de klad erin. Steeds meer foutjes bij het delen en vermenigvuldigen. Verminderde stofwisseling geeft slappe zenuwcellen waardoor het in het hoofd ook steeds beroerder gaat. (Ik vat het artikel even ruw samen.)

Veel weten ze nog niet maar één ding is duidelijk: *use it or lose it*. Houd lichaam en geest in beweging, vooral de prefrontale cortex, het stukje hersenen dat functies regelt als plannen, initiatief nemen en flexibiliteit. Nou, wij kunnen stellen dat de directie van dit theater niet veel affiniteit heeft met de prefrontale cortex. Kosten nog moeiten worden gespaard om de bejaarden gedwee, passief en futloos te maken en dit wordt gecamoufleerd met bingo, biljartclub en 'lekker-bewegen-voor-ouderen'.

Laat ik overigens niet te eenzijdig de schuld bij de staf leggen. De clientèle laat zich het betuttelen maar al te graag welgevallen. En vooruit: soms kan ik er begrip voor opbrengen. Er zijn dagen dat het ook mij geen moeite kost op de waakvlam te staan.

Ik ga eens even een stukje bewegen. Eens kijken hoe ver ik kom. Het verband ten gevolge van mijn valpartij is intussen van mijn kop, dat scheelt commentaar.

Zondag 3 februari

5OPLUS staat in sommige peilingen op negen zetels. Over zes jaar zijn er meer kiezers van boven de vijftig dan eronder. Opeens komen allerlei politieke partijen in actie. De boze bejaarde is ontdekt. We zijn interessant geworden. Van veel politiek bewustzijn is hier overigens geen sprake. 'We worden bestolen door de polletiek' is ongeveer de meest genuanceerde uitspraak die aan de koffietafel te beluisteren valt.

De nieuwe bewoonster die de plaats heeft ingenomen van wijlen mevrouw Gans, lijkt mij een aardige vrouw. Een verademing vergeleken bij wat er gemiddeld door de gangen sloft. Zij sloft ook wel hoor, maar met allure.

Ik heb een praatje met haar gemaakt en ze vertelde me dat ze niet bepaald uit vrije keus hier haar intrek had genomen. Maar ze was voornemens 'zich niet te laten kisten', althans 'voorlopig nog niet'.

'En misschien laat ik me wel cremeren, daar ben ik nog niet helemaal uit.'

Ik zei dat ik ook nog twijfelde en het allebei geen prettig idee vond, onder de grond of door de schoorsteen, en ze was het met me eens.

'Veel andere mogelijkheden zijn er niet. Misschien vanuit een vliegtuig in zee laten vallen. Kunnen we die Argentijnse piloot wel vragen.'

'Volgens mij zit die nog wel even vast,' zei ik.

'Eigenlijk kan ik er niet onderuit om me te laten cremeren,' merkte ze toen op.

'Hoezo?'

'Nou ik heet Brand, Eefje Brand, aangenaam. Zou voor het cremeren eigenlijk met *dt* moeten: Eefje Brandt.'

'Hendrik Groen, Henk dus.'

Zo'n conversatie heb ik geloof ik nog nooit gevoerd in dit huis. Mijn goede gesprekken met Evert hebben toch een andere toon. Alle andere bewoners hebben het voornamelijk over het weer, het eten en hun ziektes.

Nou, het weer is mooi, het eten kan ermee door en met een paar extra pillen heb ik vandaag ook weinig last van het lijf. Kortom: het leven lacht me toe.

Maandag 4 februari

Een berichtje in de krant meldde dat iemand bij een slippartij met zijn auto zeventig meerkoeten heeft doodgereden. Een massaslachting van meerkoeten. Dat zal er niet uit hebben gezien. Al die veren en snaveltjes, al dat bloed. Ze zaten óf heel dicht bij elkaar óf het was een enorme slip. Meerkoetjes zijn doorgaans onbenaderbaar schichtig. Ik vraag me trouwens wel af: zou die verslaggever heel precies alle lijkjes hebben geteld? En wat is er met de gewonden gebeurd? Ik kan me niet voorstellen dat alle vogeltjes op slag dood waren. Er zullen er best nog wel een aantal gesparteld hebben. Huh... ik word zelf een beetje naar van mijn gedetailleerde vragen.

Evert komt op zondagmiddag vaak langs voor een praatje en 'een glaasje van het een of ander'. Hij is geen moeilijke drinker: wijn, jenever, cognac, whisky, het maakt hem niet zo veel uit. Ik heb hem eens een hele fles advocaat weg zien lepelen op visite bij mevrouw Tankink. Die had niets anders in huis. Na twee glaasjes ging hij over op een soepkom en vroeg hij een grotere lepel. Alsof het vla was. Tankink deed op dat moment alsof het de gewoonste zaak van de wereld was, maar sprak er daarna nog weken schande van wanneer Evert niet in de buurt was.

Zondagmiddag is het klassieke visitemoment voor veel bewoners.

'O, is het alweer vijf weken geleden dat we bij pa en ma waren? Moeten we zondagmiddag maar weer even langsgaan.' En dan drinken ze een kopje thee en zitten hun twee uurtjes uit.

Hendrik, eerlijk zijn: hier spreekt afgunst omdat je zelf nooit visite krijgt. Op Evert na, maar dat kun je eigenlijk geen visite noemen.

Dinsdag 5 februari

Er is veel te doen over de plannen voor een levenseindekliniek. Speciaal voor mensen met een weigerachtige huisarts. De Nederlandse Vereniging voor een Vrijwillig Levenseinde heeft het bedacht. Die vereniging heeft vast een groot ledenverloop.

Twee jaar geleden haalde de NVVL in drie dagen 40.000 handtekeningen op om hulp bij zelfdoding voor 70-plussers op de agenda van de Tweede Kamer te krijgen. Met onder andere steun van Mies Bouwman! Die is goed in acties. Wordt dit haar laatste kunstje, de actie 'Over en sluiten'?

40.000 ondertekenaars betekent dat de Tweede Kamer zich moet buigen over de bejaarde die vindt dat zijn leven wel zo'n beetje voltooid is en er op een ordentelijke manier een einde aan wil maken. Om te voorkomen dat iemand een fles spiritus koopt en zichzelf flambeert in zijn kamertje omdat niemand hem wil helpen. Echt gebeurd, volgens de NVVL.

Tegenstanders van de vereniging stellen dat het leven van de oudjes eerst maar eens flink opgeleukt moet worden, om te zien of ze er weer zin in krijgen. Een interessante uitdaging zou ik zeggen. Laten wij onmiddellijk ons tehuis als proeftuin aanbieden. Komt u maar opleuken.

En voor als dat mislukt ook maar vast een keurige kliniek bouwen voor mensen die netjes uit het leven willen stappen onder deskundige begeleiding. Graag een beetje in de buurt.

Even iets vrolijks graag, Groen. Denk aan de lente.

Ik heb sneeuwklokjes gespot en zelfs een paar heel vroege narcissen. De bloemetjes weten niet zo goed waar ze aan toe zijn: eerst een te warme decembermaand, toen bijna drie weken sneeuw en ijs, meteen daarna weer tien graden en nu hagel- en sneeuwbuien. Kom op bloemen, laat je niet gek maken! Ik heb zin in een mooi voorjaar.

Woensdag 6 februari

Ook geldzaken worden aan de koffietafel besproken. De SNS bank is in de problemen en de bewoners die hun spaarcentjes bij SNS in bewaring hadden gegeven, hebben allemaal hun rekening leeggehaald. Of beter gezegd: hun zoon of dochter dat laten doen, want van bankzaken krijgt men het hier erg benauwd. Pinnen is al een heel avontuur. Achterom kijken of je niet overvallen wordt én tegelijk voor je kijken om met beverige vingers jouw vier cijfers correct in te toetsen én dit ook nog afschermen tegen pottenkijkers door je lijf tegen de automaat aan te drukken... dat is een gecompliceerde handeling die vaak mislukt. Dan wordt hevig terugverlangd naar het loonzakje.

Er zijn hier in huis veel weduwen die tot de dood van hun man nog nooit zelfs maar een giro ondertekend hadden. Ze kregen elke week huishoudgeld. Er komt bij een sterfgeval nog vaak een oude sok met geld tevoorschijn.

Daarna werd *Sterren dansen op het ijs* besproken. Erger kan bijna niet. Heb met tevredenheid geconstateerd dat ik een medestander heb: Eefje Brand. Dat schept een band.

In een poging haar bij het gesprek te betrekken werd haar mening gevraagd.

'Ik mag er niet naar kijken van de dokter,' antwoordde ze. Er werden rondom wenkbrauwen opgetrokken. Ik raapte mijn moed bijeen en zei dat ze een bijzonder verstandige dokter had. Daarna begon Eefje over het weer. De tafelgenoten waren met stomheid geslagen.

Toen ik mijn krantje ging halen in het winkeltje heb ik nog een tv-gids voor haar meegenomen omdat zij tamelijk slecht ter been is. Ik mocht zelf kiezen welke, een vriendelijke motie van vertrouwen.

'Heeft u dan niet altijd dezelfde?' vroeg meneer Gorter oprecht verbaasd.

Nee hoor, ze nam dan eens die en dan eens die.

'Maar dan weet u toch niet waar alles staat?' zei Gorter met ogen als schoteltjes. Zo veel chaos kon hij eenvoudigweg niet bevatten.

'Dat zoek ik dan even op. Meestal komt de maandag na de zondag, dan de dinsdag, woensdag en zo verder.'

Eefje Brand, u zult hier niet veel vrienden maken maar mijzelf wil ik graag van harte aanbevelen.

Donderdag 7 februari

Evert wil wel eens kennismaken met mevrouw Brand en stelde voor dat ik hen beiden op de thee zou uitnodigen. Hij beloofde bij die gelegenheid thee te drinken. Ik weet het niet... Misschien zijn ze niet elkaars type. Evert is bot en lomp en Eefje lijkt me subtiel en verfijnd. Ik voel er weinig voor om daartussen te gaan laveren. Maar het klinkt wel goed: Evert en Eefje. We zouden misschien De Drie Musketiers van dit huis kunnen worden.

'Onze' voorzitter van de raad van bestuur, Eelco D, is weer in het nieuws. Hij moet saneren: 1.500 thuiszorgmedewerkers eruit. Een paar jaar geleden kreeg hij een bonus van 60.000 euro op zijn salaris van 220.000 omdat hij Cordaan níet failliet had laten gaan. Mij lijkt dat een gewoon onderdeel van zijn werk. Ik ken weinig bestuurders die ingehuurd worden om een bedrijf wél failliet te laten gaan.

Eelco heeft toen onder meer fors bezuinigd op de vergoedingen voor leerling-verzorgenden. Die krijgen nu nog maar 5.000 euro per jaar voor het legen van strontpotten en het wassen van verschrompelde geslachtsdelen, dat is 1/54-ste deel van wat de baas vanuit zijn net voor 40.000 euro opgeknapte kantoor laat overmaken op zijn eigen bankrekening. Wee de man die denkt dat hij 54 keer zo waardevol is als de vrouw die liefdevol het vuile werk doet.

Vrijdag 8 februari

Onrust in ons rusthuis. Op het prikbord hing een briefje met de mededeling dat de bewoners bij hun huisarts terecht konden voor een armbandje met daarop: 'Reanimeer mij niet'. Er stond geen afzender bij. Een groot deel van de bewoners sprak bij de koffie schande van deze promoactie.

'Ze zijn ons liever kwijt dan rijk.'

'We kosten te duur.'

De dikke meneer Bakker zag een reanimeermeisje wel zitten maar wilde absoluut niet door een man gereanimeerd worden. 'Dan ga ik liever dood.' Of daar aparte armbandjes voor waren?

Na de koffie was het briefje verdwenen. Niemand wist wie het had weggehaald.

Ik hoop dat zo'n armbandje niet al te opvallend is, anders heb je er de hele dag gezeur over. Ik ga eens informeren bij mijn dokter.

Ik heb voor morgenmiddag Eefje en Evert uitgenodigd op de thee. Een beetje op zijn Engels met witte boterhammen zonder korst, schuin doorgesneden. En zoetigheden: chocolaatjes, koekjes en een taartje. En iets met cream. Ik moet eens even uitzoeken hoe dat zit met een high tea. Er woont op de vijfde verdieping een Engelse meneer met een Pakistaanse naam. Misschien weet die alleen iets over Pakistaanse theegebruiken, maar ik waag het er toch op en ga straks even bij hem langs.

In de gang kwam ik die schattige maatschappelijk werkster tegen die me van de dokter voor euthanasie moest behoeden. 'Ik leef nog hoor!' zei ik met een knipoog. Ze moest lachen. Uit het goede hout. Ik kan me niet herinneren wanneer ik voor het laatst een knipoog heb gegeven. Dat moet aan mijn dochtertje zijn geweest.

Zaterdag 9 februari

Ik ben zowaar een beetje zenuwachtig vanwege de visite straks. Ik hou mezelf steeds voor dat ik gewoon moet doen, maar intussen heb ik mijn kamer opgeruimd en gesopt, mijn overhemd twee keer gestreken en vier soorten koekjes in huis gehaald. En dan moet ik zo ook nog terug naar de winkel om iets anders dan English breakfast-thee te kopen. De theeadviezen van de vriendelijke Pakistaanse meneer heb ik in de wind geslagen. Hij gaf me plechtig een dik boek over theegebruiken over de hele wereld. In het Pakistaans.

In Tibet heeft de negenennegentigste Tibetaan zichzelf bij wijze van protest in brand gestoken. De honderdste zal speciaal gevierd worden. Ook in de Arabische wereld is het een tijdje in de mode geweest zo je ongenoegen te uiten. Het moet gezegd: je trekt er wel de aandacht mee, al is het maar voor even.

Ikzelf heb ook flinke kritiek op de gang van zaken hier, maar om mezelf daarvoor in de hens te zetten gaat me toch te ver. Ik ken wel een paar anderen die ik best in brand wil steken om aandacht te vragen.

Nederland heeft, volgens *de Volkskrant*, samen met de Scandinavische landen de beste ouderenzorg ter wereld. Ik heb dat gegeven gisteren voorzichtig onder de aandacht gebracht van een aantal medebewoners aan de koffietafel. Om nou te zeggen dat dat erin ging als koek: nee. Óf ze geloofden het niet, óf ze vonden dat er niet toe doen.

'Als wij hier al zo bezuinigen op de AOW en de pensioenen, hoe erg moet het dan wel niet in zijn andere landen?' vroeg men zich meelevend af.

Dat er, pak hem beet, een half miljard oudjes zijn die nog nooit zelfs maar van AOW hebben gehoord, leek de meesten hoogst onwaarschijnlijk.

Zondag 10 februari

Het was geen echte ramp, de theevisite. Maar om nu te zeggen dat ik een ontspannen, geestige en intelligente gastheer was, is ook bezijden de waarheid.

Eefje kwam eerst. Ik liet haar mijn 'huis' zien en ze was vriendelijk in haar beoordeling: 'gezellig'. Daar kun je alle kanten mee op.

Toen kwam, met tamelijk veel lawaai, Evert binnen. Hij heeft mijn reservesleutel en weigert aan te bellen. Hij stapte met een brede grijns en een iets te hard 'hoi' de kamer binnen. Toen ik vroeg wat voor thee hij wilde vroeg hij zich hardop af sinds wanneer er niet meer alleen gekozen kon worden uit English breakfast-tea. En toen ik even later onopvallend het assortiment koekjes op tafel wilde zetten, zei hij dat hij nog niet eerder zo'n koninklijke behandeling had gekregen.

'Of is het meer vanwege het bezoek van deze koningin?' En daar deed hij een opzichtige foute knipoog bij.

Ik geloof dat ik een beetje bloosde. Eefje lachte en meldde dat zij zich zeer vereerd voelde.

We spraken een tijdje over koetjes, kalfjes en het weer. Toen was de tijd rijp om eens voorzichtig bij Eefje te informeren hoe het haar beviel in ons gesticht. Ze hield zich diplomatiek op de vlakte.

'Laat ik niet te snel oordelen maar er zijn naast voordelen ook een aantal verbeterpunten, zoals dat in managementjargon tegenwoordig heet.'

'Zoals?' wilde Evert weten.

'Ik ben nog aan het inventariseren. Misschien moeten we daar binnenkort nog eens een theesessie met koekjes aan wijden.'

'Of iets sterkers misschien.'

Evert solliciteerde naar jenever en dan gaan alle seinen op rood, of tenminste oranje, want drank haalt niet bepaald de subtiliteit bij hem boven.

Maar opnieuw schikte Eefje de zaak elegant. 'Ja, misschien iets sterkers. Misschien nodig ik jullie de volgende keer uit voor een cognacje. Maar ik beloof niks,' glimlachte zij erachteraan.

'Mag het ook jenever zijn?'

Om niet subtiel te zijn hoeft Evert niet per se gedronken te hebben.

'Ik weet niet waarom Evert, maar ik krijg zomaar het idee dat, aangaande drank, bij jou kwantiteit voor kwaliteit gaat. En bij Henk schat ik het precies andersom.'

'Eefje, ik ga je vaker uitnodigen,' zei ik met een grijnsje naar beide gasten.

Een half uurtje later nam ze afscheid. Ook een kwaliteit: niet blijven plakken.

Evert compenseerde dat ruimschoots. Twee uur en vijf jenever later heb ik hem eruit gezet.

Maandag 11 februari

De bewoners raken een beetje in de war van het weer van de laatste dagen. Kijken ze boven uit het raam, is het een prachtige dag voor een wandelingetje. Stappen ze vijf minuten later beneden de voordeur uit, staan ze in een vliegende sneeuwstorm. En verrassingen, daar houden wij niet van, net zomin als van veranderingen.

Op het prikbord hangen de notulen van de vergadering van de bewonerscommissie. 'Voortaan zal de commissie bij de bingo zorgen voor borrelnootjes en zoute stengels.'

Deze stengels zullen vermoedelijk in glazen op tafel gezet worden. Dan gaat minstens één iemand zeggen: 'Goh, weet je nog, vroeger stonden er bij verjaardagen altijd sigaretten op tafel in zo'n glas.'

'Ja, dat is waar ook. Een glas mét filter en een zonder.'

Als die conversatie niet gaat plaatsvinden, vreet ik mijn sigaartje op. Of tenminste het bandje. Ja inderdaad, vroeger, toen alles beter was, spaarden we die.

'De contributie van de bewonersvereniging zal met tien cent omhoog gaan.' Ik lees het goed: tien cent.

Het halfjaarlijkse uitje is uitgesteld tot men het eens is over de bestemming. Binnen de commissie heerst diepe verdeeldheid over alles, sinds ze het niet eens konden worden over een nieuwe avond voor de bingo. Op de volgende vergadering zullen ze opnieuw proberen een bestemming te kiezen en een datum te vinden. Mocht dat niet lukken dan zal de commissie nieuwe verkiezingen uitschrijven om uit de bestuurlijke impasse te komen.

James Onedin is dood. Enkele oude dames pinkten een traantje weg. Dat waren pas bakkebaarden! Dat was pas onverschrokkenheid! En dan keken ze, zo'n veertig jaar geleden, naast zich op de bank en constateerden dat het thuis maar behelpen was.

Dinsdag 12 februari

De oudere mens mag zich de laatste tijd verheugen in een grote belangstelling. Niet alleen in Nederland. In Duitsland speelt ook het een en ander. Zo was er nogal wat opwinding over het boek *Moeder, wanneer ga je eindelijk eens dood?* van Martina Rosenberg. Zij zorgde jarenlang voor haar dementerende ouders. Ook het feit dat sommige Duitse kinderen hun hulpbehoevende ouders in een veel goedkoper Oekraïens, Slowaaks of zelfs Thais tehuis opbergen haalde de kranten. Bij onze oosterburen bestaat het *Elternunterhalt*. Als pensioen, AOW en de spaarpot van vader en moeder niet voldoende zijn voor het betalen van de maandlasten in een tehuis, dan moeten de kinderen meebetalen: ouderenalimentatie. Met een beetje pech moet je én voor je ouders én voor je kinderen alimentatie betalen.

Overigens loopt het in ons bejaardenhuis zo'n vaart niet met alle angstaanjagende bezuinigingen op de ouderenzorg. De meeste bewoners hebben AOW en een klein pensioentje. Als je bijna niks uitgeeft hou je zelfs daar nog aan over. En zuinig zijn ze hier hoor! Het meeste geld wordt uitgegeven aan koekjes, chocolaatjes, de kapper en het belbusje. Bijna niemand gaat op vakantie. Niemand rijdt nog auto. Dure meubelen of kleren zie ik zelden. Eten in een restaurant vindt men zonde van het geld en een taxi is de ultieme geldverspilling. Oude mensen doen zichzelf veel tekort.

Intussen blijft de gemiddelde leeftijd in bejaardenhuizen maar stijgen. Mensen blijven langer zelfstandig wonen en gaan dus steeds later een tehuis in. Ik ben, met mijn 83 jaar, een van de jongsten.

Zit je eenmaal hier, dan is er geen weg terug: niemand gaat toch maar weer op een flatje wonen. Je wordt ook nooit ons tehuis uitgezet omdat je straatarm bent. Ja, de kinderen klagen! Zij hebben er de pest in als pa of ma verplicht wordt hún erfenis op te souperen. Hoe langer de ouder leeft, hoe minder er overblijft. Ik zou zeggen: lief kind, dat is mijn zorg niet.

De armoede onder ouderen is veel kleiner dan mensen denken. Volgens een recent onderzoek is slechts 2,6 procent van de 65-plussers arm. Drieënzestig procent zegt zelf goed rond te kunnen komen.

De stampij over uitgeklede senioren wordt gemaakt door de jongerenafdeling van 50PLUS, inmiddels op dertien virtuele kamerzetels. Dat zijn Henk Krol en zijn maten, die nog volop touwtjes in handen hebben en nog van hun riante pensioenen moeten gaan genieten. Vijftig als grens is vreemd. Vijftigers zijn de machtigste en rijkste groep van Nederland.

Vijfenzestig, of binnenkort zevenenzestig, zou als ondergrens meer voor de hand liggen. En dan nog zou het verschil tussen iemand die net met pensioen gaat en de hoogbejaarde bevolking om mij heen groot zijn. Ik pleit voor het oprichten van 67PLUS, 77 PLUS en 87 PLUS. 97PLUS gaat waarschijnlijk de kiesdrempel niet halen.

Woensdag 13 februari

De paus heeft het paardenvleesschandaal van de eerste plaats verdrongen bij de koffietafelpraat. Een verstandig besluit van de heilige vader om met pensioen te gaan, vond men. De meningen over een negerpaus waren verdeeld. Meneer Schut vond het geen prettig idee als Zwarte Piet opeens Sinterklaas zou worden. Hem leek Berlusconi een betere kandidaat.

Gelukkig waren er genoeg mensen die geen principiële bezwaren hadden tegen een negerpaus, hooguit bezwaren tegen een paus in het algemeen. Wij zijn van oorsprong een katholiek tehuis maar met uitzaaiingen naar de GVP en SGP. Spanningen tussen katholieken, gereformeerden en protestanten zijn nooit ver weg. De paus is een splijtzwam bij uitstek.

Een schets van de doorsnee dag. Deel 1

Rond half negen sta ik op. Dan ga ik naar de minisupermarkt en haal twee verse broodjes. Bij het ontbijt lees ik *de Volkskrant*. Die trouwens wel erg lelijk is geworden de laatste tijd. Daarna schrijf ik in het geheime dagboek. Kost me ongeveer een uur. Vervolgens drink ik beneden koffie en rook daarna een sigaartje. Na het hoesten, rond half twaalf, doe ik mijn gymnastiek in de vorm van een ommetje door het huis of in de omgeving. Meestal ga ik richting Evert, maar ik betrap mijzelf erop dat ik tegenwoordig vaak even probeer toevallig Eefje tegen het lijf te lopen. Ik heb de indruk dat zij het niet erg vindt mij tegen te komen. Omdat wij aldus beiden het toeval een handje helpen, zitten we daarna vaak samen aan een tweede kopje koffie.

Ik heb haar uitgenodigd voor een lunchconcertje op het Stadsdeelkantoor. Zij aanvaardde de uitnodiging met plezier en de opmerking dat trappen een onoverkomelijke hindernis zijn.

Om één uur eet ik in ons huisrestaurant en vaak komt Evert dan aanwaaien voor een broodje kroket. Het besluit om beneden te eten moet een week van tevoren worden genomen. De bewoners

krijgen dan namelijk een formulier. Daarop moet je voor zeven dagen aangeven of je 's middags en/of 's avonds komt eten, en wat je
wilt eten. Voor de avonden kun je kiezen uit drie hoofdgerechten,
twee voorgerechten en twee toetjes. Je hoeft alleen maar kruisjes
te zetten. Je naam staat er al boven, net als alle dieetvoorschriften.

Evert vult voor de lunch altijd zeven keer 'broodje kroket' in, of
hij nou wel of niet komt. Ik weet van mijn spion op kantoor dat
de baas van de keuken heeft geklaagd bij de directrice over de verspilling van broodjes en kroketten, al de keren dat hij niet komt,
maar mevrouw Stelwagen kon in de reglementen niets vinden om
er iets tegen te doen.

Donderdag 14 februari

Evert heeft vanmorgen in alle vroegte een valentijnskaart onder de
deur van Eefje door geschoven. Dat kwam hij om acht uur melden.
Hij stonk nog een beetje naar de drank en had duidelijk nog geen
toilet gemaakt.

'Dan weet je ervan en kun je suggereren dat ie van jou komt.
Het is een kaart met twee zwanen. Echt romantisch. Nou ik ga
nog even terug in bed. Welterusten Henkie.'

Ik bleef sprakeloos achter.

Toen ik gisteren naar de Blokker ging voor een nieuwe afwasborstel
stond er een jongedame van een jaar of achttien achter de kassa. Ik
wilde afrekenen maar kon zo gauw mijn portemonnee niet vinden.

Het kassameisje keek geïrriteerd en wilde de dame achter mij
gaan helpen maar die zei 'Nee hoor, deze meneer is eerst,' en tegen
mij 'doet u maar rustig aan hoor.'

Ik had eindelijk een briefje van tien gevonden.

'Alstublieft.'

'...'

Ze legde het wisselgeld op de toonbank.

'Dank u wel.'

Ze keurde me geen blik waardig.

Er zijn mensen die een diepe minachting voelen voor alles wat oud, grijs en traag is.

Deze snotneus van Blokker was zo iemand. Het is moeilijk je te wapenen tegen een totaal gebrek aan respect.

Mevrouw Van Diemen hoopt dat de nieuw te kiezen paus te zijner tijd naar Amsterdam komt om Willem Alexander te kronen. Liefst een Nederlandse paus. Mevrouw Van Diemen is hard op weg naar de gesloten afdeling.

Vrijdag 15 februari

Evert heeft een briefje gekregen van Eefje: 'Hartelijk dank voor de prachtige kaart. Ik zag per ongeluk dat je hem onder de deur door schoof. Ik wil je graag beter leren kennen.'

Evert was flink in de war. Tot ik mijn lachen niet meer kon houden. Koekje van eigen deeg, vriend. Toen gooide hij een banaan naar mijn hoofd. Daarmee raakte hij zijn enige bloemenvaas: grote barst erin. 'Ga ik vanmiddag ook nog even een bosje tulpen voor je kopen.'

Gek worden ze hier van steeds weer nieuwe sneeuw!

Ik ben ook nog even langsgegaan bij Anja om te horen of er nog roddels waren over onze directrice, die zelf elders iets belangrijks moest doen. Haar kleedgeld is met € 2000,- per jaar verhoogd. Sorry, niet verhoogd maar geïndexeerd.

Er is hier ten huize een enorm ontzag voor Stelwagen. Voor hoge bomen in het algemeen.

Ikzelf zie graag hoge bomen vallen.

Enige jaren geleden waren drie van de machtigste mannen ter wereld vrijwel gelijktijdig in het nieuws: Boris Jeltsin was te dronken om een vliegtuigtrap af te lopen, Paus Paulus kon niet eens meer 'bedankt voor die bloemen' uitspreken zonder tussentijds in slaap te vallen en Bill Clinton stak zijn sigaar in het doosje van een stagiaire. Daar gaat zo'n sigaar natuurlijk niet beter van branden, maar veel erger is dat hij niet kon voorkomen dat deze wonderlijke manier van roken alle kranten haalde. En nu ik toch bezig ben: een Indiase minister las bij de Veiligheidsraad per ongeluk de toespraak voor die zijn Portugese collega op het spreekgestoelte had laten liggen. Hij had er geen erg in. Na vijf minuten maakte een landgenoot hem erop attent.

Waarmee ik maar wil zeggen dat wij de boven ons gestelden het beste maar het nadeel van de twijfel kunnen gunnen.

Zaterdag 16 februari

'Ik proef paard!' riep de dikke Bakker heel hard door de eetzaal. Daarna proefde bijna iederéén die een gehaktbal had besteld opeens paard. Kok erbij gehaald: 'Nee, dat is onmogelijk. Net als altijd komt het vlees gewoon van de horecaslager.'

'Nou en? Wat zegt dát nou? Die kan toch ook paard door zijn gehakt draaien. Ik proef gewoon paard. Ik ben toch niet gek!' brieste Bakker.

Nu is het probleem dat Bakker wél gek is en een heel onprettige gek bovendien.

Hoofd huishoudelijke dienst erbij, maar ook die kon praten als Brugman, het hielp niets. Uiteindelijk werden alle gehaktballen omgeruild voor gebakken schol. De kans dat daar paardenvlees in zit leek de meesten vrij klein.

Er worden al jaren varkensogen en koeienuiers door het gehakt gedraaid, nooit een probleem, en nu opeens zoveel poeha over een stukje paard in het vlees.

Beneden in de koffieruimte staat van 10 tot 12 altijd de radio aan. We mogen meeluisteren met de ziekenomroep van het ziekenhuis. Niemand weet waarom. De meeste bewoners kunnen zich wel vinden in het Hollandse repertoire dat voorbijkomt: er wordt voor de zieken veel Willeke Alberti en de Zangeres Zonder Naam gedraaid.

Vorig jaar rond Pasen had iemand het gewaagd een ochtend een klassieke zender op te zetten: zaten ze mee te klappen met de Mattheus.

Mevrouw Blokker sprak laatst de hoop uit dat bij de begrafenis van Nelson Mandela 'Heb je even voor mij?' van Frans Bauer gedraaid zou worden.

Ik probeer mijzelf te trainen in het negeren van achtergrondmuziek. Het is zaak niet te dicht bij de boxen te gaan zitten. Om twaalf uur houdt de ziekenomroep op met uitzenden. De relatieve stilte is een genot om naar te luisteren.

Zondag 17 februari

Het besef welke dag van de week het is verdwijnt als niemand naar zijn werk moet en alle dagen op elkaar lijken. Het personeel werkt natuurlijk wel, maar zij doen elke dag hetzelfde.

De enige dag die zich onderscheidt is de zondag. 's Morgens omdat driekwart van de bewoners ter kerke gaat en 's middags omdat er kinderen en kleinkinderen op visite komen. Voor sommigen is dat het enige contact met de bewoonde wereld. En ook al straalt de visite soms intense verveling uit, toch geldt: veel bezoek geeft status. De onsympathieke meneer Pot heeft het de eerste helft van de week over wie er bij hem langs zijn geweest en de tweede helft over wie er gaan komen. Hij heeft elf kinderen. Pot is het type man dat bij het zebrapad wacht tot er een auto aan komt vóór hij gaat oversteken.

Bij mij komt nooit iemand. Ik kijk zondagmiddag meestal naar een gehuurde film. Ik ben cinematografisch aardig bij. Er staat een middelgrote flatscreen in mijn kamer. Als de tv niet aan staat zet ik er een namaak-Chinees kamerscherm voor. Soms kijk ik bij Evert, maar die houdt vooral van knok- en rampenfilms, niet mijn genre. Evert krijgt zelf een enkele keer visite van zijn zoon en er komt wel eens een kleindochter aanwaaien. Van Eefje weet ik het eigenlijk niet.

Een schets van de doorsnee dag. Deel 2
Alleen boeren in Oost-Groningen en bewoners van bejaardenhuizen eten nog warm tussen de middag. Maar wij niet. Vraag me niet waarom we een uitzondering zijn maar ik ben er blij mee.

Na de lunch doe ik vaak een kwartiertje de ogen dicht als opmaat voor de middagactiviteit. Ik doe graag iets buitenshuis maar de eerlijkheid gebiedt te zeggen dat mijn gebrek aan mobiliteit dat steeds moeilijker maakt. Ik loop beroerd en voor vervoer ben ik aangewezen op 'het busje'. Dat is geen pretje. Nu moet je niet zeuren voor die twee euro, maar Connexxion zou beter Misconnexxion kunnen heten. Ze moeten echt flink hun best doen om voor elkaar te krijgen dat er zo weinig goed gaat. Laten we zeggen dat punctualiteit en Connexxion een moeizame relatie onderhouden. Ouderdom en ongeduld daarentegen gaan hand in hand.

Maandag 18 februari

Van alle zintuigen doet mijn neus het nog het beste. Dat is hier niet altijd een zegen. Het ruikt naar oude mensen. Ik herinner me nog dat ik het als kind vreemd vond ruiken bij mijn opa en oma. Een onbestemde lucht vermengd met de geur van sigaren. Vochtige kleren die te lang in een plastic zak hebben gezeten.

Niet bij alle bewoners is het even erg. Maar bij sommige visites doe ik watjes in mijn neus. Goed diep zodat niemand het ziet.

Het feit dat veel mensen zelf haast niets meer ruiken lijkt een vrijbrief om onbekommerd scheten te laten en met de mondhygiëne is het ook niet al te best gesteld. Alsof ze alleen maar afval te eten krijgen.

Zelf ben ik als de dood dat ik met mijn gedruppel een spoor van pieslucht trek waar ik ga of sta, dus ik verschoon mij tweemaal daags, besprenkel mij royaal met aftershave, ook beneden, en eet veel pepermunt.

In plaats van aftershave gebruik ik ook wel eens een *fragrance*. 'The new fragrance for old men.' Ik ga mee met de tijd. Toen ik bij de drogist vroeg om een luchtje voor de oudere man stonden ze toch even met de mond vol tanden. Daarna probeerden ze me een flesje van vijftig euro aan te smeren.

Veel medebewoners zijn blijven steken bij eau de cologne, Fresh Up en Birkenwasser. De geur van vijftig jaar geleden waart hier nog rond.

Een schets van een doorsnee dag. Slot
Ik dwing mijzelf tot minimaal één wandelingetje per dag, als het niet anders kan in de stromende regen.

's Middags lees ik veel. Kranten, tijdschriften en boeken. Ik neem proefabonnementen op alles wat zich aandient. Niet eens uit zuinigheid maar meer als sport.

Eind van de middag een theevisite hier of daar of, een paar keer in de week, een wijntje bij Evert. Of hij een borrel bij mij. Evert zorgt altijd voor goede drank in onbegrensde hoeveelheden. Ik drink echter met mate, anders val ik voor het eten al in slaap.

Na de borrel knap ik mijzelf nog even op en ga daarna beneden eten. En ondanks al het geklaag smaakt het me meestal uitstekend. Ik kan regelmatig de complimenten aan de kok laten overbrengen.

Na het eten koffie. Na de koffie televisie. Na de televisie naar bed. Erg avontuurlijk of verheffend is het niet. Ik kan er niet meer van maken.

Dinsdag 19 februari

Gistermiddag vond, bij toeval, de oprichting van de rebellenclub plaats.

De derde maandag van de maand staat er vaak een culturele activiteit op het programma in de recreatieruimte. Meestal is het een tenenkrommende vertoning van oude mensen die meeklappen met 'Tulpen uit Amsterdam', maar soms is er een klassiek concertje. Komen doen ze allemaal, want het is gratis hè.

Gisteren had de Vereniging voor Huismuziek een trio met viool, cello en piano in de aanbieding. Vaak zijn het ongeïnspireerde schnabbelaars die alleen bij bejaarden en mongolen nog aan de bak komen maar deze keer werd er met overgave gespeeld door twee mooie dames en een heer, allen rond de dertig. Ze lieten zich niet van de wijs brengen door mevrouw Snijder die bijna stikte in een speculaasje of door meneer Schipper die van zijn stoel gleed en half in de plantenbak terechtkwam. Ze stopten even en gingen, toen de problemen opgelost waren, gewoon weer verder. (Heel anders dan de pianist die ooit doorspeelde alsof er niets aan de hand was terwijl mevrouw Haringa gereanimeerd werd. Iemand van de staf verzocht hem uiteindelijk dringend te stoppen met spelen. Voor Haringa maakte het niet zo veel meer uit.)

Enfin, na afloop van het optreden bevonden zich aan een tafel: Evert Duiker (die eigenlijk meer van Hazes houdt), Eefje Brand (u bekend), Edward Schermer, Grietje de Boer, Graeme Gorter en Hendrik Groen. Het gesprek kwam op het chronisch gebrek aan gebeurtenissen. Graeme stelde toen voor om bij het ontbreken van actie binnenshuis, deze wat vaker buitenshuis te zoeken.

'Gewoon twee keer per maand het busje voor laten rijden en ergens naartoe. Stel dat deze zes mensen om de tafel meedoen, en iedereen bedenkt vier uitstapjes, dan hebben we 24 schoolreisjes per jaar. Dat is toch een mooi vooruitzicht.'

Daar had hij volkomen gelijk in en aansluitend is er, op voorstel van Grietje, besloten om vanavond te verzamelen in de recreatiezaal voor de oprichtingsvergadering van de besloten vereniging Oud-maar-niet-dood (Omanido).

Ik ben er opgewonden van.

Woensdag 20 februari

Mijn verwachtingen waren hooggespannen en zijn uitgekomen: het was een bewogen oprichtingsvergadering. We hebben erg gelachen, het enthousiasme was groot en de drank vloeide voor ons doen rijkelijk. Evert had rode wijn, witte wijn en jenever meegenomen.

Na een lange en vrolijke bijeenkomst werden de volgende spelregels aangenomen, zonder hoofdelijke stemming.

1. Het doel van de vereniging is het middels uitstapjes veraangenamen van de oude dag.
2. De uitstapjes beginnen na 11 uur op maandag, woensdag, donderdag of vrijdag.
3. De deelnemers mogen niet zeuren.
4. Er moet rekening worden gehouden met de diverse gebreken.
5. Er moet rekening worden gehouden met de hoogte van de AOW.
6. Er wordt vooraf door de organisator niet meer informatie gegeven dan strikt noodzakelijk.
7. Met inachtneming van de punten 2 tot en met 6 mag alles.
8. Slot in de pot. Tot nader order geen nieuwe leden.

Eefje stelt, voor zover nodig, haar laptop beschikbaar aan de dienst-doende keuzeheer of -dame en gaat op korte termijn een cursus 'googelen voor beginners' verzorgen om iedereen te leren zoeken naar informatie. Graeme neemt het eerste uitje voor zijn rekening, daarna Eefje, Grietje, ik, Evert en Edward. Je zag iedereen meteen koortsachtig nadenken.

Over het al dan niet bestaan van toeval zijn de meningen ver-deeld, maar het was in ieder geval een bijzonder gelukkige samen-loop van omstandigheden dat juist deze zes mensen maandagmid-dag om één tafel verzameld waren. Allemaal aardig en intelligent en vooral: geen neuzelaars.

Donderdag 21 februari

Alsof het een uit de hand gelopen schoolfeestje betrof. We zijn tot ongeveer elf uur beneden geweest en hebben hooguit iets te hard gelachen. Niettemin hing het volgende bericht gistermiddag op het mededelingenbord.

De directie heeft naar aanleiding van diverse klachten met betrekking tot geluidsoverlast besloten dat van maandag tot en met vrijdag de conversatiezaal voortaan tot uiterlijk 22.30 uur openblijft. Dit om elke bewoner een ongestoorde nachtrust te kunnen garanderen. Verder zal erop wor-den toegezien dat er niet meer dan de afgesproken twee alcoholhoudende consumpties per persoon worden genut-tigd.

Ik heb nooit met iemand een afspraak gemaakt over twee drankjes. De drooglegging is nabij en Evert heeft zich onmiddellijk bereid verklaard de rol van Al Capone op zich te nemen en de drank-smokkel te organiseren. De rebellenclub Omanido is getergd en gemotiveerd. Zonder plein, traangas of Twitter, slechts door een briefje op een prikbord. Dank hiervoor, directie.

Edward Schermer is verrassend uit de hoek gekomen. Normaal praat hij niet veel omdat hij slecht te verstaan is. Maar zojuist, bij de thee, toen veel bewoners bij elkaar zaten, stond hij op en vroeg luid en onduidelijk wie er geklaagd had over overlast.

Het bleef ongemakkelijk stil.

Edward verklaarde daarna, langzaam en moeizaam, en dat maakte het indrukwekkend, dat het hem speet dat de klagers niet naar hem toe waren gekomen, of naar een van de anderen die nog laat beneden waren geweest.

Opnieuw bleef het stil.

'Laten we dan maar aannemen dat het iemand was die er nu niet is,' besloot hij en hij ging weer zitten.

Eefje keek met een minzaam lachje de kring rond. 'Inderdaad jammer dat we elkaar niet als volwassenen op iets aan durven spreken.' En ze keek daarbij lang en nadrukkelijk naar mevrouw Surmann. Die werd heel zenuwachtig. 'Ik heb het niet gedaan hoor,' verklaarde ze ongevraagd.

'Wat niet?'

'Geklaagd.'

'Nou gelukkig dan maar.' Eefje glimlachte er allervriendelijkst bij.

Ze moet iets hebben gezien of gehoord. Ik weet niet of ik haar ernaar moet vragen of juist niet.

Vrijdag 22 februari

Meteorietinslagen, zelfontbrandende zonnepanelen, paardenlasagne, de terugkeer van Berlusconi: het zal allemaal onze tijd wel duren. De echte vrees, sinds twee dagen, is op straat gezet worden als je niet hulpbehoevend genoeg bent. De aankondiging dat 800 van de 2000 verzorgingshuizen uiterlijk in 2020 hun deuren moeten sluiten zorgt voor onrust. Mensen met een 'lichte indicatie' moeten het dan zelf maar uitzoeken. Een paar huisgenoten begonnen voor de zekerheid onmiddellijk hun eigen afhankelijkheid aan te dikken, zodat ze over zeven jaar kunnen blijven zitten waar ze zitten. Beste mensen, ik kan iedereen geruststellen: over zeven jaar is iedereen hier dood of volledig hulpbehoevend! Dat had ik willen roepen.

Die volkomen irrationele angst die zich soms van oudjes meester maakt....

En als je dan toch niet stil wilt zitten wachten tot je je kamer uitgezet wordt, meld je dan aan bij 50PLUS voor de kaderopleiding politicus. Ze zoeken mensen voor gemeenteraden, Provinciale Staten, Eerste en Tweede Kamer en Europarlement, want 50PLUS blijft maar stijgen in de peilingen. Dat belooft een hoop vermaak als straks al die politieke onbenullen op leeftijd daadwerkelijk mogen meepraten over van alles en nog wat.

Mijn huisdokter is een rare man. Toen ik hem vroeg hoe het er met me voor stond, vroeg hij: 'Wat wilt u horen?'

'Nou, ik zou graag willen horen dat ik kerngezond ben, maar realistischer is: hoe lang heb ik nog ongeveer?'

'U kunt nog jaren mee als alles meezit maar het kan ook met een kwartaaltje afgelopen zijn.'

Wie gebruikt er nou in deze context het woord 'kwartaaltje'? Niemand behalve dokter Oomes. En hij moest er ook nog hard bij lachen.

Toen ik zei dat dat geen al te duidelijk antwoord was moest hij weer lachen. En omdat hij blijkbaar in zo'n goed humeur was durfde ik hem te vragen of hij de maatschappelijk werkster op mijn dak had gestuurd om te informeren naar mijn plannen voor zelfdoding. Zelfs dat vond hij grappig.

'Inderdaad, ik dacht, wat aandacht kan geen kwaad. Leuke vrouw hè?' En meteen eroverheen 'Nou, tot de volgende keer.' Een minuut later stond ik verbouwereerd weer buiten.

Oude les opnieuw geleerd: als je naar de dokter gaat altijd al je vragen op een briefje zetten en het lijstje netjes afwerken.

Zaterdag 23 februari

De rebellenclub heeft vanavond een google-cursus bij Eefje. Het gonst al een beetje door de wandelgangen. Mevrouw Baken viste naar een uitnodiging: 'Leuk zeg, dat heb ik nou ook altijd al willen leren.' Maar er is een strenge selectie aan de poort waar Baken niet doorheen komt. Zij wordt ervan verdacht destijds de oude teckel te hebben verraden die illegaal op een kamer werd gehouden. Iedereen is onschuldig tot het tegendeel bewezen is maar bij twijfel: geen toegang.

Ik heb Eefje gevraagd of zij wist wie er had geklaagd over overlast afgelopen dinsdag. Ze zei dat ze mevrouw Surmann tegen haar buurvrouw had horen zeggen dat ze een klacht had ingediend bij de directrice.

'Honderd procent zekerheid hebben we niet zolang we niet weten waar die klacht over ging, maar er is enige reden tot wantrouwen.'

Er is gisteren bij de kok een verzoek binnengekomen voor paardenbiefstuk op het menu. 'Liefst zuigveulen en bij voorkeur geen plofpaard' stond er op het anonieme briefje. Tenminste, dat gerucht ging. En het gerucht zorgde weer voor een levendige discussie aan tafel over dieren die je wel en niet mag eten. Evert wierp de vraag op of een broodje aap moest kunnen. Waren we zo weer een kwartier verder.

Ik ga nu even naar bed. Ik ben moe, vraag me niet waarvan, en ik wil vanavond een beetje fit zijn.

Zondag 24 februari

Bij het openschuiven van de gordijnen is er vanmorgen massaal gevloekt: weer sneeuw. Licht kaliber vloek hoor, genre 'potverdikke'. Maar we zijn de winter wel zat. Warme zon voor oude botten graag. Ook weer niet te warm, maximaal ongeveer 22 graden. De marges zijn klein.

Atje Keulen Deelstra is dood. Pas vierenzeventig. Dat hakt er even in hier. De allergewoonste kampioen die we ooit hebben gehad! Samen met Fanny Blankers Koen. Die twee namen klinken ook goed samen. Oude mensen leven met oude helden. Je ruilt helden nou eenmaal niet graag in.

Let ik even niet op, staat Henk-Krol-de-verlosser in de peilingen op VIERENTWINTIG zetels. 50PLUS moet straks voorkomen dat alle ouderen in Nederland nog verder uitgekleed worden én driedubbel gepakt.

'Ze moeten ons hebben omdat wij niks kunnen. Niet staken of zo. Niemand doet iets voor ons.' De slachtofferrol is de bejaarde treurwilg op het lijf geschreven. Gelukkig jammert niet iedereen mee met de meute.

De vrouwen hier vinden Henk aantrekkelijk. Hij heeft inderdaad vaak een mooie sjaal om. Henk zou qua leeftijd nog net hun ideale schoonzoon kunnen zijn als hij geen homo was.

Het was gisteren een heel aangename google-avond. Evert spreekt het uit als goochelen en nu zijn er verschillende bewoners die denken dat we een cursus goochelen volgen. Er werd gevraagd wanneer we gaan optreden. Graeme: 'Als het konijn binnen is.'

Goed verzorgde catering en prettig gezelschap. Eefje de beminnelijke gastvrouw. Evert, grote mond maar niet té groot, en hij dronk met mate. Edward, die niet veel zegt maar als hij wat zegt is het de moeite waard. Graeme, een beschouwer, nog enigszins verlegen. En ten slotte Grietje, de ontdekking van gisteravond vanwege haar grote kennis van computers, die ze met bescheidenheid toonde. Ze nam vriendelijk en in overleg met Eefje het heft in handen en er werd ruim twee uur geoefend in het zoeken naar informatie aan de hand van voorbeelden van de cursisten. Niemand liet in zijn voorbeeld iets los van eventuele plannen voor een uitstapje. Evert wilde graag uitzoeken hoe het zat met de mogelijkheden voor bungeejumpen in Amsterdam. Edward zei dat hij dan niet mee zou gaan omdat dat zoooo 2012 was. Jammer dat niemand het hoorde.

Maandag 25 februari

Ik heb met de kaasschaaf een plakje van mijn hand geschaafd. Inderdaad, ik had nog een heel klein stukje kaas dat al een beetje hard was en probeerde daar toch nog een plakje af te schaven. (Als je anderen op die manier met een scherpe schaaf ziet klooien, draai je je hoofd weg.) Mijn beloning was een bloedbadje op de muis van mijn hand.

Ik moest snel naar de zuster voor een verbandje, want je kunt met de ene hand niet goed de andere verbinden. En ja hoor: 'Meneer Groen, meneer Groen, u wéét toch dat dat gevaarlijk is! Altijd van je af schaven!'

Mevrouw Stelwagen heeft Eefje uitgenodigd voor een gesprek op haar kantoor, woensdag aanstaande. Eefje leek er nuchter onder. Misschien is ze echt een koele, misschien wil ze geen ophef. Zelf zou ik behoorlijk zenuwachtig worden van zo'n uitnodiging. Ik kan me niet voorstellen dat Stelwagen alleen even wil informeren of ze het naar haar zin heeft. Onze directrice is een gehaaide vrouw: ogenschijnlijk beminnelijk maar erg machtswellustig. Altijd vol begrip 'maar helaas... de regels hè'. Meestal haar eigen regels. Daar is het prettig achter schuilen. En mocht het nodig zijn, dan is er opeens een nieuwe regel 'in het belang van de bewoners'. Ze is slim genoeg om te zorgen dat er geen misstanden zijn. Kleine oneffenheden worden weggemoffeld of anderen in de schoenen geschoven. Gedekt door de raad van bestuur zit ze stevig op haar troon. Een tijdelijke troon die ze zal inruilen voor een grotere zodra ze de kans krijgt, daar ben ik van overtuigd.

Ze ziet er altijd onberispelijk uit, is altijd vriendelijk, kalm en beleefd. Hoort en controleert alles. Ze heeft betrouwbare bondgenoten. Sommige zijn bekend maar er moeten er ook een paar zijn die undercover werken.

Ongemerkt voert ze een verstikkend beleid. Ieder eigen initiatief, alles wat buiten het gewone valt, wordt door haar met een glimlach aan de kant geschoven.

Ik heb Eefje gevraagd of ze wil dat ik met haar mee ga.

'Waarom?' vroeg ze.

'Nou ja, het is een harde tante. Ze breekt iedereen met een vriendelijke lach doormidden.'

'We zullen zien. Bedankt voor de waarschuwing. Ik zal eraan denken.'

Dinsdag 26 februari

Evert vroeg of het niet eens tijd werd voor een actie vergelijkbaar met de koek in het aquarium. Hij heeft wel weer zin in een verzetje. 'Een beetje opschudding kan deze toko wel gebruiken.' Ik kon hem daarin geen ongelijk geven, maar ben bang dat ludieke acties toch voornamelijk symptoombestrijding zijn.

Het echte probleem is onoplosbaar.

Mijn analyse: oud worden is een ontwikkeling omgekeerd aan die van baby naar volwassene. Fysiek ga je van zelfstandig naar meer en meer afhankelijk. Een kunstheup, een bypass, een pilletje hier en daar; het is pappen en nathouden. Als de dood te lang op zich laat wachten eindig je als een onverstaanbare bejaarde peuter

68

met een luier aan en een snotneus. De heenweg, van nul tot achttien jaar, is prachtig, uitdagend, spannend: je gaat je eigen leven bepalen. Rond je veertigste ben je sterk, gezond en machtig. Een toptijd. Jammer genoeg komt dat inzicht meestal pas als de afdaling al weer een tijdje is ingezet, als langzaam en geruisloos het perspectief kleiner wordt en het leven leger. Tot de dagelijkse doelen de proporties krijgen van een koekje en een kopje thee. De rammelaar van de bejaarde.

Neemt u mij niet kwalijk. Ik draaf enigszins door.

Terwijl ik juist een paar belangrijke stappen heb gezet om genietend ten onder te gaan. Met nieuwe vrienden en woeste plannen. Joehoe!

Woensdag 27 februari

Ik schrijf iets later dan gewoonlijk omdat ik even wilde afwachten hoe het Eefje was vergaan op audiëntie bij de directrice. We hadden vooraf samen koffie gedronken en ik had haar sterkte gewenst toen ze op weg ging. Een kwartier later kwam ze weer aanwandelen. Ze had iets vastberadens over zich maar vraag me niet waaraan ik dat kon zien. Misschien aan haar ogen.

'Complimenten voor je scherpe analyse vooraf Henk. Die klopte aardig.'

En ze vertelde dat mevrouw Stelwagen eerst had geïnformeerd naar haar welbevinden en toen bijna achteloos had opgemerkt dat het geen gewoonte was in 'ons huis' om 's avonds laat nog gasten te ontvangen.

'Doelt u op mij?' had Eefje gevraagd.

'Het is niets persoonlijks maar in verband met de rust zien we niet graag dat er na een uur of tien nog mensen over de gangen lopen.'

'Ik persoonlijk heb nog nooit iets gemerkt van geluidsoverlast.'

'Anderen wel.'

'Heel vervelend. Heeft het overigens iets met mij te maken?'

'Ik heb gehoord dat u enkele dagen geleden gasten had.'

'Inderdaad. Heel rustige en beschaafde mensen. Ik heb voor de zekerheid de volgende dag even geïnformeerd bij mijn buren maar ze hadden nergens last van gehad. Gelukkig maar.'

Dat was geniaal. Ik gaf Eefje een high five. De eerste in mijn leven, waar die zo opeens vandaan kwam, ik weet het niet.

Stelwagen was een kort moment van haar stuk maar nam daarna vriendelijk afscheid alsof er geen enkele onderhuidse spanning was.

'Dit is nog niet klaar, Hendrik,' zei Eefje. 'Dat voel ik.'

We maakten daarna nog een klein wandelingetje door de tuin. De lente hangt vaag in de lucht. De sneeuwklokjes bloeien tussen plastic rommel en lege blikjes.

We voelden ons strijdbaar. Tenminste, ik denk dat ik ook namens haar kan spreken.

Donderdag 28 februari

Ik heb beneden een folder gehaald over scootmobielen. Ik moet mijn actieradius vergroten, anders ben ik straks de zwakste schakel van Oud-maar-niet-dood.

Graeme heeft aangekondigd dat donderdag 11 maart het eerste uitje zal plaatsvinden. 13.00 uur verzamelen aan de poort.

Ik pieker me suf over leuke dagjes uit. Verder dan het Rijksmuseum ben ik nog niet gekomen en met dat idee win ik niet de originaliteitsprijs. Bovendien is dat museum meer dicht dan open. Maar geen paniek, ik heb nog zes weken om iets beters te bedenken.

Eefje liet me een stukje van de Vogel-top-100 dubbel-cd horen. Op nummer 6 de tuinfluiter (nooit ván gehoord en nooit géhoord), op 5 het winterkoninkje, op 4 het roodborstje (ik dacht dat die alleen maar tikten), op 3 de zanglijster, op 2 de nachtegaal (heeft een goede reputatie in gedichten en liederen) en de gouden medaille is voor de merel, eindelijk een vogel die ik ken van horen fluiten. En dan zijn er dus nog 94 andere flierefluiters. Ieder zijn hobby.

Eefje had na tien vogeltjes wel door dat mijn belangstelling tanende was.

'Boeit het je niet?' vroeg ze vals.

Ik kreeg een rood hoofd. 'Jawel hoor.'

'Ik ben zo vrij je niet te geloven, Hendrik.'

'Nou inderdaad, het spijt me, maar vogels interesseren me eigenlijk alleen als ze gebraden zijn. En dan fluiten ze over het algemeen niet meer.' Ze moest gelukkig lachen.

Zou de Keukenhof iets zijn? Grote kans dat iemand anders hetzelfde bedenkt. Over een week of zes is het er wel een mooie tijd voor.

Vrijdag 1 maart

Meneer Kuiper had in een knipselmap in de bibliotheek een krantenbericht gevonden en op het prikbord gehangen: 'Medici voor uitname nier bij levende terminale patiënten.'

Mevrouw Brandsma heeft onmiddellijk haar aanstaande ziekenhuisopname afgezegd. 'Laat die vleesboom maar zitten, ik laat me niet leegroven. We zijn tenslotte allemaal terminaal hier!' riep ze, en met dat laatste heeft ze een punt. De gemiddelde leeftijd is geloof ik 89, dan kun je wel van statistisch terminaal spreken.

De reden van de uitname bij levende patiënten is dat de organen verser zijn. Ik weet niet of je bij ons van vers kunt spreken. De nieren zijn hier gemiddeld ook 89. Ik weet niet precies hoe dat zit met de uiterste houdbaarheidsdatum van organen.

Een beetje luguber is het krantenverhaal wel. Je moet er niet aan denken dat er een medisch wonder gebeurt: tegen alle verwachtingen in herstelt iemand van een terminale hartaanval, hebben ze net zijn nieren eruit gehaald.

Met scootmobielen is het niet zo simpel als je misschien zou denken. Er zijn veel soorten en maten. Met grote en kleine draaicirkels bijvoorbeeld, van belang om te weten of je je eigen kamer in kunt draaien.

Met grote of kleine actieradius. Hoe ver wil je gaan?

Met drie of vier wielen. Hoe snel sla je om?

Ook niet onbelangrijk: hoe hard wil je kunnen?

En tot slot de meest Hollandse vraag: wat kost zo'n ding?

Ik ga binnenkort eens met meneer Hoogdalen praten. Die heeft er verstand van. En het is nog een aardige vent ook.

Zaterdag 2 maart

De vrouw die in Breda een tijd geleden een tunnel groef met een lepel en zo uit de gevangenis ontsnapte is nog spoorloos. Prachtig dat zulke dingen nog in het echt gebeuren. Het zou nog mooier zijn als een bejaarde op dezelfde manier ontsnapte uit dit huis. Voor de symboliek natuurlijk, want hij of zij kan ook gewoon door de voordeur naar buiten wandelen. Pas daarna wordt het moeilijk; de meeste bewoners hebben geen plek waar ze naartoe zouden kunnen. De kinderen zien ze al aankomen.

'Dag zoon, ik kom bij je wonen.'

'Nou pa, dat komt net even héél slecht uit!'

Veel meer dan een poosje in een hotel op de Veluwe zit er voor de ontsnapte bejaarde niet in. Daarna, als het geld op is, met hangende pootjes terug naar je bejaardenhuis of naar het Leger des Heils.

Overigens zijn er in Nederland dertienduizend mensen 'zoek'

die eigenlijk in de gevangenis moeten zitten. Dat zijn er aardig wat. De politie kan blijkbaar niet goed zoeken.

Het geheugen gaat achteruit. Alzheimer light gaat langzaam over in alzheimer medium. Ik probeerde de vogelfluiters top-10 te reproduceren, maar kwam niet verder dan vier vogels.

Wat mij verbaast is dat sommige mensen nog geen lijstje met drie boodschappen kunnen onthouden maar tienduizend liedjes op de radio mee kunnen zingen. Of tenminste neuriën. Al die melodietjes liggen feilloos opgeslagen! Geheugen en muziek, daar moet iets mee te doen zijn. Duitse woordenrijtjes op muziek, of de wet van behoud van energie. Een musical met alle jaartallen van de Nederlandse geschiedenis.

Zondag 3 maart

Beneden bij de receptie is gisteren een molen van de Kring-apotheek geplaatst met daarin een stuk of vijftig informatiefolders. Ik doe een greep uit de vrolijke onderwerpen: aambeien, diarree, eczeem, hoofdluis, incontinentie, steenpuisten, verstopping, voetschimmel, wormen en wratten. Alle kwalen keurig op alfabetische volgorde. En zonder aanzien des persoons, want ik zag ook info over jeugdpuistjes en kraamzorg, zaken die hier niet aan de orde van de dag zijn.

Alsof er in dit huis niet genoeg over ziektes en mankementen gepraat wordt.

Nou ja, eerlijk is eerlijk, ik heb zelf, zo onopvallend mogelijk, de folder over incontinentie in mijn binnenzak gestopt. Ik blijk mij in gezelschap van ongeveer 1 miljoen andere druppelende Nederlanders te bevinden. Dat betekent dat er per dag wel een zwembad vol urine in onderbroeken en inlegkruisjes terechtkomt. Hoera!

Er wordt druk gevist naar en gespeculeerd over de bestemming van ons eerste uitstapje met Omanido. Organisator Graeme houdt zijn kaken stijf op elkaar. Evert wil een wedkantoor beginnen waar je kunt gokken op waar we naartoe gaan.

De opwinding lijkt een beetje op het gevoel dat je als kind had de avond voor het schoolreisje. Als ik me dat gevoel tenminste goed herinner.

Mevrouw Schreuder (van de opgezogen kanarie) vroeg zich af wie er nu de baas is in Vaticaanstad. De oude paus is afgetreden en de nieuwe nog niet gekozen. 'We zijn een kerk zonder hoofd,' vond ze. 'Net zoiets als een kip zonder kop,' zei een van de zusjes Slothouwer, nooit te beroerd om mensen in de gordijnen te jagen.

Ik stel me het conclaaf voor: honderdvijftien oude kardinalen in één ruimte die niet eerder de deur uit mogen dan dat ze witte rook uit de schoorsteen hebben laten komen, wat nog een heel gedoe is. In 1978 trok de haard niet goed, sloeg alle zwarte rook terug de kamer in. Allemaal hoestende Sinterklazen met zwarte vegen op hun gezicht.

Maandag 4 maart

Grote paniek: mevrouw Schaar was ontsnapt uit de dementenafdeling. Ze had een nieuwe stagiaire ervan overtuigd dat zij zonder begeleiding op straat mocht lopen. Als excuus voor de stagiaire geldt een IQ van 55. Mevrouw Schaar was gracieus de deur uit gewandeld. Ze is van mening dat ze van adel is. Ze stelt zich voor als freule Schaar. Altijd op zoek naar haar landgoed. Zo gek als een draaimolen én ze heeft suiker.

Een flink deel van het personeel was de straat op gestuurd om haar te zoeken. Iemand had aan Stelwagen gevraagd of de politie niet ingeschakeld hoefde te worden. 'Nee, dat hoeft niet, daar is nog geen enkele aanleiding toe.'

De directrice is als de dood voor negatieve publiciteit en heeft een grote pet waar ze graag de vuile was onder houdt.

Even later werd door het hoofd van de afdeling meegedeeld dat mevrouw Schaar terecht was. Dat moet een leugen zijn geweest om de gemoederen te bedaren, want Schaar was in geen velden of wegen te bekennen. Evert nam de proef op de som en vertelde een zuster langs neus en lippen dat hij freule Schaar bij de bushalte had zien staan. Twee minuten later vertrokken twee personeelsleden richting bushalte. Duidelijke zaak dus.

Na drie kwartier kwam zuster 'Compostella', een schatje met een onuitsprekelijke Spaanse naam, vertellen dat mevrouw Schaar gevonden was. 'Maar ze was toch al terecht?' vroeg meneer Brentjens. 'Ja, maar nu is ze écht terecht,' zei ze stralend.

Vijf minuten later werd de freule door de achterdeur naar binnen gebracht. Helemaal onder de modder. Ze vertelde later zelf dat ze op haar landgoed vast was komen te zitten bij de drijfjacht. Het bleek dat ze languit in de prut was gevallen in een parkje twee kilometer verderop en er niet meer op eigen kracht uit had kunnen komen. Een man die zijn hond uitliet had haar gevonden en de politie gewaarschuwd. De agenten die haar terugbrachten zijn zeker twintig minuten in het kantoor van Stelwagen geweest. Daarna werd alle bewoners dringend verzocht geen ruchtbaarheid aan het voorval te geven, in ieders eigen belang. Stelwagen kwam apart nog even bij Evert langs om te zeggen dat mevrouw Schaar niet met de bus was gegaan.

'Dat heb ik ook nooit beweerd, zuster. Ik heb haar alleen bij de halte zien staan.'

'Ik ben geen zuster en ik twijfel nogal aan uw waarneming. Ik raad u aan voortaan zorgvuldiger te zijn.'

Evert, die iedere werknemer altijd zuster of broeder noemt, was duidelijk toe aan een uitdaging: 'Nog zorgvuldiger is bijna onmogelijk, mevrouw de zuster.'

Stelwagen aarzelde even, draaide zich om en liep weg.

Later heeft het personeel nog links en rechts geïnformeerd of meneer Duiker nog de deur uit was geweest vandaag. Dat was hij. Meneer Evert Duiker is niet gek.

Dinsdag 5 maart

Gistermiddag een aardig gesprek aan de theetafel naar aanleiding van het feit dat wetenschappers erin zijn geslaagd de hersens van twee ratten met elkaar te verbinden. De ratten zaten kilometers van elkaar.

De vraag was met wiens hersens je verbonden wilde worden als je voor de keuze stond. Veel ouders kozen voor een van hun kinderen. Ik denk niet dat, omgekeerd, een kind graag in de hersenpan van zijn vader of moeder wil rondkijken. Mevrouw Brandsma koos voor Ronnie Tober. Dikke Bakker zou Obama graag wat bijsturen.

Ik kon zelf niemand bedenken. Angstaanjagend idee, iemand anders in je hoofd.

Grote teleurstelling bij een aantal bewoners dat het niet gelukt is voor 30 april het busje naar de Dam te reserveren. Connexxion rijdt die dag niet naar het paleis. Ze gaan nu proberen zich naar de oevers van het IJ te laten transporteren in de hoop het koninklijk paar langs te zien varen. Mevrouw Hoogstraten heeft al een peperdure verrekijker gekocht. Ze heeft gebeden en God gevraagd of ze 30 april nog mag halen, én de nieuwe paus. Ze vroeg zelfs of ik daarvoor ook wilde bidden. Helaas voor haar, God en ik hebben een afspraak dat we elkaar niet meer lastigvallen.

Er is een bank overvallen door twee als bejaarden verklede overvallers. Compleet met latex maskers. Het zou geniaal zijn als er achter die vermomming ook echt bejaarden schuil zouden zijn gegaan.

Woensdag 6 maart

De eerste zon van het jaar is het heerlijkst. Gistermiddag drie kwartier op het bankje voor het huis gezeten. Ik was de eerste. Even later zat het bankje vol. Een paar jaloerse laatkomers gingen er omheen dreutelen. Jammer voor ze.

Alles gaat langzamer met het klimmen der jaren. Lopen, eten, praten, denken. Ook lezen. Met de dikke zaterdagkrant doe ik drie tot vier dagen als ik daarbij de krant van de dag niet verwaarloos. Gisteren las ik pas de hele bijlage over ouder worden. Ik heb het al eerder geconstateerd: oud is in de mode. De baby's van kort na de oorlog gaan zo ongeveer met pensioen, de hippiegeneratie volgt over een paar jaar. Generaties die nu rijk en machtig zijn en die één ding hebben geleerd: goed voor jezelf zorgen. Over deze nepouderen hoeft niemand zich zorgen te maken de komende vijftien jaar. Deze 50-plussers lijken in helemaal niets op de 80-plussers die in dit huis nu hun voorlaatste rustplaats vinden. Dat zijn vaak mensen die vooral geleerd hebben voor anderen te zorgen, met name voor hun nu zo machtige kinderen. Zelf zitten ze er nogal in de steek gelaten bij. Veel mensen zijn hier gedwongen door de omstandigheden terechtgekomen: te oud en te hulpbehoevend om zelfstandig te blijven en te arm om genoeg hulp in te kopen. Gewend geraakt aan het idee dat de onbezorgde oude dag in een bejaardenhuis gesleten zou worden.

Bij het woord bejaardenhuis begon men zich allengs ongemakkelijk te voelen. 'Bejaarden' werden 'ouderen'. Het bejaardenhuis werd een verzorgingshuis. Het verzorgingshuis werd een zorgcentrum. En sinds kort ben ik aangesloten bij een marktgerichte serviceorganisatie voor belevingsgerichte zorg op maat. Ik snap nu wel waarom de zorgkosten de pan uit rijzen.

Donderdag 7 maart

Ik heb eens geteld: er wonen hier zo'n honderdzestig ouderen. Aan dit zorgcentrum zit een verpleegafdeling vast met nog ongeveer tachtig verwarde of ernstig zieke stokoude mensen. Precieze aantallen kan ik niet geven want het is hier een komen en gaan van levenden en doden. Ik schat dat de mensen gemiddeld nog een jaar of vijf te leven hebben als ze hier binnenkomen, dus dat zou voor zorgcentrum en verpleegafdeling samen een kleine vijftig doden per jaar betekenen. Als je hier heel oud wordt en goed ter been blijft, kun je in de laatste tien jaar van je leven naar wel vijfhonderd begrafenissen en crematies. Een mooi vooruitzicht.

Ik kon vanmorgen mijn sleutels nergens vinden. Mijn toch niet zo heel grote kamer met inpandige slaapkamer helemaal ondersteboven gehaald. Gelukkig had ik geen haast. Zeker een uur gezocht, bijna zonder vloeken, en uiteindelijk de sleutels teruggevonden in de koelkast. Verstrooidheid. Ouderen raken, net als kinderen, voortdurend van alles kwijt maar ze hebben geen moeder meer die weet waar alles ligt.

Vrijdag 8 maart

Ik had het gisteren nog over de dood en zojuist is hij op bezoek geweest bij 'Lekker-bewegen-voor-ouderen'.

'Ik voel me niet zo lekker,' had mevrouw De Leeuw gezegd en twee minuten later bewoog ze niet meer. Ze zat een beetje onderuitgezakt en ving de bal niet die naar haar werd gegooid.

'Beetje erbij blijven, mevrouw De Leeuw,' had activiteitenbegeleidster Tine nog gezegd. Toen gleed mevrouw De Leeuw van haar stoel op de grond.

Er is nog gereanimeerd en de AED is ingezet maar tevergeefs. De nare zusjes Slothouwer hebben geboeid staan kijken, tot iemand ze wegstuurde. Daarna deden ze bij de koffie in geuren en kleuren verslag. De Slothouwers zouden, als ze de kans kregen, zeker naar openbare executies gaan.

Het overlijden van mevrouw De Leeuw was een kleine domper op de opgewekte stemming die er heerst na een paar dagen lenteweer. Er zijn bewoners die, als het koud is of nat, wekenlang niet buiten komen. Bij de eerste voorjaarszon wordt er dan in vervoering gewandeld. De aankondiging dat het misschien over vier dagen weer gaat sneeuwen, zorgde gisteren voor nog meer wandelwoede.

Ik had zelf graag een wandelingetje met Eefje gemaakt maar die was niet thuis. Dus was ik op vriend Evert aangewezen. Toen ik zijn kamer binnen stapte stond hij net met een klein schaartje zijn neusharen te knippen. Ik vond dat een beetje gênant maar Evert nam er, ook na mijn binnenkomst, alle tijd voor. Pas toen hij ook zijn oren had geknipt konden we naar buiten.

'Je weet nooit wie je tegen het lijf loopt,' was zijn verklaring.

Zaterdag 9 maart

Ik ben ziek. Ik zal u de onsmakelijke details besparen. Ik hoop wel dat ik vóór donderdag beter ben, dat is de dag van ons eerste uitstapje.

Woensdag 13 maart

Ik ga het net redden. De clubleden hadden me gevraagd of het uitje uitgesteld moest worden maar dat is niet nodig. Ik ben weer op de been.

Maandag is de dokter geweest. Hij liet zich ontvallen dat het een beetje op de Mexicaanse griep leek. Een paar jaar geleden was heel Nederland in rep en roer over die griep en waren de epidemiedeskundigen niet aan te slepen op radio en tv en nu ik het misschien heb neemt mijn huisarts niet eens de moeite een fatsoenlijke diagnose te stellen.

Een verpleegster heeft mij later dringend verzocht aan andere bewoners alleen te melden dat ik griep had en het woord Mexicaans weg te laten.

'Van wie moet u dat vragen?'

Dat kon ze niet zeggen.

Het geeft wel te denken. Zou mevrouw Gans vorige maand aan de vogelgriep zijn overleden?

'Ze' zijn vast bang voor een nieuwe golf van griephysterie onder de oudjes.

Gisteren kwam Evert langs met een fruitmandje: een eierdoosje met daarin drie kiwi's en drie mandarijnen.

Eefje bracht een boek: *Vijfhonderd gedichten die iedereen gelezen moet hebben.* Ik heb me voorgenomen er elke dag een te lezen en hoop dat de vijfhonderd dagen mij gegeven zijn.

Op aanraden van de huisarts heb ik een afspraak met de geriater gemaakt. Mijn 'potpourri van mankementen' was typisch iets voor zijn 'confrère'. Bij het uitspreken van dat laatste woord nam hij een hete aardappel in de mond. Hij schreef een briefje aan zijn 'amice' dat hij me liet lezen en waarvan de essentie was: 'Kijk eens of je voor deze vriendelijke oude heer nog iets kunt betekenen.'

Ik kan volgende week al terecht. Misschien denkt men daar commercieel: oudjes moeten snel aan de beurt komen, anders zijn ze overleden voor je er een cent aan heb verdiend. Dood heeft alleen de begrafenisondernemer er nog wat aan.

Mijn 'bijzondere' huisdokter zegt dat de geriater een bijzondere man is. Dat belooft wat.

Vrijdag 15 maart

12.55 uur, slechts vijf minuten te vroeg (!), reed het Connexxion-busje voor en stapte het gezelschap een beetje lacherig in. Na drie minuten ging de pepermunt rond. Een kwartier later stapten we uit bij het Centraal Station. Daar lag een watertaxi klaar.

Evert simuleerde, toen we een paar minuten voeren, bedrieglijk echt zeeziekte en vertelde daarna dat hij iemand had gekend die veel reisde en kotszakken verzamelde van zo veel mogelijk lucht-vaartmaatschappijen. Vervolgens deed hij Mr Bean na die zo'n zak, waarvan hij niet weet dat ie al gebruikt is, opblaast en laat knallen.

Eefje keek afkeurend en bracht in stemming om Evert te royeren als lid van onze club. Hij schrok zich een ongeluk, tot Eefje hin-nikend begon te lachen om zijn beteuterde gezicht. Dat gehinnik van haar staat me een beetje tegen maar dat is tot nu toe het enige minpuntje.

Na een uurtje rondvaren stapten we uit bij de Hermitage aan de Amstel. Daar kregen we een uitgebreide rondleiding van een chique meneer die heel veel van kunst wist en ervan uit leek te gaan dat wij dat ook allemaal wilden weten.

Daarna bier, wijn en bitterballen in een café op de hoek van de Amstelbrug. Daar kwam, even over half zes, het bejaardenbusje weer voorrijden met een enigszins verbaasde chauffeur, die meestal klagende oudjes van en naar ziekenhuizen vervoert en nu een vro-lijk gezelschap uit de kroeg moest vissen.

Keurig om 18.00 uur schoven we aan bij de andijvie met gehakt-ballen. Ons uitgelaten zestal stak enigszins af bij de andere tafel-genoten.

Mevrouw Stelwagen, van haar kantoor op weg naar de uitgang, trok even haar wenkbrauwen op toen wij passeerden. Ik kan me vergissen, maar ik meende licht misprijzen in haar ogen te zien.

Graeme werd door Edward zo goed als onverstaanbaar bedankt voor het feit dat hij bij het eerste uitstapje de lat al meteen zo hoog had durven leggen: 'Me tsoon ish gewet.'

'De toon is gezet.' Graeme deed zelf de simultaanvertaling, want hij kan Edward het beste verstaan. Een ontroerende tweespraak.

'Dedjankt'.

'Jullie ook bedankt'.

Daarna zakte het flink in. Acht uur was de hele club Omanido vertrokken en zal het geroddel vermoedelijk een aanvang hebben genomen.

Zaterdag 16 maart

We hebben de smaak te pakken. Er is een plan opgevat om, naast Omanido, een aparte kookclub te beginnen. Ons oude zestal, minus Evert, plus de heer en mevrouw Travemundi, willen graag eenmaal per maand uitgebreid en chique koken. De Travemundi's, Ria en Antoine, hebben jarenlang een restaurant gedreven en zijn gepassioneerde koks én eters die hier iets te vaak ongelukkig van tafel gaan. Ik verwacht veel van ze. Ik ben zelf meer van de eenvoudige hand- en spandiensten zoals snijden en roeren.

We zaten gisteren rond de tafel na te genieten van het eerste uitstapje toen Ria en Antoine schuchter vroegen of ze er misschien even bij mochten komen zitten. Uiteraard.

Ze vonden ons uitstapjesgezelschap zo'n leuk idee. Niet dat ze lid van de club wilden worden hoor, maar of we misschien ook geïnteresseerd waren om met een select gezelschap af en toe gezamenlijk te koken en te eten. Bijvoorbeeld een keer per maand. En dan een beetje bijzondere gerechten.

Daar begonnen de meeste ogen van te glimmen.

Alleen Evert zei zonder omhaal dat hij niets met liflafjes had en een hekel had aan alles wat ingewikkelder was dan het bakken van een ei.

Hij werd genegeerd door vijf anderen die graag een keer gingen 'proefkoken' zoals Antoine voorstelde.

82

Er is besloten dat Antoine, Ria en ik maandag op audiëntie gaan bij Stelwagen om te vragen of we een keer per maand gebruik mogen maken van de instellingskeuken.

Ik krijg het nog druk.

Zondag 17 maart

We hebben een nieuwe paus. Volgens onbetrouwbare bronnen, de zusjes Slothouwer, is er vanmorgen in het stiltecentrum gebeden voor hem en voor beter weer. Sommigen hebben alleen voor beter weer gebeden. Ik wil niet vooruitlopen op de resultaten en houd mijn winterjas nog maar even bij de hand.

Wat de nieuwe paus betreft: die heeft vooralsnog mijn sympathie omdat hij als kardinaal met de bus naar zijn werk ging. Of met de metro, daar wil ik vanaf zijn. Steeds zijn mijter afzettend als hij in- en uitstapte, stel ik me zo voor. (Overigens blijft bij hoogwaardigheidsbekleders wantrouwen op zijn plaats: de Britse politicus Cameron ging omwille van het milieu op de fiets naar het parlement en liet zijn tas met de dienstauto nabrengen.)

De mensen hier vinden het vooral leuk voor Máxima dat een Argentijn paus is geworden. Ze verwachten paus Franciscus toch eigenlijk wel bij het kroningsfeest.

De zondagen zijn voor de bezoeklozen, de kaste waartoe ik behoor, geen onverdeeld plezier. De genoegens die de zondag vroeger aantrekkelijk maakten, zoals uitslapen, uitgebreid ontbijten, krantje lezen en muziekje luisteren, zijn nu van alle dagen. De zondag onderscheidt zich slechts door het bezoek dat anderen krijgen.

Dat bezoek komt wel vaak met maar één doel: bijtijds weer vertrekken. Aandacht voor medebewoners is verloren tijd. Een groet op de gang of in de recreatiezaal is het maximaal haalbare.

Niet zo lang geleden wandelde ik de zondagmiddagen grotendeels om, maar dat gaat nu niet meer.

Maandag 18 maart

Stelwagen vond het 'een enig idee', een kookclub. Ze gaat overleggen met de diverse betrokkenen over ons verzoek eenmaal per
maand de keuken te mogen gebruiken. Ze heeft toegezegd er op
korte termijn op terug te komen. Daarna kregen we nog een kopje
thee met een koekje. Een paar koetjes en kalfjes later keek ze op
haar horloge: 'O, is het al weer zo laat?' Dat betekent: jullie tijd is
om.

Soms denk ik wel: een kookclub, is dat niet wat al te tuttig? Maar
aan de andere kant moet je niet te beroerd zijn om dingen die je
niet echt interesseren toch een kans te geven. Er gebeurt tenminste
iets.

Nog drie nachtjes slapen en dan heb ik toch maar mooi de lente
weer gehaald. Ik ga de komende dagen een beetje aan de grote
schoonmaak. Koelkast soppen, keukenkastjes opruimen. Winter-
kleren omruilen voor zomerkleren. Handschoenen en dikke trui
nog wel bij de hand houden.

Gistermiddag even bij Evert op visite geweest. Hij had me uitgenodigd voor de borrel maar toen ik om vier uur binnenstapte
had hij al een flinke voorsprong genomen. Een half uur later viel
hij in slaap in zijn stoel. Ik heb hem toegedekt met een dekentje,
Mo uitgelaten en te eten gegeven en een briefje neergelegd op het
dressoir, tussen de overleden familieleden: 'Het was gezellig. En
bedankt voor die honderd euro.'

Dinsdag 19 maart

De geriater is zelf rijp voor de geriater: dik in de zestig en dik in de kilo's, ik schat zeker honderdtwintig. Vrolijke uitstraling en dat vind ik bij dokters een pré. Slecht nieuws komt harder aan met een grafstem.

Niet dat hij slecht nieuws had hoor, deze dokter Jonge, *what's in a name*, maar goed nieuws was het ook niet: tal van onderdelen naderen de uiterste houdbaarheidsdatum of zijn daar al iets overheen. De gewrichten tonen tekenen van hinderlijke slijtage, de prostaat is niet meer te repareren, de longen zijn stevig doorrookt en werken nog maar op halve kracht en het hart is slecht. Een geluk: de geest is helder genoeg om het verval bewust mee te maken. Geen tekenen van alzheimer, hooguit vergeetachtigheid die bij de leeftijd hoort.

Nou, dank u dokter.

Hij had olijk gekeken en hier en daar een grapje gemaakt bij deze treurige opsomming en besloot met de opmerking dat hij zich uitstekend in mijn situatie kon verplaatsen omdat hij zelf ongeveer net zo veel kwalen had. Hij zei het met een schaterende lach. Anders zou het toch wonderlijk zijn geweest: een dokter die over zijn gezondheid klaagt bij zijn patiënt.

Hij schreef wat nieuwe pillen voor en zei nog net niet dat ik zelf maar moest zien hoeveel ik ervan wilde nemen. 'De doktoren zijn tegenwoordig zo goed dat je bijna geen gezond mens meer tegenkomt,' besloot hij het consult. Daar moest ik even over nadenken.

Op de valreep durfde ik te vragen of hij niet wat opwekkende middelen had, een beetje doping voor de moeilijke uurtjes. Daar moest hij op zijn beurt over nadenken.

Ik had toen meteen een nieuwe afspraak moeten maken.

Woensdag 20 maart

De directrice heeft ons (mij, Antoine en Ria Travemundi) vanochtend meegedeeld dat het plan voor een kookclub om ARBO-technische redenen niet door kan gaan. 'Helaas, helaas!' zei ze er met een zucht achteraan. Gek, maar ik geloofde geen moment dat het haar speet.

'Wat voor ARBO-technische redenen?' vroeg ik.

Er volgde een ingewikkelde uitleg over wie er in dit huis allemaal wel en niet wat mochten doen. Het kwam erop neer dat we niet aan de keukenmachines mochten komen. Deden we dat toch dan was het tehuis niet verzekerd tegen ongevallen. Ik sputterde tegen dat we de keukenmachines helemaal niet wilden gebruiken. Aan een paar pannen en een paar messen hadden we genoeg.

'Ja, maar zo simpel is dat niet.'

Als wij ons in dezelfde ruimte bevonden als de keukenmachines betekende dat al een ongedekt risico, volgens Stelwagen.

'Zou ik die ARBO-voorschriften misschien kunnen inzien?' vroeg ik zo neutraal mogelijk.

'Gelooft u mij soms niet, meneer Groen?'

'Natuurlijk wel. Ik wil alleen graag iets controleren.'

'Iets controleren?'

'Zoals de moderne manager altijd zegt: controle is geen wantrouwen. Toch?'

'Ik zal kijken wat ik voor u kan doen.'

'Graag.'

Ria en Antoine hadden met open mond geluisterd en deden die nu pas weer dicht.

Later bij de thee kwamen ze weer een beetje bij. Ze hadden tot op heden een rotsvast vertrouwen in de directrice gehad maar dat was nu een beetje aan het wankelen gebracht. Ze vonden dat ik dapper had doorgevraagd en dat vond ik zelf ook.

Ik heb later verslag gedaan aan Eefje, hopelijk zonder te veel zelfingenomenheid. Ze zei alleen: 'Goed gedaan, Groen!'

Het heeft mij wel een idee voor een uitje met de Oud-maar-niet-dood-club opgeleverd. Ik heb op internet zeven verschillende kookworkshops in de directe omgeving gevonden. Daar zal er vast wel een bij zitten die ARBO-technisch verantwoord bejaarden kan ontvangen. We zullen daarna aan de grote klok hangen dat we nog nooit zo'n ongevaarlijke middag hebben meegemaakt, zelfs al worden er vingers, neuzen en oren afgesneden.

Donderdag 21 maart

Gelukt! De lente weer gehaald!

Nu zetten we onverdroten koers naar de eerste aardbeien van de koude grond, daarna proberen we de Tour de France nog mee te pikken, de nieuwe haring, de eerste sneeuw, oud & nieuw en de volgende lente. Jezelf duidelijke doelen stellen.

Het is komkommertijd. Er gebeurt niet veel in de wereld. De nieuwe paus is uitgemolken en Syrië komt, bij gebrek aan beter, terug op de voorpagina omdat er een Nederlander is gedood. En nog zes weken geneuzel over het kroningsfeest te gaan. (Voor de oude koningsmantel van Beatrix zijn ongeveer 360 hermelijntjes gesneuveld, maar voor de enorme mantel van prins Pils Alexander zijn er misschien wel 600 nodig. Marianne Thieme doe iets. Vecht voor hun leventjes.)

Het is in ons tehuis vaak komkommertijd. Dan moet je 's avonds constateren dat er niets van enig belang is gebeurd. Maar dan: wat is van belang? Er zijn mensen die een topdag hebben als ze een extra speculaasje bij de koffie krijgen. Nou wordt dat laatste ook in de hand gewerkt door sommige zusters, die zo'n tweede koekje presenteren alsof je de Staatsloterij hebt gewonnen: 'Kan ons het schelen, het is zo'n mooie dag, laten we het er maar eens lekker van nemen, gewoon nog een koekje!'

Het andere uiterste is de dikke meneer Bakker. Zijn record: anderhalve Limburgse appelkruimelvlaai bij één kopje koffie. Niemand kreeg een stukje. De overgebleven helft heeft hij meegenomen naar zijn kamer. Hij wordt gehaat.

Ik heb inmiddels een aantrekkelijk rijtje mogelijkheden voor uitstapjes bedacht: kookworkshop, paranormaalbeurs, bowlen, Zaanse Schans, cursus bonbons maken, wedstrijd van Ajax en de Keukenhof. Bij de volgende vergadering moet ik vragen of er eventueel van datum geruild mag worden.

Speciaal voor de komkommertijd, uit de oude doos, in de categorie 'Hoe is het mogelijk': een aantal jaren geleden ontving Berlusconi een prijs voor zijn verdiensten voor de mensenrechten uit handen van... Khadaffi.

Vrijdag 22 maart

Gisteren vertelde mevrouw Langeveld iets belangwekkends. Meestal zit ze in mijn dode hoek, maar soms kan ze daar verrassend uit komen. We zaten toevallig naast elkaar een kopje koffie te drinken. Ze zei, naar aanleiding van het feit dat de koffie lauw was, dat ze vermoedde dat ons verzorgingshuis niet erg hoog zou staan op de lijst van beste huizen. 'Anders hadden ze daar vast goede sier mee gemaakt.'

Ik vroeg wat dat voor lijst was en ze vertelde met haar kleine mummelmondje dat er jaarlijks een onderzoek wordt uitgevoerd naar de kwaliteit van verpleeghuizen en verzorgingshuizen. 'En met zulke koffie weet je zeker dat je ergens onderaan bungelt!'

Ze wist niet precies wat voor onderzoek het was. Ik ga eens zoeken op internet.

Met de club naar de paardenraces is ook een mogelijkheid. Bestaat Duindigt eigenlijk nog? Hoe is het met Jojo Buitenzorg en Quicksilver S.? Ze zullen toch niet als illegale biefstuk... En Hans Eijsvogel, leeft die nog?

Niet dat ik ooit op Duindigt ben geweest hoor, maar het klinkt allemaal heerlijk nostalgisch.

De nieuwe oudste man van Nederland is Tjeerd Epema, honderdzes jaar. Dat zou betekenen dat ik, als ik die leeftijd ga bereiken, nog drieëntwintig jaar in dit tehuis moet wonen. Dat is geen aantrekkelijke gedachte. De oudste vrouw ter wereld is honderdtweeëntwintig jaar geworden. Dan zou ik hier nog veertig jaar moeten doorbrengen.

Het kan altijd erger: Carrie C. White werd honderdzestien jaar en bracht vijfenzeventig jaar daarvan door in een psychiatrische inrichting. Pas toen ze honderdtien was mocht ze naar een bejaardenhuis. Heeft ze nog even lekker kunnen genieten van haar vrijheid.

Zaterdag 23 maart

Je tikt in 'onderzoek verzorgingshuizen', klikt even door en voilà, daar is een ranglijst met 350 verpleegtehuizen en 1260 verzorgingshuizen. De plaats van een huis op de lijst wordt bepaald door het oordeel van de bewoners zelf, opgeteld bij het objectieve cijfer voor de kwaliteit van de zorg. Wij staan bij beide beoordelingen bijna duizendste! Dat levert een mooie eindklassering op van net boven de 1100.

Het zijn cijfers uit 2009 dus misschien staan we nu wel nog hoger. Of lager, net hoe je het bekijkt.

Waarom heb ik nooit van het bestaan van deze lijst geweten? Ik begrijp wel waarom onze directie hem niet op het prikbord heeft gehangen. Bij de Hofkamp in Almelo hangt hij vast op alle deuren: de nummer 1 van Nederland.

Ik ga eens bij mijn vrienden informeren of ze weten hoe dit onderzoek destijds is afgehandeld. Misschien moeten we er alsnog enige bekendheid aan geven.

Overigens levert de lijst aardige feiten op. Zo staat verzorgingshuis 'De Goddelijke Voorzienigheid' in Herten op de 1230-ste plaats. Ze laten daar blijkbaar wel erg veel aan God over.

Ook opvallend: Huize Angeli Custodes staat volgens de bewoners op een prachtige tweede plaats, maar is volgens de objectieve normen nummer 702. Misschien heeft de directie de bewoners hier en daar geholpen met het invullen van de vragenlijsten. Je kunt niet achterdochtig genoeg zijn.

En wat is er aan de hand in huize Spathodea? De bewoners zetten hun huis op plaats 1058, terwijl de inspecteurs die instelling plaats 4 toedelen. Wonen daar de ondankbaarste ouwe zeurpieten van Nederland?

Henk-50plus-Krol heeft het hier een beetje verbruid. Heer Bakker: 'Als ie geeneens geen eigen homosekstent niet failliet ken laten gaan, hoe ken ie dan de bv Nederland runnen?' Vooral dat 'bv Nederland' fascineert me.

Ik heb gisteren geteld hoe vaak er in verschillende bewoordingen gezegd is dat het erg koud is voor de tijd van het jaar: vijfendertig keer.

Zondag 24 maart

Eefje heeft een knipselmap met artikelen over wantoestanden in verpleeg- en verzorgingshuizen. In sommige verpleeghuizen liggen de bewoners vaker wel dan niet in hun eigen poep.

Ik ga ons eigen huis toch meer waarderen na al die verhalen over verwaarlozing en intimidatie. Wat een beetje raar is, want het wordt hier niet beter omdat het elders slechter is. Alsof je blij moet zijn dat je niet drie dagen in een volgescheten oude luier ligt.

De knipselmap kwam ter sprake toen ik Eefje vroeg of zij van de ranglijst van tehuizen had gehoord. Dat had ze. We hebben lang gesproken over wat er hier goed en fout gaat. Conclusie: werk aan de winkel. We zullen voorzichtig doortastend aan de slag gaan.

Het Centraal Planbureau heeft het plan geopperd om in de zorg de gezondheidswinst af te wegen tegen de kosten van behandeling. Bij bejaarden valt meestal weinig gezondheidswinst te behalen: een flinke operatie levert vaak niet meer op dan hooguit nog een jaartje doormodderen en dan toch de pijp uit. Dus als je er straks prijs op stelt koste wat kost opgelapt te worden mag je wel flink gespaard hebben, want dan moet je het zelf betalen. Aan mijn lijf geen polonaise van chirurgen, zelfs al had ik het geld. Een zorg minder.

Oude mensen dutten nog wel eens weg. Mevrouw Bregman heeft een fraai staaltje laten zien: ze viel onder het eten in slaap met de lepel nog in haar mond. De vla liep er langzaam uit.

Ik herken het: overdag je ogen niet open kunnen houden en 's nachts slecht slapen. Behoorlijk onhandig. Gelukkig slaat bij mij de vermoeidheid zelden onder het eten toe.

Bregman schrok wakker toen de lepel op haar bord kletterde. Ze keek verbaasd op, poetste de vla uit haar jurk, of eigenlijk meer erin, en at verder alsof er niets gebeurd was.

Maandag 25 maart

'We' hebben het hier nooit over allochtonen, uitsluitend over 'buitenlandse mensen'. Of ze Nederlander zijn of niet doet er niet toe. Politieke correctheid is een zeldzaamheid.

Nederland is een apartheidsmaatschappij: wit bij wit, Turk bij Turk, arm bij arm, dom bij dom.

Bij ons komt er nog een scheidslijn bij: oud bij oud.

In ons huis wonen voornamelijk witte, arme, niet al te hoog opgeleide oude mensen. Er zijn hier zegge en schrijve twee Indische dames en een meneer uit Pakistan.

Met de rest van Nederland hebben we weinig tot niets te maken, tenzij via het personeel. Daar zitten verhoudingsgewijs juist veel allochtonen bij.

'Schatten van mensen hoor, daar niet van, maar toch heb ik liever een Nederlandse zuster,' vindt men over het algemeen. Hoe ouder, hoe reactionairder. Er lopen aardig wat ordinaire racisten rond, de commentaren rond de koffietafel liegen er soms niet om.

Ook pubers wagen zich hier niet vaak over de vloer, tenzij ze door hun ouders min of meer gedwongen worden eindelijk weer eens bij opa of oma langs te gaan. Beleefdheidsbezoekjes met stroeve gesprekken. Pubers voelen zich opgelaten bij oude mensen. Die snappen niks, horen slecht, hebben geen computer, zijn traag, weten niets van mode en muziek en serveren alleen maar koekjes. Werelden van verschil.

Kleine kinderen, dat gaat veel beter. Die babbelen er lustig op los en hebben nog niet geleerd iets gênant te vinden. Bejaarden en kleuters kunnen elkaar goed bijbenen.

Evert beheert een gokbureau waar je voor 1 euro per voorspelling kunt gokken waar overmorgen het uitje van de Oud-maar-niet-dood-club naartoe gaat. De totale inzet gaat naar degene die het goed voorspelt. Als niemand het goed heeft vervalt het geld aan de bank. Die bank heet Evert. Ouwe grapjas. Niemand heeft nog ingezet.

De spanning stijgt. Eefje laat niets los.

Dinsdag 26 maart

Het doel van dit dagboek was ook om na mijn dood een kleine maar gevierde klokkenluider te worden. Dat idee is een beetje op de achtergrond geraakt.

Ik merk dat het schrijven een prettige therapeutische werking heeft: ik ben meer ontspannen en minder gefrustreerd. Misschien ben ik vijftig jaar te laat begonnen, maar daar is nu niets meer aan te doen.

Mevrouw Slag heeft een vervelende dochter die een keer per maand op zaterdagmiddag een half uur aanschuift bij de thee en daarbij haar moeder keer op keer chagrijnig meedeelt dat ze iets al eerder heeft verteld. Alsof het zin heeft dat magere half uurtje te gebruiken om je moeder van bijna negentig daarover af te zeiken. Als het al klopt wat zij zegt, want mevrouw Slag is misschien geen licht, ze heeft ze nog wel netjes op een rijtje.

Daarbij: die dochter zou er beter aan doen te zwijgen en geen aandacht te trekken, want ze is een ongewoon dikke peervormige vrouw. En die vorm staat een peer veel beter.

Woensdag 27 maart

Ik zit in mijn goeie goed te wachten tot het tijd is voor het uitstapje. Nog twee uur.

Kinderlijke opwinding.

Ik kan me niet goed concentreren. Ik scharrel maar een beetje rond en laat af en toe wat uit mijn handen vallen.

Ik heb al twee keer de stofzuiger uit moeten laten rukken: voor een beschuitje met hagelslag dat van het bordje gleed en voor de suikerpot die ik van tafel stootte. Wat hagelslag morsen voor gevolgen heeft is mij niet bekend maar suiker morsen betekent visite. Daar heb ik nu even geen zin in, dus ik ga beneden rondhangen tot het busje voorrijdt.

Donderdag 28 maart

Evert had met zijn gokbureau niet kunnen vermoeden hoe dicht hij in de buurt zat van de bestemming van ons uitstapje: het casino.

We moesten om 13.00 uur beneden aantreden in enigszins nette kleren en met een lege maag. Dat was de opdracht geweest van Eefje. Even voor vertrek kwam ze ook nog even melden dat je een identiteitsbewijs mee moest nemen.

Het Connexxionbusje reed zowaar precies op tijd voor en bracht ons via Oud-West en de Bijlmer naar het Holland Casino op het Leidseplein. Daar werden we enigszins verbaasd maar hoffelijk ontvangen door een knappe jongeman. 'Ik zie dat de gemiddelde leeftijd van dit gezelschap iets hoger ligt dan we gewend zijn, dus ik verwacht ook bovengemiddelde wijsheid in het spel.' Een elegante opening voor zo'n broekie.

Als vorsten schreden wij over de dikke tapijten. We kregen een heerlijke lunch en daarna speluitleg voor roulette, Black Jack en, de grote mode volgens onze gastheer, Texas Hold 'em. Bij dat laatste spel vielen we nogal uit de toon met onze grijze haren: er speelden bijna alleen maar opgeschoten jochies met petjes, capuchons en zonnebrillen.

We kregen de slappe lach van een paardenracebaan waar kleine speelgoedpaardjes rondjes over railsjes naar de finish liepen. Grietje gooide twee euro in een gleuf, drukte de cijfers van haar geboortejaar in en won met veel gerinkel vierentwintig keer twee euro toen haar paardje als eerste over de eindstreep kwam. Zij deelde als Sinterklaas haar strooigeld uit en even later gooide iedereen vol overgave munten in onbegrijpelijke machines of speelde roulette, want bij ons arrangement zat voor iedereen een zakje met een paar fiches.

Bij binnenkomst was afgesproken dat de winst in de pot van de Omanido-club gestort zou worden en toen anderhalf uur later iedereen aan de bar zijn zakken had geleegd, bleken we 286 euro gewonnen te hebben. Iedereen zat te glunderen, ook het personeel. Blijkbaar vonden ze ons een verademing vergeleken met alle jeugdige patsertjes en ondoorgrondelijke Chinezen. 'Rondje van de zaak voor Huize Avondrood,' riep de barman.

Evert wilde na drie whisky's de complete winst van 286 euro op dertien zetten en was ervan overtuigd dat we dan met tienduizend euro naar huis zouden gaan. 'Dertien, ik voel het!'

Daar hebben we een calvinistisch stokje voor gestoken.

Om kwart over vijf kwam de manager hoogstpersoonlijk melden dat het busje voorstond. Er zaten al twee oudjes in, die ons gezelschap met onverholen minachting bekeken. Graeme heeft ze elk een euro gegeven. Die pakten ze toch maar aan, dat dan weer wel.

Thuisgekomen waren we het middelpunt van de belangstelling. Het gonsde een beetje rond: een mengeling van jaloezie, bewondering en afkeer.

Vrijdag 29 maart

Door de bankencrisis is de oude sok weer helemaal terug. Uit de commentaren op de gebeurtenissen in Cyprus maak ik op dat een aantal oudjes hun centjes van de bank hebben gehaald en onder hun matras hebben gelegd, of op een andere plaats waar inbrekers meteen gaan zoeken.

Ik ben bij Anja langs geweest, mijn kantoormol, om te vragen of ze kan uitzoeken hoe het onderzoek naar de kwaliteit van verpleeg- en verzorgingstehuizen hier is afgehandeld door directie en bestuur.

'Met alle plezier, Hendrik.' Ze glom al een beetje.

Het zou mooi zijn als ze wat weggemoffelde rapporten uit een bureaula van Stelwagen zou kunnen opdiepen.

'Wel goed oppassen, Anja, geen risico nemen,' heb ik haar op het hart gedrukt. Deze schat aan een schandpaal genageld zou een hartverscheurend gezicht zijn. Dat zou ik mezelf erg aanrekenen. Dat heb ik haar ook gezegd.

'Lief dat je me waarschuwt, Henk, maar ik ben zelf verantwoordelijk voor wat ik doe. Wil je nog koffie?' En daarna neuriede ze 'Ik doe wat ik doe' van Astrid Nijgh.

Goede Vrijdag. Vroeger moesten we om drie uur stil zijn en aan de arme Jezus denken. Als nu in Nederland een vader zijn zoon aan een kruis zou laten spijkeren, zouden ze zich op het Pieter Baan Centrum geen raad weten met zo'n psychopaat. In ieder geval zou hij geen proefverlof krijgen als hij nog meer kinderen had. Wel een winkelverbod voor houthandels.

Ik geef God nog één kans: als ik vanmiddag klokslag drie uur de honderd meter weer in 12.4 seconden kan lopen keer ik terug in de schoot van de Heilige Rooms-Katholieke moederkerk. Beloofd!

Zaterdag 30 maart

Mijn snelste tijd op de 100 meter is op dit moment 1 minuut en 27 seconden. Gisteren, Goede Vrijdag, klokslag 15.00 uur gemeten. Ik kan er een seconde naast zitten, het kan een metertje meer of minder zijn geweest, veel verschil maakt het niet.

Ik moest na die sprint van anderhalve minuut vijf minuten uitrusten op een bankje.

God heeft, op het uur dat zijn zoon de geest gaf, geen wonder verricht en mij mijn oude snelheid teruggegeven. Naar mijn terugkeer naar de Roomse kerk kan hij dus fluiten.

God heeft wel gisteren rond de klok van drie mevrouw Schinkel tot zich genomen. Schinkel was streng gelovig, ik denk dat ze met opzet gelijk met Jezus haar laatste adem heeft uitgeblazen. Ik had weinig contact met haar maar het leek me wel een aardige vrouw. Ze wordt in besloten kring begraven, dat scheelt een verplichting.

'Pensionado' klinkt goed, dat zou je bijna willen zijn. Moet je wel de hele winter in Benidorm jeu-de-boulen met andere Hollandse pensionado's. En twee maanden logeren in de lelijkste hotels van de wereld. Er zijn Nederlandse kappers, snackbars, loodgieters en sinds een paar jaar is er ook een Nederlands ziekenhuis. Als ik elk jaar aan de Costa Blanca moest overwinteren ging ik in dat ziekenhuis direct naar de afdeling euthanasie.

Gisteren bij de thee werd overwinteren in Spanje door de vorige week teruggekeerde meneer en mevrouw Aupers de hemel in geprezen. De aanhoudende kou in Nederland deed de rest van de pensionadopromotie.

Als er op dat moment een ambulant reisbureau neergestreken zou zijn in de conversatiezaal waren er in een uur tijd tweehonderd retourtjes Benidorm voor volgende winter verkocht.

Was het hier heerlijk rustig geweest.

Ik heb vandaag zo'n dag dat je doodmoe wakker wordt, de hele dag uitrust en doodmoe van het rusten 's avonds weer naar bed gaat. Had ik maar een paar van die geheimzinnige pilletjes in mijn medicijnkastje waar de jeugd van tegenwoordig vierentwintig uur achter elkaar op kan dansen. Hoef ik niet opeens te kunnen dansen hoor, een paar uur rondscharrelen zonder moe te worden is genoeg.

Paaszondag 31 maart

Ik heb er niet veel mee, met Pasen. Op het knutselclubje zijn er eieren beschilderd die op eerste paasdag opgegeten worden tijdens wat een feestelijke brunch moet lijken. Die vindt straks om elf uur plaats, maar het merendeel van de bewoners laat zich niet van zijn strakke eet- en drinkschema afbrengen. Als ze moeten ontbijten én lunchen op een tijdstip dat ze normaal koffie drinken zijn ze een week van de leg. Dus wordt er vooraf gewoon ontbeten, drinken ze om half elf koffie met twee beschilderde gekookte eieren en gaan ze een uur later weer aan tafel voor de middagboterham.

De drie R'en voor kinderen gelden ook voor bejaarden: rust, reinheid en regelmaat. Met de reinheid neemt men het niet altijd meer even nauw, maar rust en regelmaat zijn de hoekstenen van deze samenleving.

Morgen is het paasklaverjastoernooi. Met mooie prijzen! Ik doe mee omdat niemand anders met Evert wil spelen. Ik gun de andere bewoners geen geslaagde boycot.

Er wordt door sommige koppels geklaverjast alsof het een zaak is van leven en dood. Evert is dan de beroerdste niet om waar mogelijk zand in de machine of zout in de wonde te strooien door aan een stuk door alle opgegooide kaarten te becommentariëren. Tot iemand zich niet meer kan beheersen en zegt dat hij eindelijk eens zijn kop moet houden. Ik doe intussen net of ik gek ben.

Ik ben benieuwd naar het paasdiner vanavond. Eerlijk is eerlijk, over het algemeen zijn de speciale feestmaaltijden erg lekker. Maar er is een nieuwe kok: alles is nu nóg gaarder.

Maandag 1 april

De afgunst was groot. Evert en ik hebben gisteren met klaverjassen de tweede prijs gewonnen: één peper-en-zoutstel met zijn tweeën. Evert stelde voor om bij toerbeurt het peperpotje of het zoutvaatje in bezit te hebben en dan wekelijks, tijdens de koffie, te ruilen ten overstaan van jaloerse klaverjasfanaten. Dat gaat me wat ver.

Bij wijze van paasverrassing zijn voor de deur van ons huis de banden van drie Canta's lek gestoken. Goed voor gespreksstof maar het is een wonderlijke daad van vernielzucht.

'Een aanslag op de mobiliteit van de oudere Nederlander,' riep mevrouw Quint, koningin van de pathetische onzin.

De politie kwam langs. De tweede keer in korte tijd. Ook nu weer twee verlichte geesten: ze stonden erbij en keken ernaar. 'Ja, die zijn lek.' Ze keken om zich heen of ze misschien nog net iemand met een mes in zijn hand de hoek om zagen rennen.

Nee, de agenten konden geen proces verbaal opmaken. De gedupeerden konden wel aangifte doen via internet. De agenten vonden het jammer dat geen van de gedupeerden een computer had. Uiteindelijk bood Grietje aan om samen met de slachtoffers aangifte te doen via haar pc. De agenten vertrokken weer na deze indrukwekkende vertoning van doortastendheid. Op de valreep deelden ze folders uit met informatie over slachtofferhulp, voor de zekerheid aan iedereen die zijn hand uitstak. Deden ze toch nog iets.

De angst voor meer aanslagen zit er goed in. De Canta-eigenaren zouden hun karretjes het liefst naast hun bed parkeren. Er werd druk gespeculeerd over de vraag wie toch achter deze terreurdaad konden zitten. Men was het er algauw over eens dat de moslims de meest voor de hand liggende verdachten waren. Het was dan wel iets minder erg dan Twin Towers maar het moest ook zeker niet zo gebagatelliseerd worden door de politie.

'Dit is nou een goede gelegenheid om drones in te zetten,' vond meneer Bakker.

Dinsdag 2 april

Gisteren bij de lunch las meneer Dickhout een brief van de directie voor, waarin stond dat er voortaan voor de koffie een euro betaald moest worden en voor elk koekje twintig cent. Er stak een storm, nee een orkaan van verontwaardiging op. Een schande was het! Er was geen enkel respect meer voor ouderen. De oorlog werd erbij gehaald en ook de oude Drees kwam voorbij. 'Ik neem mijn eigen koffie en koek wel mee!' brulde Gompert door de zaal, waarop Dickhout hem wees op de opmerking in de brief dat er geen meegebrachte etenswaren meer genuttigd mochten worden in de publieke ruimtes. Toen Gompert daarvan zo driftig werd dat hij dreigde te ontploffen of tenminste een hartaanval te krijgen, besloot Dickhout dat het genoeg was. '1 april,' zei hij droogjes en hij ging rond met een pak meegebrachte koekjes.

Niet iedereen nam de grap even sportief op, getuige de vele zuinige mondjes. Sommigen weigerden demonstratief een koekje bij wijze van protest. Anderen vroegen dat koekje er dan als tweede bij.

Gompert liep paars aan.

Zelf vond ik de grap een acht waard en de uitvoering een negen. Misschien moeten we Dickhout eens uitnodigen voor het aspirantlidmaatschap van Oud-maar-niet-dood.

Tweede Paasdag, topdag qua bezoekersaantallen. Zon, zes graden Celsius en oostenwind kracht vier, er kon nét gewandeld worden met vader of moeder maar niet te lang. Bij massale terugkomst in de conversatieruimte ontstond er een tekort aan zitplaatsen. Ik stond mijn stoel af en ging naar boven. Ik was, voor zover ik kon overzien, de enige zonder visite en bij wijze van uitzondering vond ik mezelf een beetje zielig. Ik besloot op mijn kamer de beste fles die ik had open te trekken en schoof drie uur later een klein beetje aangeschoten aan bij het avondmaal. Er gingen nog een paar glaasjes wijn naar binnen en ik haalde ternauwernood het toetje. Ik hoop dat ik geen aanstoot heb gegeven.

Woensdag 3 april

Hij hoeft niet uitgelaten te worden, stinkt niet en gaat niet dood: Paro.

Het geboortecijfer in Japan ligt op 1,3. In verhouding komen er steeds meer bejaarden en steeds minder kinderen om ze te bezoeken. Daarom hebben de Japanners enige tijd geleden Paro op de markt gebracht, een robotje verkleed als zeehondje, speciaal bedoeld om ouderen gezelschap te houden. Ik raad de Nederlandse importeur aan Paro de gedaante aan te laten nemen van een te dik, waggelend straathondje waar je koekjes in kunt stoppen.

Overigens is het geboortecijfer in Italië ook 1,3. Waar is de tijd dat katholieken zich voortplantten als konijnen?

Weinig baby's nu betekent over veertig jaar verhoudingsgewijs een flink bejaardenoverschot. Gelukkig hoef ik dat niet meer mee te maken. Een oudje is nu al van weinig maatschappelijke waarde maar als er in de toekomst nog veel meer zijn krijgt een 70-plusser vast een dikke bonus bij vrijwillige levensbeëindiging.

De wereld zal er niet van opknappen als straks twee miljard scootmobielen de straten onveilig maken.

Een beleggingsadvies aan ondernemende twintigers: koop aandelen incontinentieluiers.

We hadden gisteravond bij Graeme een vergadering van Oud-maar-niet-dood. Met chablis en frituurfruit, door de koerier van de snackbar gebracht, want frituren is per decreet verboden. Er gaat niets boven een gloeiendhete bitterbal bij een koud wijntje. Het was zeer gezellig.

Er is afgesproken dat bij uitstel van een uitstapje niet alle uitstapjes opschuiven en dat onderling van datum mag worden geruild.

Er zijn diverse verzoeken binnengekomen om lid te mogen worden van onze club, maar na zorgvuldige afweging is besloten dat het aantal van zes leden voorlopig als maximum geldt. Organisatorisch handzaam en iedereen heeft dan tijd voor iedereen. Er waren enkele geschikte kandidaten bij, die we op een wachtlijst zullen plaatsen. En een stuk of acht zeurpieten die we gewoon kunnen afpoeieren.

Donderdag 4 april

Er is in Amsterdam een verzorgingshuis voor welgestelde bejaarden: bridge in plaats van bingo, Bach in plaats van Bauer, biefstuk in plaats van een bal gehakt. En... onbeperkt luiers verschonen. De AWBZ betaalt de zorg en voor kost en inwoning tellen de bewoners € 4000,- per maand neer. In mijn geval zou ik dan na drie maanden onder een kartonnen doos moeten gaan slapen.

Er zijn ook tehuizen voor oude vegetariërs, voor oude kunstenaars, voor oude antroposofen en voor oude dak- en thuislozen, die dan volgens mij geen dak- en thuislozen meer mogen heten. Ik weet niet of ik een van die huizen zou willen ruilen voor ons huis. Vegetarische of antroposofische zeurpieten lijken me nog erger dan onze eigen neuzelaars. Ik wil graag een huis zonder geklaag, gezeur en gejammer. Een beetje kankeren mag wel, anders mag ik er zelf niet in.

Ik geloof trouwens niet dat er in ons tehuis één vegetariër rondloopt, laat staan een antroposoof. Wel zijn er dames die heel mooi kunnen handwerken en een paar heren die best aardig kunnen biljarten.

Ik heb Anja gevraagd of ze de statuten en reglementen van dit huis voor me kan opzoeken en kopiëren. En alle overige regelingen die van toepassing zijn, zoals de ARBO-regeling. Die laatste om uit te zoeken of de weigering van mevrouw Stelwagen ons de keuken ter beschikking te stellen terecht is. Ik heb het vermoeden dat 'wij van de club' nog wel eens met 'zij van de directie' in aanvaring zullen komen en dan is enige kennis van het woud van regeltjes waarin ze zich verschuilt gewenst.

Ik heb Graeme en Eefje op de hoogte gesteld en ze hebben toegezegd mee te zullen lezen. Evert had geen interesse 'maar als er weer eens koeken in een aquarium gegooid moeten worden hoor ik het graag!'

Vrijdag 5 april

Het galmde hier nog na: 'Fiscale wet treft 65-plusser'. En vandaag eroverheen: 'Deltaplan dementie moet tij keren'. Nogal veel tegelijk voor aan onze koffietafel.

Om te beginnen met de belastingzaak: er blijken in de nieuwe vereenvoudigde belastingwet wat addertjes onder het gras te zitten die het op de aow voorzien hebben. Wat mij zo verwondert is dat er niet een páár van de dertigduizend mensen die bij de belasting werken (jawel 30.000!) van tevóren kunnen uitrekenen wat de gevolgen zijn van nieuwe regels. Iedereen is weer verbaasd: 'Tjé, gaan de oudjes er zo veel op achteruit?' Dan zal de staatssecretaris van Financiën dit 'natuurlijk moeten redresseren', zoals hij zelf zegt. En wat ons betreft zelfs een beetje snel, dat redresseren, tenminste als dat terugdraaien betekent. Anders blíjven we tegen die verongelijkte protesterende kop van Krol aan kijken. (Nee meneer De Koning, nog steeds geen familie van Ruud Krol.)

Op de verwachte dementie-tsunami kom ik later wel terug. Niet te veel ellende ineens.

En het blijft maar te koud voor de tijd van het jaar en er wordt zo naar een warm zonnetje verlangd. De mensen worden moedeloos van drie weken oostenwind, kracht 6. Het is al zomertijd en nog vriezen, om met Evert te spreken, 'je ballen uit je broek'. Ik ben echt niet van geleuter over het weer maar zelfs de meest weldenkende mensen zijn ook maar mensen; je klaagt uiteindelijk mee met de meute, of je wilt of niet. Ik geef het toe: ik word er chagrijnig van.

Zaterdag 6 april

Oude mensen zuchten en kreunen erop los. Soms van de inspanning of de pijn maar vaker uit gewoonte. Ik heb er een kleine studie van gemaakt.

Kampioen kreunen is meneer Kuiper, toch al niet mijn grootste vriend. Opstaan, zijn jas aantrekken, iets pakken, al is het maar een theekopje, alles gaat gepaard met een gekreun alsof hij onder een wals komt.

Toen ik erop ging letten begon ik me er ook steeds meer aan te ergeren. Dat is niet de bedoeling. '*Nicht ärgern, nur wundern,*' zei mijn vader altijd. Een advies aan anderen, want zelf ergerde hij zich met overgave aan van alles.

Ik schraapte vanmorgen mijn moed bij elkaar en vroeg Kuiper waarom hij zo kreunde toen hij ging zitten.

'Wie, ik?' antwoordde hij oprecht verbaasd. Vervolgens gaf hij een half uur geen kik meer, maar daarna begon zoetjesaan het gekerm weer. Alsof ik naar vrouwentennis zat te kijken. Vroeger werd daar bij mijn weten nauwelijks gekreund, maar tegenwoordig moet ik bij tennis op tv het geluid zachter zetten. Ze doen het erom. En het is besmettelijk: mannen kreunen ook steeds meer.

Intussen zit ik met een probleem. Ik begin een enorme hekel aan Kuiper te krijgen, want ik hoor elk kreuntje. En niet alleen van hem. Van nog een heleboel andere bewoners ook. En, het ergste van al, af en toe ook van mezelf. Hoe kom ik daar nu weer van af?

Ik legde het probleem aan Evert voor. Die dacht dat als hij op elk gekreun zou reageren met nog veel harder gekreun, dat zou kunnen helpen. Hij probeerde zijn theorie een paar uur later uit in de praktijk. De kreuners keken Evert verwonderd aan en informeerden naar zijn gezondheid.

Zondag 7 april

Meneer Schaft van de dementen was een openstaande deur door geglipt en aangeschoven bij ons aan de koffietafel. Hij liet vol trots zijn nieuwe armbandje zien. Gekregen van zijn schoonmoeder, beweerde hij. 'Reanimeer mij niet' stond erop.

'Weet u wat dat betekent?' vroeg Eefje belangstellend.

Nee, dat wist hij niet. Hij dacht dat het iets met vrouwen te maken had.

'Reanimeermeisjes, bedoelt u?'

'Ja, zoiets ja.'

Ik vroeg of hij zeker wist dat hij het bandje van zijn schoonmoeder had gekregen.

Toen moest hij hard lachen en dat lachen ging over in een enorme hoestaanval waarin hij bijna stikte. Daarmee trok hij de aandacht van de zusters, die hem afvoerden naar de gesloten afdeling zodat we nog niet weten wie die armbandjes uitdeelt.

Evert zag er wel handel in, beweerde hij met een stalen gezicht.

Ik heb er meteen een bij hem besteld. Daar keek hij raar van op.

Het was een grap, maar ook weer niet. Ik denk dat hij er een voor me gaat maken.

Overigens ga ik me eens verdiepen in de rechtsgeldigheid van zo'n bandje. Neem ik de rechtsgeldigheid van een euthanasieverklaring bij wilsonbekwaamheid gelijk even mee, want dat is ook een heet hangijzer. Ook al wordt er nauwelijks over gesproken. 'Er rust een groot taboe op het eu-woord,' sprak Graeme plechtig en provocerend naar aanleiding van het reanimeerbandje. Er werd onrustig heen en weer geschoven op stoelen en lang en geconcentreerd in kopjes geroerd. 'Zelfmoord ligt niet lekker in deze groep,' deed Evert er nog een schep bovenop.

Maandag 8 april

Lente: iedereen die maar enigszins kon lopen is gisteren gaan wandelen. Al was het maar naar het bankje voor de deur. Vier van onze bewoners zaten daar gemoedelijk over het mooie weer te praten toen een wildvreemde oudere heer op de laatste vrije plaats ging zitten. Mevrouw Blokker kon net niet genoeg versnellen om hem voor te zijn. Ze keek misprijzend: 'U zit op ons bankje.'

'Ik zie nergens staan dat het van u is,' zei de meneer en hij pakte zijn krant.

'Wij zitten hier altijd,' kreeg Blokker steun van haar medebewoners.

'Nou, het komende half uur zit ik er,' zei de meneer onverstoorbaar.

Mevrouw Blokker ging hulp halen maar kon alleen de portier vinden. 'Dit is een bankje van het huis,' probeerde die.

'Dit bankje staat gewoon op de openbare weg en is ván en vóór iedereen,' was het antwoord.

Na een half uur in een ijzige stilte gelezen te hebben stond hij op, groette iedereen en wandelde weg.

Dit verhaal heb ik in alle toonaarden van verontwaardiging vier keer moeten aanhoren. Het was de belangrijkste gebeurtenis van de zondag.

Uitstapje nummer 3 is twee dagen uitgesteld omdat Grietje nog herstellende is van een lichte longontsteking. Het stond voor overmorgen op het programma en is verschoven naar vrijdag.

Ik was flink teleurgesteld. Daarin niet overdrijven, Groen! Je weet nu eenmaal dat de leden van onze club krakkemikkig en ziektegevoelig zijn. Het aangenomen voorstel om bij uitstel van een uitje niet de hele cyclus op te schuiven werpt nu al vruchten af.

Ik heb wat betreft mijn uitstapje de knoop doorgehakt: het wordt een kookworkshop. Via internet heb ik vier koks geselecteerd op prijs en afstand. Die heb ik elk minstens drie keer gebeld om na te gaan of ze geduldig waren met oude mensen. Twee van hen vielen toen af. Uiteindelijk heb ik gekozen voor kookstudio 'Onder de pannen' omdat die beloofde dat er onder het koken ook gelachen zou worden. Niet te serieus, daar hou ik van. Er zijn te veel mensen die zichzelf en datgene wat ze doen veel te belangrijk vinden. Niemand is meer dan een zandkorrel in de woestijn, een stofje in het heelal.

Dit is een beetje pathetisch, Hendrik.

Dinsdag 9 april

Eindelijk weer eens een beroemde dode bij de koffie: Margaret Thatcher. Er vallen er nog niet veel dit jaar. Over weinig mensen zijn de meningen zo verdeeld als over ijzeren Maggie. Meneer Bakker vond haar een fantastische vrouw: 'Die stond tenminste ergens voor!' Ik vroeg hem waarvoor.

'Nou, ze stond voor wat ze wilde.'

Grietje: 'En wat wilde ze precies?'

Bakker: 'Is dit een ondervraging of zo?'

Er was gisteren een bewonersbijeenkomst om voorlichting te geven over de plannen van de raad van bestuur om dit gebouw aan te passen aan de eisen van de tijd. Geen idee wat precies 'de eisen van de tijd' zijn maar vaak is de achterliggende onuitgesproken gedachte dat er ergens op bezuinigd moet worden. Bezuinigen noemen ze dan kosten besparen of efficiëntie verhogen.

De directrice zei drie keer heel nadrukkelijk dat er nog niets vaststond en dat deze bijeenkomst bedoeld was om de wensen van de bewoners te inventariseren. De schone schijn van inspraak. Het resultaat was dat de onrust met gulle hand was gezaaid. Er is weer aanleiding om te piekeren. Dezelfde middag werden de eerste verhuisdozen gehamsterd. 'Ouwe planten moet je niet meer verpotten,' blaatte mevrouw Schaap keer op keer tegen iedereen die het maar horen wilde. Dat ze zichzelf met een plant vergelijkt getuigt van een zelfkennis die ik niet achter haar gezocht had. Er komt geluid uit haar maar verder leidt ze een grotendeels plantaardig bestaan.

Persoonlijk ben ik voor een ingrijpende verbouwing met veel overlast. Hoe meer er gebeurt, hoe beter en hoe eerder, hoe liever. Voordat de eisen van de tijd omgezet worden in concreet hak- en breekwerk gaat er vast een jaar overheen en je weet nooit of je het zo lang nog trekt.

Stel: ambulancebroeders zien jouw armbandje met 'reanimeer mij niet' pas nádat ze je met een flinke stroomstoot weer aan de praat hebben gekregen. Wat dan? Dé-reanimeren? Iemand die dan binnenkomt weet niet wat hij ziet.

Of: de echtgenoot van degene die niet gereanimeerd wil worden staat erop dat alles geprobeerd moet worden om er weer leven in te krijgen, bandje of geen bandje?

Met die gedachten werd ik vanmorgen wakker.

Woensdag 10 april

Mijn mol bij de directie meldt dat de inspectie een onaangekondigd bezoek heeft aangekondigd. Er zijn klachten binnengekomen. Alle seinen op rood bij het bestuur. Misstanden in de zorg doen het goed in het nieuws. Cordaen en Osira zijn eerder al aan de beurt geweest. Bij Osira werden zeventwintig huizen onder verscherpt toezicht geplaatst. 'Bejaarden mishandeld' kopte destijds de krant. Iedereen geschokt. 'Iedereen' zou misschien eens een kijkje moeten nemen in een aantal tehuizen om te zien waar de inzet van slecht opgeleid, overbelast en onderbetaald personeel toe leidt. Tel daarbij op de negen bestuurslagen die iedere zichzelf respecterende bij elkaar gefuseerde zorgreus heeft en je weet dat aan alle voorwaarden is voldaan om de kans op ongelukken zo groot mogelijk te krijgen. Na jaren van efficiëntiemaatregelen van raden van bestuur staat eigenlijk alleen de kwaliteit van hun eigen beloningspakket nog overeind. Voor de handen aan het bed is geregeld dat ze maximaal twee minuten en vijftien seconden hebben om een hulpbehoevende bewoner op de pot te zetten en weer aan te kleden. Dan schiet goed afvegen er wel eens bij in.

Hè, ik had zin om eens lekker te kankeren.

De andere kant van de medaille: sommige oudjes hier zijn zo strontvervelend dat je ze graag wat langer in hun eigen drek laat sudderen.

Een recent schandaaltje hier: een bewoonster die een medewerker sloeg werd teruggeslagen. Een klein corrigerend klapje waar veel voor te zeggen viel. Het zogenaamde slachtoffer was erger dan een klein kind. Niettemin: medewerker ontslagen, rust teruggekeerd.

Donderdag 11 april

Er zijn dagen dat er niet veel gebeurt. Zeg maar gerust niets.

Ik kan wel babbelen over het eten en het weer maar dat is al de favoriete tijdspassering van het merendeel van mijn medebewoners. Met een goed gesprek over Nietzsche hoef ik hier niet aan te komen. Dat treft, want ik weet zelf niets van Nietzsche.

Ik ben al tevreden als er niemand tegen me aan zit te zeuren.

Het is dus zaak goed op te letten naast wie je komt te zitten in de conversatiezaal. Een groot deel van de plaatsen ligt vast: de abonnementshouders, mensen die altijd op dezelfde stoel zitten en een hoop stampij maken als iemand op 'hun' plek is gaan zitten. Voor de verdeling van de vrije plaatsen is timing belangrijk. Als je te vroeg komt heb je niets te kiezen en als je te laat komt ook niet. Ga je met een of twee mensen aan een andere tafel zitten, er is tenslotte plek zat, dan ben je ongezellig. Dat klinkt onschuldig maar de verontwaardiging over het feit dat je niet aanschuift is groot. Ze reageren alsof ze als melaatsen gemeden worden.

Hoewel ik dus graag naast Eefje zit, naast Edward, of Evert, de enkele keer dat die er zich waagt, zit ik ook vaak beleefd te knikken naar een buurvrouw die haar waslijst van kwalen doorneemt of uitgebreid verslag doet van *De rijdende rechter*. Dan wens ik haar in stilte toe dat ze met stomheid geslagen zal worden en sop ik gelaten mijn koekje in de thee.

Morgen 12 uur melden bij de poort: de rebellenclub trekt erop uit.

Voor volgende week donderdag heb ik een kookworkshop voor zes bejaarden gereserveerd bij 'Onder de pannen'. Na overleg hebben we het voorgerecht geschrapt en maken we alleen een hoofdgerecht en een toetje. Anders duurt het te lang en wordt het te duur. Wat we gaan koken weet ik niet, het is voor mij ook nog een beetje een verrassing. 'Dieetvoorschriften pas ik wel een mouw aan,' zei onze gastvrouw, 'en voor de moeilijke eter is een balletje gehakt zo gedraaid.' Dat klonk geruststellend flexibel.

Het busje is besteld en het avondeten hier ten huize is afgezegd. De kok fronste zijn wenkbrauwen.

Vrijdag 12 april

Het is godgeklaagd. Mevrouw De Roos, hoofd huishouding, kwam net namens de directrice informeren naar de reden van de afwezigheid van zes bewoners bij het avondeten volgende week donderdag. Ik vertelde dat we een uitje hebben.

'O,' zei ze.

'Ja, we hebben een clubje dat af en toe iets organiseert,' zei ik slapjes.

'Vindt u misschien dat wij te weinig organiseren?' informeerde De Roos.

'Nee hoor,' haastte ik mij te zeggen.

'De mensen in de keuken vinden het niet prettig als er zes mensen zomaar afwezig zijn.'

'Alsof wij er voor het plezier van het keukenpersoneel zijn. Zij zijn er voor ons en niet omgekeerd. Het is hun werk. Dus wat de mensen in de keuken ervan vinden interesseert me niets!' Dat had ik willen zeggen maar dat durfde ik niet. Ik mompelde in plaats daarvan dat we al hadden gereserveerd.

'Wat gaat u eigenlijk doen, als ik zo vrij mag zijn?'

Toen ik zei dat we een kookworkshop gingen volgen was het even stil.

Toen zei ze: 'Zo...'

Weer een kleine stilte. 'Nou, veel plezier dan maar.'

Ze knikte en ging. Waarschijnlijk rechtstreeks naar de directrice om verslag te doen.

Nu word ik steeds kwader maar ik kan even bij niemand mijn hart luchten, anders verraad ik mijn plan.

Ontspannen, Groen! Je moet zo op pad. Regenjas mee.

Zaterdag 13 april

Oud-maar-niet-dood bezocht gisteren een van de grootste en beroemdste reservaten voor bejaarden in Nederland: de Keukenhof. Niet alleen maar bejaarden hoor, ook Duitsers en Japanners. 'Hebben die Japanners thuis de boel eigenlijk weer een beetje aan kant, na de tsunami, dat ze hier allemaal al weer zo vrolijk lopen te fotograferen?' vroeg Evert zich af.

De geschatte gemiddelde leeftijd van de bezoekers: 65-plus.

Er is dan ook geen korting voor ouderen, dat zou kapitalen kosten. Wel mogen duwers van rolstoelen gratis naar binnen. Dat stond niet duidelijk aangegeven, maar Grietje wist het toevallig. Dus ging Evert een rolstoel halen voor mij en Graeme een voor Eefje. Drie rolstoelduwers leek ons een beetje verdacht. Van de veertig uitgespaarde euro's hebben we de koffie met taart betaald. En om beurten liet iedereen zich even duwen.

Het is een behoorlijk tuttig en aangeharkt park. Maar een ding hebben ze er wel: heel veel bloemen. Mooie bloemen, al zijn ze wel een beetje laat dit jaar. Het weer was grillig: regen-zon-regen-zon. Binnen-buiten-binnen-buiten. In de kassen was het lekker warm en als je de hordes toeristen even weg filterde was het er prachtig.

Maar ook met bloemen kun je overdrijven. Bij de witte wijn en het bittergarnituur vroegen wij ons af waarom er zo nodig nog een zevenhonderdste tulpensoort gekweekt moest worden.

Het was slim georganiseerd door Grietje. Ze heeft een aardige kleinzoon, Stef, met een busje. Stef wilde voor een paar tientjes benzinegeld wel een dagje met zijn oma en haar vrienden op stap. Aardige snuiter, geïnteresseerd in mensen en hun verhalen. Hij had het best naar zijn zin met ons. Daar waren wij weer een beetje trots op.

Aan het eind van de dag bood Stef aan om vaker een dagje taxichauffeur te spelen. En dat na een uur in een enorme file. Grietje had blijkbaar een lange terugreis voorzien, want ze serveerde in het busje uit haar koelbox een stukje Franse kaas, een toastje zalm en een glaasje wijn. Nog nooit zo aangenaam in de file gestaan.

Het oponthoud had tot gevolg dat we te laat aan tafel verschenen. Onder diep zuchten was het hoofd van de keuken bereid een paar prakjes op te warmen in de magnetron. Met een air alsof ze al dat eten uit haar eigen mond had gespaard.

Zondag 14 april

Wat je noemt een topdag voor ons huis gisteren: een beroerte, een gebroken heup en iemand bijna gestikt in een bastogne koek. De ziekenwagen reed af en aan, drie keer op een middag. Niet bij te houden, zo veel onderwerpen van gesprek bij de koffie en de thee. Hoewel er geen goede bekenden onder de slachtoffers waren, worden we wel weer hardhandig met de neus op de feiten gedrukt: er is geen storm meer nodig om een oude boom te vellen. Het eerste het beste briesje, bijvoorbeeld in de gedaante van een bastogne koekje, kan fataal zijn. Iedereen zou hier moeten leven alsof het zijn laatste dag is, maar nee, we verspillen onze kostbare laatste uren liever met getuttel en geneuzel.

Mevrouw Sitta had, naar aanleiding van de af- en aanrijdende ambulances, geïnformeerd of de bingo nog wel doorging. 'De goeien hoeven natuurlijk niet onder de kwaaien te lijden,' stelde ze zonder blikken of blozen. Je zou haar nog tijdens de bingo een beroerte, een gebroken heup én de verstikkingsdood in een koekje toewensen.

Iets vrolijkers: ik ga zo een kopje thee drinken bij mijn vriendin Eefje en haar uitnodigen om vanavond met me uit eten te gaan. Ik heb een tamelijk chic restaurant gereserveerd.

Leven alsof het je laatste dag is.

Maandag 15 april

Mijn oude prinsesje ging graag op de uitnodiging in. Ze had zich mooi gemaakt: een beetje lippenstift en een blosje. Ik moet bekennen dat ik voor vertrek speciaal even had gedoucht en een verschoning had aangetrokken. Geen overbodige luxe, dat laatste. Ik moet mijn geriater de volgende keer nadrukkelijk vragen of er nog iets te doen valt aan dat lekken of dat ik me neer moet leggen bij een luier. Niet zo lang geleden meende ik dat met die luier de ondergrens van de waardigheid wel bereikt was, maar ik merk dat ik de grens wat heb opgerekt. Ik, de kikker in de kookpot.

Om zeven uur het busje genomen naar het restaurant en daar chic en heerlijk gegeten voor een halve maand AOW.

Eefje was verguld en genoot. Ik mocht haar alleen trakteren op voorwaarde dat ik er geen gewoonte van ging maken alles te betalen. 'Dat is een gewoonte die ik me niet kan permitteren,' heb ik naar waarheid geantwoord.

Het voelde goed om eens uit de band te springen. Ik had niet gedacht dat ik dat zo makkelijk zou kunnen. Het gezelschap heeft daar zeker een rol in gespeeld.

Met de taxi terug.

Bij het afscheid een kus op beide wangen. Ik kreeg het er een beetje warm van. Godsamme, 83 jaar!

Dinsdag 16 april

De Oranje-spanning in ons huis begint op te lopen. Er is door de bewonerscommissie druk vergaderd over haar bijdrage aan het kroningsfeest. Het resultaat is dat we ook dit jaar weer oranje HEMA-tompoezen bij de koffie krijgen. Verder zal het volledige televisieverslag te zien zijn op groot scherm in de conversatieruimte.

De feestelijke rondvaart over het IJ is hier ongeveer om de hoek maar toch zo goed als onbereikbaar. Dat wordt zeer betreurd. Het fijne weet ik er niet van, maar ik geloof dat je je om twaalf uur 's middags moet laten opsluiten om de nieuwe koning en koningin pas zeven uur later gedurende twee minuten op honderd meter afstand voorbij te zien varen.

De laatste paar 'gewone' Koninginnedagen waren er al veiligheidzones 1, 2 en 3 ingesteld. Toen mocht je op sommige plaatsen zelfs niet je eigen auto in je afgesloten garage hebben staan. Scoot-mobielen werden trouwens ook geweerd. Daar werd hier nog schande van gesproken.

En ondanks al die veiligheidsmaatregelen, kosten 700.000 euro exclusief salaris agenten, zat toch nog iedereen met samengeknepen billen voor de tv te wachten of er niet weer een zwarte Suzuki Swift de bocht om zou komen scheuren.

Ik zou het veiligheidsdraaiboek voor de kroning wel eens willen inzien.

De zusjes Slothouwer wisten het zeker: 'Er gaat iets ergs gebeuren. Ik weet niet wat, maar ik voel het.'

Iemand dacht dat Kim Jong-un, het pafferige kaboutertje uit Noord Korea, wel eens precies op 30 april een raket onze kant op zou kunnen sturen. De bommen gisteren bij de marathon van Boston hebben ook niet bepaald voor rust gezorgd.

Het plezier is al bij voorbaat een beetje vergald bij al die angstige vogeltjes hier.

Ik denk met weemoed terug aan de gezellige defilés bij Paleis Soestdijk. Niemand peinsde erover het zelfgebakken oranje krentenbrood van anderhalve meter van de Oranjevereniging uit Woerden te controleren op explosieven.

Ik weet nog niet hoe ik als anonieme republikein 30 april door moet komen.

Woensdag 17 april

Ik ben zenuwachtig voor morgen. Zullen ze mijn kookworkshop wel leuk vinden?

De dames en heren zijn er in ieder geval wel mee bezig, want stuk voor stuk kwamen ze even vissen naar de bestemming. Over vissen gesproken: er zwemmen eindelijk nieuwe vissen in de twee aquaria die eerder getroffen waren door aanslagen met cake en koek.

Er hing een briefje bij dat dit de laatste keer is dat de directie nieuwe vissen heeft aangeschaft. Bij een volgende calamiteit gaan de bakken onherroepelijk en definitief de deur uit. Zoiets moet je tegen onze huisanarchist Evert niet zeggen. Zijn ogen begonnen meteen te glimmen. Ik heb hem plechtig moeten laten beloven dat hij de vissen met rust laat. Dat zou hij doen 'op het licht in de ogen van zijn moeder'. Die ogen liggen al vijfentwintig jaar onder de grond.

Nu is Evert zoekende. Een aanslag op kamerplanten vindt hij niet zo interessant. Hij dacht aan iets met de lift...

Vanavond op tv het interview met de aanstaande koning en koningin. Ik zag zojuist dat beneden de beste plaatsen voor de televisie al gereserveerd zijn. Op de voorste stoelen liggen briefjes met namen. Als een variant op de handdoeken die om acht uur 's morgens op de ligbedden bij het hotelzwembad worden gelegd. Ik denk dat ik Evert even moet tippen over die reserveringen. Hij krijgt zijn daad van ontregeling zo in de schoot geworpen.

Er zijn dames die hun mooiste jurk zullen aantrekken als ze naar het interview met Willem en Máxima op tv gaan kijken. Uit respect. Die mooiste jurk stelt niet altijd evenveel voor. Soms is die nogal oud en versleten. Bewoners slaan nogal door in hun zuinigheid. Zij vinden het zonde om nieuwe kleren te kopen omdat de kans groot is dat ze doodgaan voor de kleding versleten is. Dan maar liever vervaalde jurken en knollen van gaten in kousen en schoenen.

Ik ben niet helemaal vrij van zonden. Ik koop ook niet graag dure kleren.

Donderdag 18 april

Ik vond het een mooie kleur blauw. Het bloesje van Máxima boeide mij van het hele interview het meest. Een aantal van mijn medekijkers was vooral gefascineerd door het verbandje om de vinger van de kroonprins. Tussen de deur gekomen? Fijt? Ingescheurde nagel?

Daarover naderhand bij de deskundigen in de studio geen woord. Wel veel gewichtigdoenerij over de vederlichte inhoud. Dus werd er snel overgeschakeld naar de ideale schoonzonen Nick en Simon.

De aanslag in Boston heeft meneer Schipper gisteren doen besluiten komend najaar niet naar de marathon van Amsterdam te gaan kijken, ondanks het feit dat zijn kleinzoon mee zal lopen. Evert rekende hem op onnavolgbare wijze voor dat de kans dat hij met zijn Canta ondersteboven in een sloot terechtkomt aanzienlijk groter is dan dat hij gewond raakt bij de marathon en dat hij dus beter zijn wagentje van de hand kan doen. Evert kende nog wel iemand die op zoek was naar een tweedehands Canta.

Nu ga ik even de ronde doen langs de leden van Oud-maar-niet-dood om te zeggen dat ze straks makkelijke kleren aan moeten doen. Liever geen wapperende kledingstukken, die zouden maar vlam kunnen vatten bij de kookworkshop. Dat laatste zeg ik er niet bij.

Vrijdag 19 april

Het was een groot succes. Niet in de laatste plaats door de uitstekende wijn die ruimhartig geschonken werd tegen het einde van de voorbereidingen. De kok was een kok zoals een kok hoort te zijn: dik en gezellig. Maar ook streng. Je kon niet zomaar wat aanklooien, wat Evert even dacht te kunnen doen bij het rommelig slachten van een aubergine. Toen trok Rémi – zo heette de kok – de teugels aan. Met eten wordt niet gespot. Je mag er wel bíj lachen maar niet óm.

Er werd met het puntje van de tong uit de mond gekaramelliseerd, geblancheerd, gewokt en afgeblust. En daarna aten we alles feestelijk op. Rémi was trots op ons en trakteerde op een glaasje cognac bij de koffie. De mevrouw van de organisatie kwam even kijken of er geen gewonden waren gevallen en dronk een glaasje mee.

Te snel stond het busje al weer voor de deur te toeteren. Toen bleek dat we toch vijf uur in de weer waren geweest. Op de weg terug heb ik dankbaar alle complimenten in ontvangst genomen en niemand zeurde over het geld.

Ik heb niet de indruk dat iemand ook maar bij benadering thuis nog een keer hetzelfde kan koken. Alleen Graeme leek veel te hebben onthouden maar die was nauwelijks verstaanbaar en dus viel dat moeilijk te controleren.

Bij thuiskomst sloeg mevrouw Stelwagen, onze geharnaste directrice, met een strak gezicht onze vrolijke entree gade. Normaal gesproken is ze om zeven uur al lang naar huis. De belangstelling van de overige bewoners, die juist hun andijvie naar binnen hadden gewerkt, deed Stelwagen waarschijnlijk ook geen goed. De positief ingestelde mensen wilden graag weten wat we hadden gegeten, de chagrijnen wat het allemaal wel niet had gekost.

Zonder een woord gezegd te hebben was Stelwagen even later verdwenen.

Zaterdag 20 april

Mevrouw Hoogendijk vond het een schandaal: je mag niet met je scootmobiel het nieuwe Rijksmuseum in. Zij was zelf van plan geweest om met haar Canta langs de Nachtwacht te rijden 'maar dat zal dan zeker ook wel niet kunnen'. De woordvoerder van het museum wees er terecht op dat de scootmobiel een vervoermiddel is en geen hulpmiddel. De nieuwe opstelling kent nogal wat vitrines en losse objecten, legde hij uit. Als je daar bejaarden in hun scootmobiel

118

tussendoor laat rijden, kun je in iedere zaal naast de suppoost een schade-expert neerzetten en iemand om de rommel op te ruimen, want de meeste scootchauffeurs sturen slechter dan Jules de Corte.

Ik kreeg gisteren eindelijk de uitslag van een paar onderzoekjes die nog liepen na mijn bezoek aan de gezellige geriater. Goed nieuws: geen nieuwe kwalen erbij.

Het begeleidend briefje van de dokter: 'Troost u met de gedachte dat u altijd meer kwalen niet heeft dan wel. Ik zie u gaarne over een half jaar weer.'

Ik heb, om te vieren dat ik geen longkanker heb, een extra sigaartje opgestoken. 'Ze' hebben liever niet dat er buiten voor de deur wordt gerookt maar daar heb ik maling aan. Het binnenrookhok voor bewoners vind ik niet prettig. Daar word je gedwongen mee te roken. Heel ongezond. Het personeel mag alleen nog roken in de fietsenstalling.

Zondag 21 april

Gisteravond reed de lijkwagen voor. Of eigenlijk achter, want er is een achteruitgang die eigenlijk alleen wordt gebruikt voor het discreet afvoeren van de doden. Mevrouw Tuinman was deze keer de gelukkige. Ze had er al een tijdje niet zo veel zin meer in, heb ik me laten vertellen. Zelf kende ik haar nauwelijks.

Er is een heel protocol in geval van overlijden van een bewoner. Edward heeft het wel eens opgevraagd maar het was 'niet openbaar'. Dat maakte zijn nieuwsgierigheid alleen maar groter. Ik weet dat hij zint op een manier om het toch in zijn bezit te krijgen. Hij heeft al eens zitten vissen bij een zuster met wie hij het goed kan vinden, maar die mocht daar niets over zeggen. Ik heb mijn hoop gevestigd op Anja. Ze ging haar best doen zei ze met een lachje.

Openheid is hier niet de grootste deugd. De normaalste zaken zijn hier vertrouwelijk. Waaraan iemand is overleden bijvoorbeeld.

Het personeel mag geen informatie geven over bewoners. Niet eens of iemand verkouden is of op visite bij zijn dochter.

Evert heeft een tijdje al zijn post verstuurd in rouwenveloppen. Daar plakte hij dan geen postzegel op. Want, dacht Evert, uit piëteit geven ze je geen strafport én je weet zeker dat je brief op tijd aankomt.

Tot hij ook een rouwenvelop naar de belastingdienst stuurde.

Maar het kan erger, want zijn broer reed ooit rond in een tweedehands lijkwagen en had er altijd een zelfgetimmerde kist in staan zodat hij overal fout kon parkeren.

Eefje merkte bij de koffie op dat ze het leuk zou vinden als Willem Alexander één dag voor de kroning zou zeggen: 'Ik heb er eigenlijk toch niet zo'n zin in. Ik zie er maar van af!'

'Heeft ie dat gezegd?' reageerden drie, vier mensen onthutst. Men hoort hier slecht en luistert half.

Maandag 22 april

Evert is vanochtend naar het ziekenhuis vertrokken. 'Ik mag een nachtje blijven logeren,' zei hij nonchalant toen hij gisteren kwam vragen of ik twee dagen voor Mo wilde zorgen.

Hij wilde niet zeggen wat er aan de hand was: 'Niks bijzonders, een paar onderzoekjes.'

'Wat voor onderzoekjes?'

'Henkie, ik heb nu even geen zin om allerlei medische details met je door te nemen. Ik heb last van me been, oké? Ze gaan kijken of ze er iets aan kunnen doen.'

Ik mag hem ook niet bellen vanavond. Voor de zekerheid heeft hij geen kamernummer doorgegeven, 'dat weet ik niet precies', geen telefoon op de kamer genomen en zijn mobiel thuisgelaten. Duidelijke zaak: niet storen s.v.p..

Ik ben er niet gerust op.

Het koningslied is ook hier met gemengde gevoelens ontvangen. De tekst vonden de meesten nog best goed, voor zover ze hem begrepen, maar men was zeer teleurgesteld dat Corrie Brokken en Anneke Grönloh niet mee mochten zingen. Om maar eens een paar namen te noemen. 'Alleen maar jongelui, dat is toch geen doorsnee van de bevolking. Hare majesteit is zelf 70-plus!'

Het zangkoortje is opgelucht dat het gewoon het Wilhelmus kan zingen en geen moeilijk nieuw lied hoeft in te studeren in zo'n korte tijd. Er werd vooral huizenhoog opgezien tegen het rapgedeelte.

Maar intussen is wel een van de drie pijlers onder het koningsfeest uit geslagen.

Komkommertijd in het kwadraat of is het hele Nederlandse volk opeens seniel geworden?

Dinsdag 23 april

De hond van Evert is ook een beetje van slag nu zijn baasje in het ziekenhuis ligt. Terwijl ik bezig was zijn riem om te doen om naar buiten te gaan poepte hij een grote, tamelijk dunne drol op de kokosmat met 'welcome'. En mij meteen daarna met die grote, droevige oude hondenogen onschuldig aankijken. Ik ben twintig minuten bezig geweest om de poep uit die hoogpolige mat te krijgen. Uiteindelijk heb ik die toch maar buiten neergelegd, want de stank ging er niet uit.

Eind van de middag komt Evert weer thuis. Hij heeft een uurtje geleden toch even gebeld om te zeggen dat hij Mo vanavond zelf kan uitlaten. 'Ja, alles gaat goed, geen bijzonderheden', meer heb ik er niet uit kunnen krijgen.

Op tv zag ik onlangs een aflevering van *Krasse Knarren*, over de belevenissen van bekende oude Nederlanders in een nostalgisch huis.

Een paar dagen later viel ik midden in een aflevering van een serie programma's over een bejaardenkoor. Zaterdag aanstaande is er een telefilm over een opstand in een bejaardenhuis onder leiding van meneer Aart. 'We' zijn niet van de buis te slaan.

Helemaal representatief voor de oude Nederlander lijkt een en ander me niet. De oudste krasse knar was 69. De gemiddelde leeftijd van onze bewoners is ver in de 80.

De laatste jaren bestaat de nieuwe instroom in tehuizen voornamelijk uit stokoude kneusjes die echt niet meer zelfstandig kunnen wonen. Indicatie 3 (of zoiets) heb je nodig om meteen geplaatst te worden. Dan kun je geen ei meer koken en mag je meestal in een keer door naar de gesloten afdeling. Met indicatie 2 sta je bij veel huizen eerst een paar jaar op een wachtlijst. En dan hoeft het soms niet meer, hè. Die lijsten schonen zichzelf op.

In de jaren '70 en '80 gingen gezonde opgewekte echtparen van net zeventig in het bejaardenhuis lekker van hun oude dag genieten. Nu komen er vooral wrakken binnen die elk moment kunnen zinken.

Woensdag 24 april

'Ik heb anderhalve dag zo goed als drooggestaan in het ziekenhuis. Ik moet even bijtanken.' Hij had er al een paar op toen ik om half acht bij Evert op visite ging om te kijken hoe het met hem was. Veel meer dan dat hij in het ziekenhuis stiekem had moeten drinken uit een spablauwfles heeft hij er niet over losgelaten.

Als je jong bent wil je graag ouder worden. Als volwassene, zo tot je zestigste, wil je vooral jong blijven. Als je stokoud bent is er geen doel meer om naar te streven. Dat is de essentie van de leegheid van het bestaan hier. Er zijn geen doelen meer. Geen examens om voor te slagen, geen carrières meer te maken, geen kinderen groot te brengen. We zijn zelfs te oud om op de kleinkinderen te passen.

Het valt niet altijd mee om jezelf nog wat kleine doelen te stellen in deze inspirerende omgeving. Om me heen zie ik ogen met alleen nog berusting erin. Ogen van mensen die van kopje koffie naar kopje thee gaan en van kopje thee naar kopje koffie.

Misschien heb ik dit al eens eerder gezegd.

Misschien moet ik niet zo zeuren.

Gewoon harder werken om ervoor te zorgen dat elke dag de moeite waard is. Of in ieder geval een op de twee dagen. Er moeten ook rustdagen zijn, net als in de Tour.

Donderdag 25 april

Ik ben gisteren naar een lunchconcert geweest. Toen ik mijn eigen geweeklaag over de leegheid der dagen herlas moest ik van mezelf iets ondernemen. Klassiek is aan Evert niet besteed, Eefje was niet lekker en ik had geen zin om verder naar gezelschap te zoeken, dus ben ik maar alleen naar het concert gegaan dat het stadsdeel haar onderdanen gratis aanbiedt in het stadsdeelkantoor.

Helaas is 'iets doen' geen garantie voor een plezierige middag. De muziek was nogal saai en duurde lang en daardoor viel ik in slaap tot een mevrouw me boos wakker schudde. Ik ben bang dat ik heb gesnurkt. Iedereen keek naar me. Ik schaamde me kapot. Toen ik na afloop zo onopvallend mogelijk vertrok voelde ik nog steeds minachtende ogen in mijn rug branden.

'Kom op Hendrik, niet dat gesomber. Alleen als je niets doet kan er niets fout gaan. Niet getreurd over een kleine mislukking. En volgende keer plak je gewoon een baard op.' Dat hield Eefje me voor toen ik even bij haar op ziekenbezoek ging. Ze had nog niet zo'n trek in mijn truffels. Ze klaagde niet, maar vertelde op zakelijke toon dat haar darmen nogal vaak hun werk niet goed

123

doen. 'Dan zit er niets anders op dan een dagje op mijn kamer te blijven.'

Ik ben, onder voorbehoud van herstel, morgenmiddag uitgenodigd voor witte wijn met chocoladetruffels.

Vrijdag 26 april

De zeurderige meneer Dieudonné Titulaer – een prachtige naam, dat wel – las bij het nuttigen van zijn vlaflip een krantenknipsel voor waarin stond dat volgens de 'taskforce overvallen' het aantal thuisovervallen op bejaarden flink was toegenomen. Dieudonné wreef zich vergenoegd in de handen, als om aan te geven dat je toch maar beter in dit veilige reservaat kon zitten dan in de gevaarlijke buitenwereld. Er hing een flinke klodder vlaflip in zijn snor.

Er werd, zo meldde de taskforce, ook meer en grover geweld gebruikt om de oudjes te laten bekennen waar ze hun sokken met geld hadden verstopt. Want een van de redenen voor de vele overvallen zou zijn dat ouderen een hekel hebben aan pinnen en relatief veel cash in huis hebben. Ikzelf vermoed een andere reden: bejaarden staan niet zo snel met de honkbalknuppel klaar om hun eigendommen te verdedigen. Dieven houden erg van weerloze slachtoffers.

De toon was gezet voor de conversatie bij de koffie. De angst was weer gezaaid. Zaad dat hier in vruchtbare aarde valt. Meer dan de helft van de bewoners durft 's avonds niet alleen over straat. Allemaal bang voor negers en Marokkanen met messen. Er kwam een hele optocht langs van verhalen over tasjesdieven, insluipers, zakkenrollers, malafide stofzuigerverkopers en nepcollectanten.

Ik ben naar Eefje gegaan. We hebben een dvd gekeken. Een romantische komedie nog wel, een genre waarbij ik meestal in slaap val. Deze keer niet.

Zaterdag 27 april

Kinderen lachen per dag ongeveer honderd keer. Volwassenen nog maar een keer of vijftien. Ergens onderweg is ons het lachen vergaan. Cijfers uit een onderzoek. Bejaarden werden niet als aparte categorie genoemd maar uit eigen waarneming zou ik zeggen dat de dalende lachlijn met het klimmen der jaren wordt voortgezet. Al zijn er wel grote onderlinge verschillen. Ik let er de laatste dagen een beetje op maar van de mensen die ik regelmatig zie zijn er vijf die ik al drie dagen niet heb zien lachen. Daar staan vier dames tegenover die heel vaak lachen. Zo vaak en om zo weinig dat het ergerniswekkend wordt als je erop gaat letten. (Dat moet je dus niet doen, erop gaan letten, maar op het moment dat je je dat voorneemt is het te laat. Dan kun je er niet meer niet op letten.)

De middenmoot wordt gevormd door een grote groep die zelden schatert maar wel regelmatig glimlacht. Ik heb geprobeerd het aantal glimlachen te turven maar daar ben ik mee opgehouden, want het leidde enorm af van de conversatie. Dan wist ik wel van vier mensen hoe vaak ze hadden gelachen maar had geen idee meer waar het gesprek over ging. Mijn gespreksgenoten vroegen of ik me soms niet zo lekker voelde.

Nu probeer ik te tellen hoe vaak ik zelf lach, maar ook dat is moeilijker dan je denkt. Ik zat na een uurtje theedrinken en een uur biljarten met Graeme en Evert op drie keer lachen (met geluid) en ergens tussen de tien en vijftien glimlachjes. Niet slecht.

Ik ben me er wel pijnlijk bewust van geworden dat er veel sociaal wenselijk wordt gelachen, zowel door mezelf als door anderen. Een lachje hier, een lachje daar, met geen andere reden dan de mensen ter wille te zijn. Als klein gebaar of omdat je te slap bent om te laten blijken dat je iets niet grappig vindt. Of om een gesprek uit de weg te gaan.

Zondag 28 april

Het is goed als je van een oude bekende Nederlander in de krant leest dat hij of zij is overleden en denkt: Goh, leefde die nog? Dan is hij rustig in de vergetelheid geraakt. Het tegendeel komt ook voor: dan wordt een afgetakelde grootheid van vroeger weer in de schijnwerpers gezet. Pijnlijk.

Ramses Korsakov Shaffy werd vlak voor zijn dood nog een keer op het toneel gehesen om wankelend en vals als een kraai 'We zullen doorgaan' te zingen. Willem Duys zat kwijlend en ineengedoken bij DWDD, na zijn vijfde beroerte, sprakeloos geworden. Rijk de Gooyer sloeg vroeger, als hij dronken was, grote kerels met één klap neer als hun kop hem niet aanstond. Bijna dood werd hij, als een hulpeloze, lispelende mummie, ten behoeve van de camera's naar zijn oude maat Johnny gesleept. Van Rijk had ik verwacht dat hij het verval geen kans zou geven en zich bijtijds door zijn kop zou schieten.

Waarom laten de lijkenpikkers van de tv met kennelijk genoegen zo graag de ontluistering zien? Waarom zegt niemand van al die 'fantastische collega's' dat het schaamteloos en respectloos is de grootheden van vroeger zo hulpeloos tentoon te stellen?

Alle keren dat het gebeurde zette ik de tv uit, maar het beeld bleef in mijn hoofd hangen.

De kroning nadert. De ergernis over het feit dat alles en iedereen in Amsterdam zich moet schikken naar die poppenkast groeit. Meneer Schaft, een van de weinigen die zich nog per fiets verplaatst, was woedend. Afgelopen dinsdag heeft de politie zijn fiets 'gestolen' bij de pont omdat een week later een grote dikke man met een kroon op zijn hoofd op honderd meter afstand langs gaat varen. De hele stad wordt opgeruimd, aangeharkt en gepoetst en als straks het hele circus voorbij is kan Amsterdam weer als vanouds verloederen.

Met deze stokpaarden hoef ik bij mijn medebewoners niet aan te komen. Geen kwaad woord over Oranje.

Maandag 29 april

Ik voel me niet goed. Zwaar en duizelig in het hoofd. Er zal toch niet iets aan het groeien zijn?

Mij dunkt dat ik al te veel kwalen heb om ook nog een tumor-kwekerij te beginnen.

Vrijdag 3 mei

Voor een republikein was het geen slechte timing om ziek te zijn op 30 april. Van de hele heisa rond de kroning heb ik nauwelijks iets meegekregen. Op de grote dag had ik knallende hoofdpijn en buikgriep. Dus ik slikte een mooie melange van aspirine en norit en bleef in bed. Evert stak een keer zijn hoofd om de hoek, net als Edward, Grietje en Eefje. Ik deed alsof ik sliep.

De tweede dag begon ik naar mijn gevoel nogal te stinken en besloot te gaan douchen. Toen ben ik uitgegleden. Met heel veel pijn en moeite heb ik me weer naar mijn bed gesleept. Je roept toch niet zo gauw 'help!' Een mix van trots en gêne verhindert dat.

Uiteindelijk kwam er een zuster die gealarmeerd was door de buurvrouw, die een rare bons had gehoord. De zuster liet de huisdokter komen en die constateerde een paar gekneusde ribben, waarmee ik er genadig vanaf kom. Met een gebroken heup ben je zo vier maanden verder voor je weer kunt schuifelen met een looprek.

Nu doet het alleen zeer als ik ademhaal. De dokter is gelukkig niet kinderachtig met de pijnstillers dus ik ben zojuist voor het eerst in drie dagen beneden wezen koffiedrinken. Er waren zowaar een paar mensen blij me te zien. Dat deed me goed.

Ik doe het nog een paar dagen rustig aan. Maandag moet ik weer in topvorm zijn, want dan organiseert Evert het clubuitje. Hij heeft een fles cognac uitgeloofd voor degene die in één keer raadt wat we gaan doen. Ik heb niet gewonnen: we gaan niet kunstzwemmen.

Zaterdag 4 mei

Mevrouw Stelwagen ontbood mij gistermiddag op haar kantoor. Eerst informeerde ze belangstellend of mijn knie al minder dik was. 'Nou,' zei ik 'met mijn knie is niks mis, maar mijn gekneusde ribben zijn nog pijnlijk.'

O sorry, ze haalde twee huiselijke ongelukjes van twee verschillende mensen door elkaar. Onze directrice doet haar best empathie te tonen, maar ze mist een beetje de overtuiging.

Waar ze me eigenlijk voor had laten komen was om mee te delen dat ze had overlegd met de raad van bestuur over mijn verzoek het reglement in te mogen zien, en dat het bestuur van mening was dat het reglement geen openbaar stuk is en ik het dus niet mocht lezen.

'En waarom is het niet openbaar?' vroeg ik.

'Daarover doet de raad geen mededeling.'

'En dus?'

'Dus niets. Het spijt me bijzonder dat ik u niet tegemoet kan komen. Wilt u me nu excuseren, er wacht iemand op me. Een prettige dag verder.'

Ik droop af, althans die indruk heb ik hopelijk gewekt. Ik had me voorgenomen slechts pro forma wat te sputteren in het geval de reglementen niet vrijgegeven zouden worden.

Ria en Antoine Travemundi kennen veel mensen en onder die mensen bevindt zich een sympathieke gepensioneerde advocaat. Dat had Antoine mij voorafgaand aan het onderhoud met de directrice toevertrouwd. Hij zou hem wel even bellen, dan kon ik eens bij hem langsgaan om me te laten informeren hoe het precies zat met de openbaarheid van bestuur. Over de kosten hoefde ik me geen zorgen te maken.

Dus daar ga ik binnenkort eens op bezoek.

Zondag 5 mei

Je zou hier, met zo veel oude mensen bij elkaar, op 4 en 5 mei ontroerende of schokkende verhalen over de oorlog mogen verwachten, maar men zwijgt of vervalt in ouwe koeien over suiker op de bon.

Opvallend hoe weinig mensen hier van elkaar weten. Dat realiseerde ik me gisteren tijdens de twee minuten stilte. Ik keek om me heen en constateerde dat ik van niemand wist hoe hij of zij de Tweede Wereldoorlog was doorgekomen. Ook van de mensen met wie ik regelmatig contact heb weet ik maar weinig.

Van Evert weet ik aardig wat. Ik ken hem nu een jaar of twintig. Hij was drukker van beroep en via mijn werk kwam ik een keer met hem in contact. Een contact dat sindsdien nooit meer verbroken is. Zijn vrouw is al tien jaar dood. Twee kinderen die hij weinig ziet. Geen geld, geen goed, geen God. Hij speelt al jaren met overtuiging zijn rol als vrijbuiter. Klassieke ruwe bolster, blanke pit.

Anja Appelboom ken ik al veertig jaar. Altijd vrijgezel gebleven. Misschien te lang gewacht op de ware. Slim, lief en betrouwbaar. Ik denk dat ze eenzaam is.

Evert en Anja, dat zijn de laatste resten van wat eens een acceptabel sociaal leven was met vrouw, kind en vrienden.

Ik woonde tot drie jaar geleden in een keurig rijtjeshuis met een tuintje. Het oorspronkelijke plan was om daar te gelegener tijd rustig dood te gaan. Dat is er niet van gekomen.

Mijn vrouw is al veertig jaar manisch depressief. Kort nadat ons dochtertje verdronk is ze doorgedraaid. Midden in de nacht reed ze met de auto naar Groningen om de Martinitoren te beklimmen, gaf ze de auto weg aan een wildvreemde junk en kwam met de taxi terug naar Amsterdam. Duizenden guldens joeg ze erdoorheen. Uiteindelijk werd ze voor winkeldiefstal opgepakt door de politie en platgespoten door haar psychiater. Daarna maanden in een inrichting in een peilloos diepe depressie. Uiteindelijk, in een met medicijnen bereikt wankel evenwicht, weer naar huis. Tot de volgende manie, gevolgd door weer een depressie. Vijf keer is het zo gegaan. De laatste keer is ons huis gedeeltelijk afgebrand toen ik even een boodschap ging doen. Nu zit ze definitief opgesloten. Na de brand heeft een maatschappelijk werkster een plaats in dit huis voor me geregeld.

Ik ga ongeveer eens per half jaar bij haar op bezoek. Ze herkent me nauwelijks maar pakt mijn hand en streelt die. Ik ben nooit boos op haar geweest.

Ik zag op de kalender dat het laatste bezoek al meer dan zes maanden geleden is.

Een leven in een notendop.

De leegte werd de laatste twee jaar langzaam ondraaglijk maar zie... opeens heb ik Eefje, Graeme, Grietje, Edward, Antoine en Ria. Het is weer zaak nog even niet dood te gaan.

Maandag 6 mei

Ik besefte gisteravond dat wat meer achtergrondinformatie over dit huis voor de lezer verhelderend zou zijn. Immers, de kans dat u in dit of een vergelijkbaar huis uw dagen slijt lijkt me klein. Ik zal daarom de komende tijd aandacht besteden aan het decor waarin wij acteren en aan de dagelijkse gang van zaken.

Massaal verrezen er eind jaren '60 tehuizen waar ouderen hun intrek in namen. Een milde pakhuisvorm was acceptabel en goedkoop. De oudjes uit die tijd waren nog niet al te veel luxe gewend. Die hadden allemaal de oorlog meegemaakt en waren snel tevreden.

De architect van dit huis koos voor een grijze betonnen flat van zeven verdiepingen, elk bestaande uit twee vleugels met in het midden de liften. Elke vleugel is een lange gang zonder daglicht met aan beide zijden acht wooneenheden bestaande uit een of twee kamers met open keuken. De keuken bestaat uit vier kastjes, twee boven en twee beneden, een aanrecht van een meter en twee gaspitjes die uitsluitend gebruikt mogen worden voor koffie, thee en warme melk. Het koken van een ei wordt oogluikend toegestaan. Er is een kleine douche met wc. Dat de bouwers over de doelgroep hebben nagedacht moet blijken uit de aanwezigheid van handgrepen op plaatsen waar je kunt vallen en de afwezigheid van drempels.

De wooneenheden hebben een balkon waar net een vuilnisbak kan staan en een bak geraniums opgehangen kan worden om achter te zitten.

Aan het eind van elke vleugel, op de kop van het gebouw, is een erkerachtige uitbouw met daarin het etagezitje. Hoewel daar zelden iemand zit – de meeste bewoners geven de voorkeur aan de grote recreatiezaal beneden – wordt het door veel ouderen niet op prijs gesteld als daar 'zomaar' iemand van een andere etage gaat zitten.

Wordt vervolgd. Ik moet mijn krachten sparen.

Om twee uur moet ik me in makkelijk zittende kleding melden bij de ingang, waar onze leidsman van vandaag, Evert, ons zal opwachten voor een ongetwijfeld gedenkwaardig uitstapje.

Dinsdag 7 mei

Wie had gedacht dat juist Evert ons zou trakteren op een workshop tai chi? Iets wat zo totaal niet bij hem past? Je mocht er gelukkig bij lachen van onze leraar en van die toestemming is vaak gebruikgemaakt. Toch werd er ook heel serieus werk gemaakt van de slow motion vechtacties, al vrees ik dat de workshop bij een gewelddadige overval niet onmiddellijk vruchten zal afwerpen. Tai chi is een sport die je ook met rollator kunt beoefenen, dus zeer geschikt voor bejaarden. Gekneusde ribben zijn daarentegen niet handig. Ik heb heel voorzichtig getaichiet en in stilte geleden. De meeste mooie namen van de bewegingen die de tai chi-meester en zijn gracieuze assistente ons hebben geprobeerd aan te leren ben ik helaas al weer vergeten.

Graeme is slordig omgevallen bij een ooievaarimitatie en heeft puntenaftrek gekregen, maar zijn diploma is niet in gevaar gekomen.

Daarna gingen we, om in stijl te blijven, Chinees eten bij de Lange Muur. Grietje bestelde zonder een spier te vertrekken 'nummel dlieëndeltig met witte lijst'. Flauw maar leuk. Gelukkig kunnen Chinezen veel hebben van bejaarden. Respect voor ouderen is ze met de Chinese papstokjes ingegoten. In de westerse cultuur geldt meer: oud is lastig. En daar valt ook vaak wat voor te zeggen.

Evert probeerde niet te glimmen toen hij bij thuiskomst overladen werd met complimenten voor de fantastische dag. Hij kreeg daarbij zo te zien ook nog wat in zijn oog. 'Ja, ja, ja, nou weten we het wel.'

Sinds ons eerste uitje hebben zeventien mensen gevraagd of ze lid mogen worden van onze club. Helaas voor hen heeft Omanido momenteel een ledenstop.

Woensdag 8 mei

Op het prikbord in de conversatiezaal prijkt sinds vanmorgen een pestprotocol. Met zeven adviezen om het onderling pesten de kop in te drukken. Het is wel een oud protocol, zag ik, het dateert van twee jaar geleden. Een werkstuk van de heer Jan Romme, directeur van het Nationaal Ouderenfonds. Alsof het hier een lagere school voor bejaarden is.

Advies 1: er moet een vertrouwenspersoon komen. Advies 2: er moeten bijeenkomsten over pesten komen. En zo gaat het nog even door. In-druk-wek-kend. Met zo'n protocol is het hier binnen de kortste keren met het pesten gedaan. Misschien ook iets voor Syrië? Of Afghanistan? Overal op de wereld zitten ze elkaar te pesten. Een wereldwijd pestprotocol is wat we nodig hebben. Met vertrouwenspersonen en bijeenkomsten.

Flauw, Groen.

Ja, er wordt hier geroddeld, genegeerd en uitgelachen alsof het de gewoonste zaak van de wereld is. En dat is het ook. Niets kinderachtigs is ons vreemd. Geen aandacht aan schenken is het beste. En anders, als je er last van hebt, je mond opentrekken of ergens anders gaan zitten. Of een knal uitdelen zoals Edward suggereerde. Dat had ik van hem niet verwacht.

Ik heb, dat moet gezegd, makkelijk praten omdat ik zelden het slachtoffer ben. Er wonen hier een paar door en door rotte appels die je goed in de gaten moet houden. Als roofdieren kiezen ze de zwaksten als prooi en ze stoppen niet voor ze die verscheurd hebben, als je ze hun gang laat gaan. Het aardigst is het als de treiteraars, bij gebrek aan slachtoffers, elkaar te lijf gaan. Er lopen een paar interessante vetes. De dames Duits en Schoonderwalt kunnen elkaars bloed wel drinken vanwege een koffievlek in een gehaakt kleedje van drie jaar geleden. Tot de dood hen scheidt.

Donderdag 9 mei

Een hele geruststelling: eenmaal hier binnen, blijf je binnen, tot je afreist naar kerkhof of crematorium.

De kranten stonden er weer eens vol van: de kosten voor de ouderenzorg rijzen de pan uit. De oplossing is tweeledig: ten eerste wordt de norm voor zorgbehoevendheid opgekrikt en ten tweede moeten de ouderen zelf flink gaan bijbetalen.

Ad 1: Er wonen hier nu aardig wat oudjes die er volgens de nieuwe normen helemaal niet zouden mógen wonen. Ze zijn nog veel te kwiek en zelfstandig. Het gerucht deed de ronde dat mensen in deze categorie weer op zichzelf moesten gaan wonen om plaats te maken voor zwaardere gevallen. Dat gerucht hakte er flink in en zorgde hier en daar voor acute verergering van bestaande klachten. Uit voorzorg.

Er kan opgelucht adem worden gehaald: de directie heeft alle bewoners schriftelijk de verzekering gegeven dat je hier nooit meer uit hoeft, al word je nog zo gezond. 'Bijzondere omstandigheden buiten beschouwing gelaten'.

Dat is nou jammer, zo'n zinnetje.

Ad 2: Ik weet uit op gedempte toon gevoerde conversaties bij de koffie dat diverse bewoners al hun geld van de bank hebben gehaald om in een oude sok te stoppen. Of in een kussensloop. 'Alle zorg moet gratis, daar hebben we ons leven lang hard voor gewerkt,' is de heersende opvatting. Die twee euro voor het Connexxionbusje is al pure diefstal.

Een paar zielige gevallen hebben op fluistertoon bekend dat hun kinderen voor de zekerheid vast ongevraagd de bankrekeningen hebben leeggehaald. Om de erfenis veilig te stellen.

'Elke dag dat jij nog leeft kost me straks klauwen met geld,' zei de zoon van mevrouw Schipper als grapje. Zijn vrouw, geen enkel gevoel voor humor, zat instemmend te knikken. Vrolijke Hemelvaart.

Vrijdag 10 mei

Er bestaat een project 'Op stap met oma'. Kinderen gaan een dagje op pad met een wildvreemde oma die anders de hele dag zielig alleen thuis zit. Ik neem aan dat het ook een opa mag zijn. Zo gingen meisjes en jongens van groep acht met wat bejaarden naar het vernieuwde Madurodam. Op het gevaar af een chagrijnige ouwe brombeer te zijn zeg ik: laat mij maar lekker thuis. Madurodam lijkt me al geen pretje maar het urenlange gezelschap van wildvreemde eigenwijsneuzen van elf, twaalf jaar kon ook nog wel eens tegenvallen.

Niet zo negatief Groen, het is een mooi initiatief. Vooral als je bedenkt dat veel kinderen tegenwoordig menen dat er niet naar ouderen omgekeken hoeft te worden omdat de thuiszorg alles voor ze regelt. Veel volwassenen denken dat trouwens ook.

De krant die aandacht besteedde aan 'Op stap met oma' meldde verder onthutsende cijfers van het Centraal Plan Bureau: er zijn in Nederland zo'n anderhalf miljoen eenzame ouderen van wie er meer dan 300.000 extreem eenzaam zijn. Dat zijn er veel.

Maar sommige bejaarden maken het er zelf ook naar, dat mag ook wel eens gezegd worden. Alleen al in dit huis wonen tientallen oudjes die je moet mijden als de pest omdat het vervelende bekrompen zeurpieten zijn. Vergeef me mijn eerlijkheid, maar het is gewoon niet anders.

Veelgehoord: 'Hier heb je tenminste nog iemand om tegen te praten.' Dat is inderdaad een groot voordeel boven zelfstandig wonen. Dan heb je alleen de kat of de kanarie om het weer mee te bespreken.

Wie zouden zich hier extreem eenzaam voelen?

Zaterdag 11 mei

Naar aanleiding van de schattige Amerikaanse kindjes die op hun vijfde verjaardag hun eerst roze geweer, *My First Rifle*, met echte kogels krijgen vroeg ik mij af of er in Amerikaanse bejaardenhuizen oudjes rondlopen met een doorgeladen *Last Rifle*. Met al die Parkinson moet dat wel tot ongelukken leiden. Ik heb nog niet gehoord van massaslachtingen, maar ik kan me haast niet voorstellen dat niet hier en daar een bejaarde overhoop wordt geknald door een medebewoner die zijn eigendom beschermt, bijvoorbeeld een plakje cake.

Een voordeel van zo veel wapens om je heen is dat je nooit ingewikkeld hoeft te doen over moeilijk verkrijgbare euthanasiepillen. Als je nog één vinger kunt bewegen zit de oplossing in een holster.

Ook dit jaar raken we niet uitgepraat over de lente die de natuur uit zijn voegen laat barsten. 'Je ziet het groeien,' klinkt het minstens driemaal daags. Alleen Evert zegt: 'Ik hóór het groeien.' Soms luistert er iemand dan scherp. Héél soms hoort die het dan ook.

Ik wandel twee keer per dag naar het parkje. Dan eens met Eefje, dan met Graeme, Edward of Evert. Acht minuten heen, kwartiertje op het bankje, acht minuten terug. Er bestaat geen haast meer en de lente verveelt nooit. Soms schuifel ik door de stromende regen. 'Wat doet die ouwe gek daar nou?' hoorde ik opgeschoten pubers in het portiek op de hoek iets te hardop denken. Ik maakte het respect-teken naar ze: vuist tegen je hart. Ik vond het wel grappig, zij snapten het niet.

Zondag 12 mei

Hoewel de verpleegafdeling gescheiden is van ons verzorgings-huis, kun je op onze gangen wel eens een demente tegenkomen onder de hoede van een zuster of broeder. Dan schieten sommige bewoners hun kamer in omdat ze denken dat dementie besmettelijk is. Of misschien ook niet, maar je weet maar nooit. Voor de zekerheid toch een beetje uit de buurt blijven kan geen kwaad, is de basishouding van veel bewoners. En niet alleen als het om dementie gaat. Kankerpatiënten, homo's, moslims, allen worden gemeden. Hoe ouder hoe angstiger. Niks meer te verliezen en dus nergens meer bang voor past toch veel beter bij onze leeftijd?

Het zijn de kleine dingen die het doen. Of beter gezegd: niet doen. Een dagelijkse ergernis: verpakkingen. Blikjes met een lipje waar je je vinger niet in krijgt, vacuümverpakkingen met een te klein hoekje om open te trekken, kindersluitingen van schoon-maakmiddelen, muurvaste deksels van potjes appelmoes, prosec-cokurken, blisterverpakkingen: alles speciaal ontworpen om het oude, bibberende en krachteloze handen zo moeilijk mogelijk te maken.

Vandaag een potje augurken uit mijn handen laten vallen bij een vruchteloze poging de deksel eraf te krijgen. Mijn hele kamer stonk naar augurk. Overal glas, het laatste stukje vond ik in mijn slof.

Iemand zou de verpakkingsindustrie moeten aanklagen voor tienduizenden gevallen van fysieke en psychische schade. Het kan haast niet anders of ze doen het erom. Als ze mensen naar de maan kunnen sturen moeten ze toch ook een fatsoenlijk dekseltje kunnen maken? Ik geef toe, ik ben een beetje zeurderig vandaag.

Maandag 13 mei

Evert is vanmorgen met spoed opgenomen. Hij belde me vanuit het ziekenhuis: of ik voor Mo kon zorgen. Twee tenen zijn een paar dagen geleden zwart geworden. Toen hij vanochtend op het spreekuur kwam, had de huisdokter hem meteen door een ambulance laten ophalen.

Er gebeurt waar hij bang voor was: hij gaat een oude vriend achterna, bij wie steeds weer stukken geamputeerd moesten worden.

Hij belde me vanuit zijn bed.

'Waarom heb je niets gezegd?' kon ik niet nalaten te vragen.

'Dan had ik alleen maar ongevraagde adviezen gekregen die ik toch niet zou opvolgen.'

En daar had hij gelijk in.

De volgende ochtend zou hij geopereerd worden en, als alles meezat, zou hij alleen met een paar tenen minder wakker worden.

Nadat we het gesprek hadden beëindigd ben ik met een taxi naar het ziekenhuis gegaan om hem wat spullen te brengen: onderbroeken, pyjama, tandenborstel.

Hij beurde mij op, in plaats van ik hem. Pas later drong dat tot me door en schaamde ik me.

Evert neemt de dingen zoals ze komen. Heeft vooraf de risico's gewogen en geaccepteerd en zo veel mogelijk geleefd alsof hij geen suiker heeft. Met plezier en branie. Zo lag hij zelfs nog in het ziekenhuis.

Bij thuiskomst lichtte ik onze clubleden en het personeel in. De reacties van het personeel waren opvallend meelevend. De meesten mogen hem toch wel graag. Waarschijnlijk wenst een enkeling hem in stilte nog meer amputaties toe, liefst zijn hoofd.

Twee van onze medebewoners konden niet nalaten bijna triomfantelijk te zeggen dat ze hem nog zo hadden gewaarschuwd.

Wat een klotedag.

Dinsdag 14 mei

Ik heb Evert zojuist gesproken. Een uurtje geleden is hij bijgekomen uit de narcose. Hij is vanmorgen vroeg geopereerd en er zijn drie tenen van zijn rechtervoet geamputeerd, waaronder de grote. Dat loopt moeilijk, vooral in het begin. Zes weken revalideren is de verwachting. Hij klonk mat.

Ik zal een bezoekschema opstellen voor belangstellenden.

Ik ga nu een informatieronde lopen langs de leden van onze club en langs enkele personeelsleden.

Woensdag 15 mei

Ik ben vanmorgen bij Evert op bezoek geweest in het ziekenhuis. Zijn oude branie was al weer terug. Hij had de zuster gevraagd of hij de afgezaagde tenen mee naar huis mocht nemen voor in een potje op het dressoir. De verpleegster had hem eerst niet-begrijpend aangekeken. 'Ik denk eigenlijk dat uw tenen al weggegooid zijn,' had ze toen een beetje benauwd gezegd.

Evert: 'Ze blijven anders wel mijn eigendom. Ik overweeg aangifte te doen... Nee hoor, geintje!'

Hij ligt op een zaaltje met nog twee bejaarden. Eén rochelt en hoest voortdurend en klaagt tussendoor over alles en iedereen. De tweede ligt doodstil dood te gaan. Dat was tenminste het vermoeden van Evert die er zelf ook niet al te florissant uit zag. Moe en wit weggetrokken, maar wel al weer strooiend met vette knipogen naar de zusters.

'Nog een dag of tien en ik loop weer als een kievit achter een rollator,' verzekerde hij me.

Ik moest plechtig beloven dat we niet op hem zouden wachten met onze uitstapjes. Wel graag eerst de tripjes naar stoffige musea organiseren en de echt leuke ideeën voor later bewaren. Ik heb toegezegd het op de agenda van de volgende vergadering te zetten.

Over het welslagen van de operatie kon Evert niet veel vertellen. De chirurg had gisterenmiddag langs moeten komen maar was met spoed weggeroepen. Er was geen plaatsvervanger en de zusters wisten niets of deden alsof ze niets wisten. De dokter zou nu misschien vanmiddag langskomen.

Patiënten doen er niet zo veel toe in ziekenhuizen. Het gaat tenslotte om de artsen.

Een klein traumaatje is verholpen: Anouk heeft de finale van het songfestival gehaald. Men had liever gezien dat Ronnie Tober ons land vertegenwoordigde, maar vooruit, het gaat om het landsbelang. De algemeen geldende opvatting hier luidt dat we een songfestivaldwerg geworden zijn door al die corrupte Oostbloklanden en dat het ijzeren gordijn daarom zo snel mogelijk weer moet worden dichtgetrokken. 'En niet vergeten al die waardeloze Roemeense accordeonspelers er weer achter te schuiven,' aldus de altijd subtiele meneer Bakker.

Donderdag 16 mei

'Het kost vijfhonderdvijftig euro om hier een dagje te liggen en voor die lullige paar centen moet ik om zeven uur 's morgens al beschuit eten, krijg ik drie keer vieze koffie, is het eten lauw en het brood flauw. Een vijfsterrenprijs voor een nulsterrenhotel. Oké, er komt twee keer per dag een zuster thermometeren.' Evert Duiker had al weer veel praatjes en at ondertussen een hele doos suikervrije rumbonen op. Hij mocht van het ziekenhuis geen alcohol en hoopte zo toch nog iets binnen te krijgen. Hij had me speciaal gebeld om de bestelling door te geven. Het mochten ook kersenbonbons zijn.

'En een flesje spa blauw. Van Bols, als je begrijpt wat ik bedoel.'

Na anderhalve dag was de chirurg langsgekomen om te zeggen dat de operatie geslaagd was.

'Hoezo geslaagd?' vroeg Evert.

'De geïnfecteerde tenen zijn geamputeerd.'

'Dat vind ik niet zo geslaagd.'

'Niets doen was geen optie,' zei de arts onverstoorbaar en hij maakte al weer aanstalten om te vertrekken.

'En nu?'

'Zonder complicaties mag u over vier dagen naar huis. Wel even een afspraak maken voor controle en fysiotherapie. Goedemiddag.'

En weg was de dokter. Hij had niet de moeite genomen het verband los te maken.

Mijn dagboek is tijdelijk meer het dagboek van Evert geworden.

Vrijdag 17 mei

Er was gisteravond een ingelaste vergadering van de Oud-maar-niet-dood-club. Hoofdpunt op de agenda: de gesteldheid van Evert. We besloten hem een mooi welkom thuis te bereiden, vermoedelijk aanstaande maandag of dinsdag. Het volgende uitje wordt aangepast aan rolstoelrijders, heeft Edward toegezegd. Het is het laatste uitstapje van de eerste serie. Het enthousiasme is onverminderd groot en we gaan in dezelfde volgorde verder met een tweede reeks. Daarop, en op de gezondheid van Evert, hebben we na afloop van de vergadering uitgebreid iets te veel gedronken.

Bij thuiskomst struikelde ik over de deurmat en viel languit met de deur in huis. Ik mag over geluk niet klagen. Ik was van de witte wijn zo soepel als een tuinslang waardoor ik schadevrij overeind kon komen. Nou ja, ik constateerde vanmorgen wel een bult op mijn kop. Ik heb het matje weggegooid en ik heb een hersteldagje nodig.

Er wordt wat gevallen in dit huis. Zoals ik, over kleedjes, maar ook zonder enige aanleiding, gewoon omvallen. Of naast een stoel gaan zitten. Mevrouw Been leunde, om uit haar stoel te komen, op een serveertafeltje op wieltjes dat niet op de rem was gezet. Het hele karretje kiepte met veel geraas om. Hup, daar lag ze tussen de koekjes, de suikerklontjes en de kannetjes room. Gelukkig zaten de thermoskannen goed dicht. Het was even stil en toen begon mevrouw Been heel hard te lachen terwijl ze nog op de grond lag. Uit beleefdheid lachte iedereen toen maar mee, tot het lachen van mevrouw Been overging in huilen. Toen heeft iemand toch maar de zuster gehaald. Ik was er niet bij maar het moet een surrealistisch tafereel zijn geweest.

Zaterdag 18 mei

Mijn tijdelijke baan als hondenuitlater maakt dat ik drie ommetjes per dag moet maken. Mo loopt gelukkig nog langzamer dan ik. Nou ja, lopen, het is meer schommelen in slow motion. Hij zal niet gauw verdwalen tijdens zijn rondje om het huis dus ik zou hem ook wel alleen kunnen laten gaan, maar het is Mo meer te doen om het gezelschap. Als hij niet zo oud en lui was, zou hij ongetwijfeld opspringen en heel hard kwispelen als ik binnenkom. Nu komt hij langzaam en kreunend uit zijn mand, geeft me een paar slome welkomlikken en gaat daarna naast de voordeur staan.

Buiten roept Evert Mo soms hard bij zijn volledige naam. Niet dat dat nodig is, want Mo is nooit verder weg dan tien meter. Hij doet dat alleen als er Marokkaanse medemensen of mensen die daarop lijken in zijn vizier komen.

'Mohammed, hierrrr...' en dan hoopt hij dat een van die Marokkanen zelf ook Mohammed heet, die kans schijnt vrij groot te zijn. Als er voldoende verwarring is ontstaan, maakt hij een verontschuldigend gebaar en wijst naar de hond, groet iedereen vriendelijk en wandelt verder.

Ik geneer me wel als ik met een schepje de drollen van Mo in een plastic zakje moet doen. Ik kijk niet omhoog, want ik weet dat er achter vele gordijnen geloerd wordt. Ik las trouwens dat iemand heeft voorgesteld om middels DNA-onderzoek een onbeheerd achtergelaten drol aan een hond te koppelen om daarna alsnog zijn baasje een bekeuring te geven. Of de honden verplicht worden wangslijm af te staan of dat het op vrijwillige basis gebeurt stond er niet bij.

Zondag 19 mei

Ik heb vanmorgen een proefritje gemaakt in de scootmobiel van meneer Dickhout, die van de 1-aprilgrap. Hij had het al een paar keer eerder aangeboden maar ik had het aanbod uit beleefdheid en onzekerheid steeds afgeslagen. Nu stond ik op het punt een ommetje te gaan maken toen hij na een ritje de hal in kwam rijden.

'Wil je hem even proberen, Hendrik?'

Volgens de regels mag je een scootmobiel van de zorgverzekeraar niet uitlenen en officieel krijgt een nieuwe scootmobielrijder eerst drie rijlessen voor hij alleen de weg op mag, maar Dickhout houdt niet van regels en doet nergens moeilijk over. Hij heeft me in vijf minuten een en ander uitgelegd, wenste me een goede reis en ging koffie drinken.

Even diep ademhalen en daar ging ik héééél voorzichtig op pad. Uiteindelijk heb ik wel een half uur rondgereden over fietspaden en door parkjes in de buurt. Eerste Pinksterdag, vroeg in de morgen, dus het was doodstil. Eerst alleen op stand 'slak', dan haal je nauwelijks een wandelaar in, maar na een paar minuten, hup, op 'haas'. De fabrikant gaat ervan uit dat bejaarden debiel zijn en tekeningetjes van een slak en een haas beter begrijpen dan bijvoorbeeld stand 1 en 2. Daar kon die fabrikant wel eens gelijk in hebben.

Eerlijk is eerlijk, het rijdt heerlijk. Het wagentje is bijna geruisloos, je zit als een koning, je wordt niet moe en je krijgt geen pijn in je benen. Ik ben om. Ik kreeg alleen een beetje kramp in mijn rechterhand, want je moet het gashandeltje ingeknepen houden, dus fabrikant: graag cruise control.

Ik werd iets te overmoedig bij het binnenrijden van de hal en tikte net even de portier aan die een kar beddengoed uit de lift trok. Niets ernstigs hoor, maar de draaicirkel is groter dan ik dacht. Gelukkig is de portier een nare man.

De scootmobiel Capri pro 3 is er al voor 399,- euro. Maar ik ga voor iets robuusters. Ik moet hem zelf betalen omdat ik nog te goed loop.

Maandag 20 mei

Een demente cliënt heeft gisteren een biljartbal in zijn mond gestopt en die was er met geen mogelijkheid meer uit te krijgen. Hij maakte hele hoge zielige geluiden terwijl twee broeders probeerden die bal er met een lepel weer uit te krikken. Na een kwartier vruchteloos proberen is hij afgevoerd naar de eerste hulp. Het was wel geen officiële wedstrijdbal maar hij leek me toch erg groot toen ik hem even voor mijn mond hield. Ik kreeg het er benauwd van.

Meneer Kloek was boos omdat hij met twee ballen verder moest biljarten.

Vanmiddag komt Evert thuis. Hij heeft me gevraagd een mooie fles zeer oude jenever koud te zetten. Voor mezelf mocht ik ook wat uitzoeken. De leden van de club vormen het welkomscomité, aangevuld met Ria en Antoine die een high tea verzorgen. Ria had de directrice gevraagd of ze, bij wijze van uitzondering, een paar kleine dingetjes mocht koken op haar kamer maar helaas, het speet mevrouw Stelwagen 'ontzettend' maar ze mocht van het bestuur geen uitzondering op de regels maken.

'We zullen voortaan niets meer vragen,' sprak Antoine een uurtje geleden grimmig. Hij zette de afzuigkap op 8 en begon met het bereiden van de kalfsragout.

Er staan bloemen op tafel en Mo krijgt een mooie strik om.

Dinsdag 21 mei

Evert werd gistermiddag om twee uur in een rolstoel afgeleverd voor de deur van zijn aanleunwoning. Een broeder duwde hem zijn kamer binnen waar het welkomstcomité al klaarstond: Eefje, Grietje, Graeme, Antoine, Ria, Edward en ik met een feesthoedje op bij zijn versierde stoel. Evert moest opeens enorm zijn neus snuiten.

'Verkouden geworden in het ziekenhuis?' informeerde Eefje vilein.

'Nou, ik heb vooral heel erg dorst gekregen in het ziekenhuis,' probeerde hij zich eruit te redden. Zijn stem klonk hoog.

'Eerst maar eens een goed glas melk dan?' zei Edward.

'Doe mij maar een borrel, als het jou hetzelfde is.'

'Ik heb daar een heel mooi pasteitje bij,' zei Antoine en hij onthulde een uitgebreid assortiment hartige en zoete lekkernijen. Er was thee en champagne.

Het werd zeer gezellig. Er was een strenge afspraak, op nadrukkelijk verzoek van Evert, dat er niet over ziektes en ziekenhuizen gesproken mocht worden.

Om vier uur stortte de patiënt in. Even later lag hij met een tevreden grijns te slapen, wat een heel aandoenlijk gezicht was. We hebben een laatste glaasje genomen en de boel opgeruimd. Nu hopen en bidden dat het voor Evert bij drie tenen blijft. Zo'n ontvangst is maar een keer leuk.

Het uitje van Edward zal plaatsvinden op dinsdag 28 mei. Met een beetje geluk voelt Evert zich goed genoeg om mee te gaan. Ik zit een beetje met Antoine en Ria in mijn maag. Hoewel ze er niets over zeggen voel ik dat ze graag mee zouden gaan met onze uitstapjes. Ik ga een beetje voor ze lobbyen.

Woensdag 22 mei

Het valt soms niet mee om de moed er een beetje in te houden. De conversatie gaat vandaag afwisselend over twee vermoorde jongetjes die in een afvoerbuis zijn gevonden, over reuma, hernia en versleten heupen en over een maximum temperatuur buiten van 11 graden. De kachels branden eind mei nog overal volop, de thermostaat staat op 23. Hoe ouder hoe kouder. En dan ook nog de zorg steeds verder uitkleden! Er wordt gezucht, geklaagd en gesteund. Alleen de beurzen blijven maar stijgen, als een wonderlijke omgekeerde graadmeter van hoe beroerd het gaat.

Er is een landelijke campagne gestart tegen het gesomber in Nederland, las ik. Het campagneteam wordt hierbij van harte uitgenodigd eens langs te komen. Werk aan de winkel. Eenvoudig beginnen: de dag zonder ziektes. Iedere keer dat iemand die dag begint over lichamelijk ongemak moet hij of zij een tientje in de pot doen. Daarvan richten we dan een feestmaal aan met champagne.

Antoine heeft me het nummer gegeven van zijn vriend, de gepensioneerde advocaat. Ik ga hem vanmiddag bellen om te vragen hoe we alle statuten en reglementen boven water kunnen krijgen.

'Dat vindt ie leuk,' had Antoine gezegd.

Ik zal Eefje vragen erbij te zijn.

Donderdag 23 mei

Meneer Bakker heeft een waarschuwing gekregen van het afdelingshoofd, mevrouw Gerstadt: hij moet zijn taal kuisen. Bakker raakt langzaam de weg kwijt. Alzheimer. Misschien wordt hij binnenkort wel overgeplaatst naar de 'andere kant'. Dat zou geen groot verlies zijn. Hij was al geen vrolijke snuiter maar nu wordt hij wel erg grof. Hij vloekt en scheldt zonder noemenswaardige aanleiding. Toen Gerstadt hem erop aansprak dat hij het steeds over 'tyfuskoekjes' had, keek hij boos naar de grond. Toen ze buiten gehoorsafstand was zei hij tegen zijn tafelgenoten: 'Dat klerewijf loopt godverdomme alsof ze een komkommer in haar kut heeft.' Ik moest daar eigenlijk heel erg om lachen, maar de vijf anderen waren sprakeloos en geschokt. Ik hikte wat in mijn zakdoek. Iedereen keek boos naar me. Ik ben er zeker van dat de tekst van Bakker, met hier en daar een censuurpiepje, meteen na de koffie is overgebracht aan Gerstadt.

Evert viel bijna uit zijn rolstoel van het lachen toen ik het vertelde. Misschien rukt bij mij de alzheimer ook op want ik vind grove grappen tegenwoordig veel leuker dan vroeger. Ik word steeds minder braaf.

Gistermiddag heb ik gebeld met de advocaat die Antoine ons had aanbevolen om de statuten en reglementen van dit huis boven water te krijgen. De advocaat, 'Zeg maar Victor', was meteen enthousiast en zei dat het met een beroep op de Wet Openbaarheid van Bestuur een fluitje van een cent zou zijn. Hij nodigde ons uit eens uitgebreid van gedachten te wisselen. De telefoon stond op speaker. Eefje knikte.

We hebben voor donderdag 30 mei een afspraak in het Tolhuis. Een mooi ouderwets etablissement met kleedjes op tafel en broodjes kroket.

Met Evert gaat het naar omstandigheden redelijk.

Vrijdag 24 mei

'Ze maken van elke dooie mus een olifant in de porseleinkast,' zei mevrouw Pot naar aanleiding van de laatste gifgasaanval in Syrië.

'De Arabische lente is een beetje als onze eigen lente: nogal herfstig,' deed haar buurvrouw, onder het soppen van een speculaasje, een duit in het zakje. De subtiele meneer Bakker deelde mee dat zolang die Arabieren elkaar maar afmaken hij er niet wakker van ligt.

De analyses van het wereldnieuws aan onze koffietafel blinken niet uit in nuance, en verstand van zaken zit ook niet echt in de weg. Dat geldt trouwens evenzeer voor plaatselijk klein nieuws. Een golf van verontwaardiging brak uit toen het winkeltje beneden gisteren wegens een sterfgeval dicht was. Een schande was het, dat ze een hele dag geen kaaskoekjes en haarlak konden kopen. Oost-Europese toestanden! Voor een begrafenis is een halve dag dicht toch meer dan genoeg!

Hetzelfde winkeltje, met een assortiment dat in drie verhuisdozen past, dat ze altijd verketteren omdat de wc-eend er twee dubbeltjes duurder is dan bij Dirk van den Broek.

Gisteravond een wijntje gedronken bij Eefje. We hebben besproken of we, in navolging van het pestprotocol, nog serieus werk gaan maken van een protocol voor een aangenaam verblijf in bejaardentehuizen. We twijfelen. Is het de moeite wel waard? Is het besteed aan onze medebewoners? Kunnen we onze beperkte energie niet beter gebruiken voor het veraangenamen van onze eigen laatste jaren? Of dagen, je weet het nooit. We neigen naar het laatste maar hebben besloten er nog even over na te denken. Dan hebben we in ieder geval een reden om binnenkort weer af te spreken.

Zaterdag 25 mei

De kist was halverwege blijven steken en daardoor was de deur van de oven van het crematorium open blijven staan. De kist vatte vlam en de rook kwam de zaal in. Wie nog geen tranen in zijn ogen had, kreeg ze nu wel. Het crematorium moest ontruimd worden. Dat noem ik een spectaculair afscheid. Een paar jaar geleden echt gebeurd.

Zelf heb ik bedacht dat er in mijn kist een kleine cd-speler verstopt wordt met afstandsbediening die mijn stem laat horen: 'Hallo, hallo daar! (klop, klop) Dit is een vergissing. Laat me eruit. Ik leef nog... Nee hoor, geintje, ik ben zo dood als een pier.'

Zo jammer dat ik dat niet meer mag meemaken.

Ik moet trouwens serieus werk gaan maken van mijn laatste wensen. Niet dat ik veel wil maar er zijn wel een paar dingen die ik níét wil. Er staat nog niets op papier. Het is toch een karweitje dat een mens een beetje ongemakkelijk voor zich uit schuift.

Armlastige Amsterdamse ouderen mogen binnenkort gratis met de bus en de tram. Armlastig zijn we zeker, alleen jammer dat bijna niemand meer met de bus en de tram durft: 'De tram zit vol zakkenrollers en tasjesrovers!'

Nou, tegen zakkenrollers kun je je wapenen door je portemonnee goed weg te stoppen, maar tegen onbeschofte en veel te hard rijdende buschauffeurs is geen kruid gewassen. Ik moet mijn medebewoners met pijn in het hart gelijk geven: openbaar vervoer en 80-plus gaan slecht samen. Het is te druk, het gaat te snel en het vereist een lichamelijke souplesse die er niet meer is. Je houdt de zaak enorm op. Dat maakt hoogbejaarden angstig en weerloos. Ik merk zelf ook dat ik onzeker word, hoe erg ik dat ook vind. Dus: bedankt GVB, maar we gaan liever met ons eigen busje.

Zondag 26 mei

Op de agenda van de ingelaste vergadering van de bewonerscommissie staat als enige punt: regels voor scootmobielen. Directe aanleiding is een frontale botsing tussen twee stoelbrommers die van verschillende kanten dezelfde bocht om kwamen. Flinke blikschade en een lichtgewonde. Uiteraard was het de schuld van de ander.

De bewonerscommissie wil de directie vragen verkeersborden en dodehoekspiegels te plaatsen.

Vorige week, gaat het gerucht, is een bewoner het ziekenhuis in gereden. Mevrouw Schaap was helemaal niet gevallen, maar geschept door een scootmobiel. De bestuurder, die onbekend wenst te blijven, was iets te druk in de weer geweest met zijn boodschappenmandje. De exacte feiten zijn onder de pet van de directrice terechtgekomen. Eventuele ooggetuigen hebben vast en zeker 'in het belang van het onderzoek' een spreekverbod opgelegd gekregen.

In de gangen kunnen twee scoots elkaar maar nauwelijks passeren. Tel daarbij op dat veel bewoners kippig of stokdoof zijn of parkinson hebben, of alles tegelijk, en je kunt je voorstellen dat het hier soms één grote kermisattractie lijkt. Het is eigenlijk een wonder dat er niet al veel meer slachtoffers zijn gevallen, vooral als je ook nog de gemiddelde reactietraagheid in overweging neemt.

En als de chauffeurs nou maar enigszins de rust bewaarden dan kon er bij een snelheid van vijf kilometer per uur nog niet zo veel misgaan, maar de paniek die toeslaat bij elke opduikende medeweggebruiker zorgt voor totale onvoorspelbaarheid bij alle verkeersdeelnemers.

Ik wens de grote roerganger van dit huis veel wijsheid bij het opstellen van het verkeersplan.

Maandag 27 mei

Ik kreeg vandaag reclamepost op naam: 'Libid Cristal Shots maken uw penis hard als staal. Ejaculaties als een vulkaan'. Daar heb ik uitbundig om gegrinnikt. Zou het een grap van Evert zijn?

Ik had een oom die vroeger op elke verjaardag zei dat hij met zijn jongeheer nog een kerkdeur kon inrammen. En nu ik toch bezig ben: een andere oom zong vaak een liedje met daarin de onvergetelijke zin: 'Tante Marie die had er een, daar kon een paard uit drinken'. Er is, dacht ik, nog steeds een programma op de radio waar mensen op zoek zijn naar verloren gegane liedjes. Dan zingen ze de regeltjes die ze zich nog herinneren. Zou ik...?

Ik moet een beetje voortmaken want ons uitstapje met de club is onverwacht vervroegd: vandaag in plaats van morgen. Dat heeft met de weersverwachting te maken. Het belooft namelijk de eerste mooie lentedag in weken te worden.

Edward deed gisteravond persoonlijk een ronde om te informeren of iedereen kon. Dat was geen probleem. De agenda's zijn leeg, vandaag, morgen en de rest van het jaar. We hebben alle tijd van de wereld. Vroeger altijd klagen over te volle agenda's en nu blij als een kind als je er af en toe iets anders in kunt zetten dan een afspraak met de dokter.

Ik moet me over een half uurtje beneden in de hal melden in makkelijk zittende buitenkleding.

Dinsdag 28 mei

We hoefden niet ver te reizen: na vijf minuten langzaam wandelen waren we bij onze bestemming: de jeu-de-boulesbaan in het parkje waar je vanuit de zuidkant van onze flat op uitkijkt. Daar vond het eerste besloten jeu-de-bouleskampioenschap voor 79-plussers plaats. Tot in de puntjes geregeld: twaalf glimmende ballen, meetlint, een grote beker voor de winnaars, zes comfortabele tuinstoelen, een tafeltje, tafelkleedje, thermoskannen koffie en thee, Limburgse vlaai, verse broodjes, zonnebrand, echt servies, een koelbox met koude dranken, zalm en paling op toast, en een parasol. Alles onder een stralende lentezon.

Edward had Stef gecharterd, de kleinzoon van Grietje, om een en ander te regelen en samen hadden ze die morgen alles in zijn busje geladen en na twee minuten rijden weer uitgeladen en keurig in het park opgesteld.

Om twaalf uur kwamen wij verbaasd aangewandeld, Evert voorop in zijn rolstoel. Eerst was er koffie met gebak, daarna de loting en daarna het toernooi. Drie teams van twee spelers die een volledige competitie speelden. Stef was scheidsrechter.

Halverwege kregen we een lunch en na afloop, bij de prijsuitreiking, champagne. De winnaars: Graeme en Grietje. Een mooie tweede plaats voor Eefje en Evert, die riep dat hij zonder tenen aanmerkelijk beter was gaan gooien, en brons voor Edward en mij. Graeme werd uitgescholden voor de Arjen Robben van het jeude-boules omdat hij als winnaar toch nog iets huilerigs had.

Waar Edward als organisator geen rekening mee had gehouden, was dat tegen het einde van het toernooi het halve bejaardenhuis zich rond de baan had verzameld. Het was pure reclame voor onze club. Alleen willen we geen nieuwe leden.

Om vier uur werd alles weer in het busje geladen en ging de karavaan huiswaarts. Doodmoe maar gelukkig.

Woensdag 29 mei

Er is een man van tachtig die de Mount Everest heeft beklommen. Ik heb al moeite met een stoeprand. Het is niet eerlijk. De vorige oudste beklimmer, de nu eenentachtigjarige Min Bahadur Sherchan, heeft onmiddellijk aangekondigd volgende week zijn record terug te gaan pakken. Er is al een vrouw met één been die de top heeft bereikt. Die zal toch wel een prothese hebben gehad? Toch niet helemaal hinkeldepinkel naar achtduizend meter?

De eerste man zonder armen is ook boven gesignaleerd. Het is een opmerkelijke karavaan die tegenwoordig naar de top van de Mount Everest trekt. Ik wacht tot de eerste incontinente gesluierde moslima zonder hoofd de vlag van Polynesië heeft geplant en dan ga ik ook.

Ik heb gebeld met mijn verzekering en ik moet me laten keuren om voor een leenscootmobiel in aanmerking te komen. Ik kan een afspraak maken voor over zes weken. Ik denk dat ik de eer maar aan mezelf hou en er gewoon een ga kopen in de winkel. Ik zal de consumentengids er eens op naslaan of er recent een scootmobielentest is gehouden.

Er zijn drie categorieën kopers. De eerste en grootste groep kiest voor de middenweg: niet het goedkoopste maar ook zeker niet het duurste product. Een tweede, veel kleinere groep neemt altijd de duurste, en de laatste groep altijd de goedkoopste variant. Als ik echt geen flauw idee heb neem ik de goedkoopste. Heb ik in ieder geval geld uitgespaard. Natuurlijk is goedkoop soms duurkoop maar duurkoop is soms nog veel duurderkoop.

Toeval of niet, er stond gisteren een artikel over een offroadscootmobiel in de krant, de Action Trackchair, met rupsbanden. Daarmee kun je ook door bos en duin rijden of door een dik pak sneeuw. Tienduizend euro, dat is nou jammer.

Donderdag 30 mei

Het gaat niet zo goed met Evert. De wond wil maar niet genezen. Elke dag komt er een zuster langs die een vers verband aanlegt, daar ligt het niet aan.

'Een schatje! Dus ik vind het niet zo erg als ze wat langer moet komen.'

Nog altijd praatjes. Maar toen ik vanmorgen de hond kwam ophalen (ik ben nog steeds fulltime hondenverzorger) hoorde hij me niet binnenkomen en hoorde ik hem tegen Mo zeggen: 'Baasje kon wel eens de pijp uit gaan Mo, en eerlijk gezegd weet ik niet zo goed wat er dan met jou moet.'

Ik kuchte, nogal ongemakkelijk, om te laten weten dat ik er was.

'Heb je me toevallig gehoord, Henkie?'

'Ja.'

'Wat denk je, moet ik Mo in dat geval maar af laten maken? Zo'n oud beest stop je niet meer in een asiel. Dat kun je het asiel ook niet aandoen.'

'Zover is het nog lang niet.'

'Nou...'

Ik wil best voor Mo zorgen maar dat kan alleen als Evert niet doodgaat. Gaat hij wel dood, dan moet de kamer binnen een week zonder hond worden opgeleverd. Op mijn eigen afdeling zijn honden verboden.

Vrijdag 31 mei

Eefje en ik hadden gistermiddag een afspraak met advocaat in ruste, Victor Vorstenbosch (71). Een tamelijk bekakte, zelfingenomen man die zich, zoals hij zelf toegaf, 'thuis te platter vurveelde'. Hij was blij met het vooruitzicht weer eens aan de slag te kunnen. Zijn oude kantoor belde hem nooit meer voor klusjes en dat zat hem niet lekker, dat mochten wij best weten. Hij wilde zich graag nog eens bewijzen als slimme oude vos. Kortom, hij had er zin in. Hij zou nog deze week alle documenten die ook maar enigszins te maken hadden met de bedrijfsvoering van ons tehuis, opvragen bij de directie met een beroep op de Wet Openbaarheid van Bestuur. De aanvraag zou op zijn eigen naam gesteld zijn. Eefje merkte fijntjes op dat ons huis geen overheidsinstelling was en dat deze wet dus misschien niet van toepassing was. Ja, daar had ze een punt, gaf Victor toe. Daar zou hij bij zijn zoektocht naar reglementen en statuten rekening mee houden.

Wij konden de conceptaanvraag over een paar dagen bij hem thuis komen inzien, want hij had in de loop der jaren zijn vertrouwen in de mens nogal naar beneden bijgesteld. 'Dat briefgeheim in bejaardenhuizen stelt niet veel voor en veilig mailen is er al helemaal niet bij.'

We zijn in een spionageroman terechtgekomen! Nu maar hopen dat we een paar sappige schandalen boven water krijgen.

Meneer Schansleh, een aardige man van de derde etage, was tot hij hier zijn intrek nam een gepassioneerd duivenmelker. Hij kon er maar niet over uit: er was een Chinees die 310.000 euro had betaald voor een Belgische prijsduif. 'Ongelooflijk, ongelooflijk,' hij bleef het herhalen. Edward vroeg zich af of zo'n dure duif nooit eens besloot om bij zijn vrienden op de Dam te gaan wonen. Of uit de lucht werd geknald door een jager om er paté van te maken. 'Dan proef je die drie ton er toch niet aan af, wel?'

'Ja, er verdwijnen soms duiven spoorloos,' zei Schansleh somber. Zelf was hij er in de loop der jaren tientallen kwijtgeraakt.

Zaterdag 1 juni

Slecht nieuws.

Ik heb gisteren een wandelingetje gemaakt met Grietje. Na vijf minuten moesten we even uitrusten op het bankje dat daar van gemeentewege zo attent is neergezet. Het zonnetje scheen. We raakten ongemerkt voorbij de koetjes en kalfjes. Ze vertelde dat ze de laatste tijd zo vaak letterlijk en figuurlijk de weg kwijt is. 'Ik ben wel handig in het camoufleren maar het houdt een keer op. Ik word er erg onzeker van. Sta ik bijvoorbeeld opeens in de lift zonder nog te weten hoe ik daar kom en wat ik ga doen.'

Ik wist niet goed wat ik moest zeggen. Na enig zwijgen heb ik geopperd dat ze naar de huisarts kon gaan om te laten testen of ze misschien alzheimer had. En dat ze, als ze het even niet meer wist, hulp moest vragen bij mensen die ze vertrouwde. Dan konden die wat richting geven. 'Je kunt altijd bij me aankloppen, Grietje. Ik zal je met liefde helpen, zo veel ik kan.'

Grietje, de vriendelijkheid zelve maar altijd een beetje gesloten en gereserveerd. Ik was verbaasd dat ze haar hart bij mij luchtte. En een beetje trots. En verdrietig. Kortom, het viel niet mee, zo veel gevoelens.

Met Evert lijkt het weer een beetje beter te gaan. Hij doet erg zijn best bij de fysiotherapeut. Dat uit zich bij hem vooral in veel vloeken tijdens zijn oefeningen. Een grappige assistente had, vlak voor hij begon op de loopband, met veel nadruk twee plukken watten in haar oren gestopt. Evert stopte als antwoord een enorme pluk watten in zijn mond.

Zondag 2 juni

Ik heb slecht geslapen van het gesprek met Grietje. Alles wijst op alzheimer. Ik heb haar vanmorgen gevraagd of ze er ook met anderen over heeft gesproken. Dat heeft ze niet.

'Ook niet met je huisarts?'

'Nee, dat is geen aardige man.'

'Vind je het erg als ik de anderen om raad vraag?'

Daar moest ze eerst over nadenken.

Ik heb wat rondgekeken op internet. Er zijn ongeveer 250.000 Nederlanders met dementie. Alzheimer is met zeventig procent de meest voorkomende vorm. De kans om het te krijgen is een op de vijf. En, tamelijk angstaanjagend, je loopt er gemiddeld nog acht jaar mee rond.

Wij zijn natuurlijk wel enigszins ervaringsdeskundigen. Er zitten hier zat oudjes waar, met het ouder worden, een steekje losraakt. En na het eerste losse steekje volgen er meer. Totdat er in het oude hoofd alleen nog maar chaos heerst van losse eindjes. Als je geluk hebt is het een vrolijke chaos, als je pech hebt een angstaanjagende of agressieve. Het laatste stadium van aftakeling hoeven we gelukkig niet van nabij mee te maken. Dan zijn de ongelukkigen verhuisd naar 'de andere kant', de gesloten afdeling. Als mensen met hun handen in de soep gaan roeren of met hun drollen gaan gooien is een vertrek aanstaande.

Ik wil dat met Grietje niet meemaken.

Maandag 3 juni

Evert: 'Ik was er al jaren bang voor: Sacha de Boer heeft een dikke reet.' Om even aan te geven dat hij wel een paar tenen kwijt is maar niet zijn subtiele gevoel voor humor. Op tv kon je het niet goed zien, maar op foto's bij een artikel in een oud blaadje van de NS over Sacha de fotografe was duidelijk zichtbaar dat Evert een punt heeft.

Er is een schrijven uitgegaan van de raad van bestuur aan alle bewoners over het 'herijken' van de zorg in deze en andere instellingen. Zodra bestuurders dat woord gebruiken moet je op je tellen passen: herijken is namelijk bezuinigen en reorganiseren.

Uit de brief: 'Het herijken van de zorg zal op termijn leiden tot verbetering van de kwaliteit.'

Ja, ja. Wat er nog ontbrak is het voornemen 'het bejaardenhuis terug te geven aan de bejaarden'. Daar heeft de spindoctor van Evean een mooie kans laten liggen.

Onze premier Rutte zou Nederland ook teruggeven aan de Nederlanders. Heeft u er iets van gemerkt?

Hoewel niemand iets concreets uit de brief van het bestuur kon opmaken, waren de kritieken verdeeld. Dezelfde woorden waren voor de een de weg naar de hel, terwijl een ander het paradijs zag gloren aan de horizon. Niets menselijks is bejaarden vreemd.

Een ding is zeker: uiteindelijk zullen alle plannen in ieder geval leiden tot een salarisverhoging van de leden van de raad van bestuur.

Dinsdag 4 juni

Hoe zou het met het eerste anarchistische bejaardenhuis van Nederland gaan? Zorginstelling De Hoven in het Groningse plaatsje Onderdendam, een echte Ollie B. Bommelnaam. Twee jaar geleden hebben ze daar besloten, bij wijze van experiment, drie maanden lang alle regels af te schaffen. Nou ja, alle? Dat zou, de gemiddelde bejaarde kennende, uitdraaien op moord en doodslag en alle dagen bingo.

De directrice in Onderdendam wilde onderzoeken of medewerkers en bewoners blij zouden worden zonder regels. De proef 'Zorg zonder regels' zou worden begeleid door wetenschappers van de Rijksuniversiteit Groningen.

Ik heb gezocht op internet maar ik kan geen resultaten vinden.

Ik moest eraan denken omdat bij ons de regel is ingevoerd dat er alleen nog maar spaarlampen gebruikt mogen worden op de kamers. Het milieu, hè.

Ik ben bij advocaat Victor thuis het conceptverzoek tot inzage in alle regelingen en voorschriften van ons tehuis gaan inzien. Het klonk heel juridisch allemaal, zo juridisch dat ik er geen touw aan vast kon knopen. Het zag er vertrouwenwekkend uit. Het was jammer dat Eefje niet mee was, die kijkt scherper. Ze was niet lekker.

Hoewel het pas twee uur in de middag was bood Victor me een enorme bel vast heel dure cognac aan en een sigaar die ik voorzichtig heb opgehoest. Onze advocaat is een beetje een karikatuur van een bekakte notabele, een rol die hij met verve speelt. Toneel-spel en werkelijkheid lopen nogal door elkaar, maar bijten elkaar in dit geval niet.

Woensdag 5 juni

Mevrouw Visser is vanmorgen in alle vroegte met twee verdachte koffiekoppen in haar tas met het Connexxionbusje afgereisd naar Ikea in Amsterdam-Zuidoost om haar geld terug te eisen. Het waren niet de bewuste Lyda-jumbokoppen, die teruggeroepen werden naar de winkel omdat de bodem er wel eens uitviel, maar andere Ikea-kopjes die volgens haar 'dan ook wel niet tegen heet water zouden kunnen'. Mevrouw Visser is nu, bijna drie uur later, nog niet terug.

Men neemt hier niet graag risico's. Als er ergens ter wereld iets wordt teruggeroepen worden alle keukenkastjes nauwgezet nage-plozen of er niet een exemplaar van het gevaarlijke blik of pak staat. Daar staat tegenover dat men het met de uiterste houdbaarheids-datum vaak niet zo nauw neemt. Eten weggooien is doodzonde, zelfs al staat de schimmel erop. 'Die kun je er makkelijk vanaf schra-pen of scheppen en dan is het nog best te eten!' Er zijn niet voor niets zo veel gevallen van ernstige voedselvergiftiging bij bejaar-den. En in de instellingskeuken moeten ze intussen dagelijks de boter temperaturen om te controleren of die wel tussen de vijf en zeven graden is.

Bij de recente ontruiming van een kamer, na een sterfgeval, is er een nieuw record gevestigd: er stond iets in de koelkast dat ze-ventien jaar over de datum was. Verder was alles kraakhelder in de kamer van de overledene. Aldus de geruchten, want zulke zaken worden natuurlijk niet officieel bekendgemaakt.

We hebben morgen weer een uitstapje. Het wordt perfect be-jaardenweer: niet te warm en niet te koud, weinig wind en niet be-nauwd.

Donderdag 6 juni

Als je Amsterdamse stadswachten ziet, die tegenwoordig geloof ik buurtregisseurs heten, weet je tamelijk zeker dat de kust veilig is. Probleemgebieden mijden ze namelijk als de pest. Dus zitten ze bij mooi weer dagelijks bij ons voor de deur op het bankje. Vermoedelijk kun je ze voor het salaris dat ze krijgen geen ongelijk geven dat ze brandhaarden met opgeschoten straattuig uit de weg gaan. Ik zie ze op hun fiets ook geen brommer aanhouden die met een rotvaart van zeventig kilometer per uur en het lawaai van een straaljager over fietspaden scheurt. Stadswachten stralen een treurige machteloosheid uit. Hun uniform zit ook altijd iets te krap.

Het kan altijd nog slechter, want ik las een tijdje geleden dat in Den Haag de gemiddelde parkeerwachter één parkeerbon per dag uitschrijft. Die werkt niet op provisie. Waar zou bij de sollicitaties op gelet zijn?

Jawel, gisteren al weer de eerste klachten gehoord over de warmte! 'Het is hier in Nederland altijd meteen zo benauwd!' aldus de dikke Bakker. Zijn geklaag over de kou was nog maar twee dagen verstomd. Ik wil hem soms doodmaken.

Ik heb mijn mooiste en enige zomerse pak aangetrokken. Een ouderwets strooien hoedje ligt klaar. Ik wil er een beetje uitzien als Maurice Chevalier. Na de lunch moeten wij ons melden aan de poort voor een uitstapje onder leiding van Graeme. Hij roept al dagen dat het met zulk mooi weer niet kan mislukken.

Vrijdag 7 juni

Klokslag 13.00 uur reden er drie fietstaxi's voor. Drie sterke jonge kerels op de trappers zodat we geen medelijden hoefden te hebben. Een van hen was een vriend van de zoon van Graeme en via hem was alles geregeld. We werden keurig aan boord geholpen en onder veel bekijks werd het karavaantje in gang gezet. Ik zat bij Evert, die onmiddellijk 'In een rijtuigie' inzette. Alle coupletten en refreinen. Hij zingt als een oude raaf.

De reis voerde ons door Waterland: Zunderdorp, Ransdorp, Uitdam en Zuiderwoude. Prachtige oude dorpen, niet aangetast door de tijd maar, te zien aan de moderne dure bakfietsen op de opritten, wel overgenomen door rijke Amsterdamse yuppen.

Evert vertelde van vroeger, af en toe klonk er gelach uit de andere wagentjes en soms moesten we stoppen van Eefje om een of andere weidevogel te bestuderen. Ik herkende de grutto van het luciferdoosje maar daar hield het mee op.

In Zuiderwoude bleek zich een wijnhandel te bevinden. De kruidenier is verdwenen en de sommelier is ervoor in de plaats gekomen. Er was voor ons een wijnproeverij georganiseerd met hapjes. Hapjes die, volgens Edward, te klein waren om flink bij te drinken. Nu moet je na het proeven ook eigenlijk niet doorslikken maar uitspugen, maar er zijn grenzen aan onze meegaandheid. Spugen doen we wel als we ziek zijn. De chauffeurs mochten van ons meeproeven op voorwaarde dat ze ons op de terugweg niet de sloot in zouden fietsen.

Van de ter plekke ingestelde en afgedragen contributie hebben we twee dozen wijn gekocht. Het werd, ik kan er geen beter woord voor bedenken, reuzegezellig.

Op de terugweg zongen we eerst nog even maar daarna dommelde iedereen in.

We werden keurig voor de deur afgezet, de chauffeurs kregen als fooi een flesje goedgekeurde wijn en daarna zwaaiden we ze vrolijk uit.

Het afrekenen van de uitjes gebeurt altijd een dagje later, heel discreet, door de organisator van de dag. Duur? Laten we zeggen: een uitmuntende prijs-kwaliteitverhouding.

Zaterdag 8 juni

Er is een alzheimer-doe-het-zelf-test. De naam is een beetje verwarrend, want de test is om uit te vinden of iemand anders alzheimer heeft. Ik heb hem gewoon toch voor mezelf gemaakt en behaalde een geruststellend resultaat: geen alzheimer.

Ik kom erop omdat ik tijdens ons uitstapje een beetje op Grietje heb gelet. Ze heeft erg genoten, maar was wel af en toe een beetje afwezig en leek soms enigszins verbaasd. Ik ken haar niet lang en goed genoeg om de alzheimertest voor haar te maken, maar er zijn wel symptomen die wijzen in de richting van dementie. Wat ze me zelf heeft verteld is niet geruststellend.

Te beseffen dat je langzaam maar onontkoombaar alle grip op de werkelijkheid gaat verliezen. Anders dan de kikker die langzaam wordt gekookt en niets merkt, ben je je lange tijd pijnlijk bewust van het eigen verval. Vaker en vaker zak je weg in een zwart gat. Steeds korter kruip je uit dat gat omhoog in de zekerheid dat je er weer in terug zult vallen. Tijd genoeg om te zien waarheen de weg gaat leiden: verwarde, verdrietige, bange of boze hoopjes oud mens. De enkele opgewekte demente daargelaten. Eerst rusteloos zoekend naar wat er niet meer is. Daarna apathisch kwijlend in een stoel of bed. Vastgebonden als er geen land meer met je te bezeilen is. Alle waardigheid verloren.

Arme Grietje. Wat moet ik haar tot troost zeggen?

Zondag 9 juni

Mevrouw Suurman wilde haar natte sloffen laten drogen in de magnetron. Die had ze op twintig minuten gezet en daarna was ze tv gaan kijken. De sloffen lopen niet meer zo lekker én het brandalarm ging af.

Het zou me niet verbazen als de directie dit incident aangrijpt om magnetrons te verbieden.

Dezelfde directie heeft in een brief aangekondigd dat er, voor onze eigen veiligheid, in de gangen camera's opgehangen zullen worden. Dat gaat veel oudjes toch echt te ver. Het woord Gestapo is gevallen.

'Is ze nou helemaal gek geworden, die Stelwagen? Camera's! Zeker om erachter te komen wie er cake in het aquarium gooit of wie er met zijn rollator geen voorrang verleent aan de pillenwagen van de zuster.' Graeme was ongekend fel. Hij zou de camera's persoonlijk onklaar maken. Evert bood onmiddellijk zijn medewerking aan.

Ik denk dat mevrouw Stelwagen haar hand overspeelt.

De meeste mensen willen geen bewakingscamera's hier. Wel gewone camera's. Als AT5 opdraaft voor een honderdjarige weten ze van gekkigheid niet wat ze moeten doen om in beeld te komen. Bewoners die al jarenlang voornamelijk mompelen gaan opeens uit volle borst zingen. Dames die altijd in dezelfde groezelige grijze jurk beneden zitten hebben opeens een uitbundige bloemetjesjurk aan en een feesthoedje op.

Gelukkig bleef er van de drie kwartier aanstellerij die AT5 de laatste keer had gefilmd precies vijftig seconden uitzending over. Iedereen zwaar teleurgesteld, sommigen zelfs beledigd.

Maandag 10 juni

Het was gisteren zo'n dag die bestond uit vier keer in slaap vallen boven de krant en voor de televisie en daarna de halve nacht wakker liggen. Eerst een glaasje warme melk met honing geprobeerd en daarna twee slaappillen genomen.

Volgens de verslavingsexperts van het Trimbos-instituut ben ik daarmee een van de 930.000 55-plussers die naar de pillen grijpt als de slaap niet vanzelf wil komen. Er schijnen heel wat junkies rond te lopen in bejaardenhuizen. Ze zijn verslaafd aan slaappillen met benzodiazepines. Huh? Benzodiazepines. Ze helpen ook tegen angst en piekeren. Met als gevaarlijke bijwerking gebroken heupen. Meer dan duizend, hebben de deskundigen berekend. Allemaal van oudjes die 's nachts extra versuft wakker worden, naar de wc wankelen en onderuitgaan. Krak.

Dinsdag 11 juni

Evert was gisteren gastheer van de clubvergadering. Een matig optreden. Hij had het frituurfruit laten verbranden: gitzwarte bitterballen en kipnuggets. De afzuigkap doet het te goed bij hem, niemand had iets geroken. Oude neuzen. De leverworst bleek over de datum. Toen hadden we alleen kaas en een overvloed aan drank.

De roep om Ria en Antoine Travemundi, de culinaire wonderbejaarden uit ons huis, werd toen te luid om nog te negeren. Ze zijn ter plekke en terstond met algemene stemmen op proef aangenomen als nieuwe leden van onze vereniging Oud-maar-niet-dood. Er is een delegatie van Grietje en Edward uitgezonden om hen onmiddellijk uit te nodigen. Ze kwamen meteen en waren helemaal ontroerd, ze gingen iedereen omstandig bedanken. Antoine had tranen in zijn ogen.

'Dat jullie dit nog mogen meemaken,' zei Eefje ironisch. Antoine knikte. Ria stond er een beetje onbeholpen bij te lachen. Ze haalden wel meteen een paar Franse kaasjes, seranoham en gerookte zalm uit hun koelkast om het verworven lidmaatschap te vieren.

'Zie je, daarom zijn jullie erbij gehaald!'

Om maar regelmatig te kunnen vergaderen bespreken we niet te veel clubzaken ineens. Deze keer stond alleen de evaluatie van de eerste ronde uitstapjes op de agenda. Niets dan lof. De een ging met nog meer veren in zijn kont naar huis dan de ander.

Er is een nieuwe lijst uitjes opgesteld met richtdata.

Eind juni – Ria en Antoine (Ze tellen als aspirant-leden voorlopig samen voor één)

Half juli – Graeme
Eind juli – Eefje
Half augustus – Grietje
Eind augustus – moi
Half september – Evert
Eind september – Edward
Dat klinkt goed: tot het eind van de zomer afleiding en vertier.

Woensdag 12 juni

Grietje kwam bij me op de koffie. Niet zonder doel. Ze heeft zich door haar huisdokter en via internet uitgebreid laten informeren en ze weet nu dat ze aan het dementeren is.

'Ik word daar uiteraard niet vrolijk van, maar er is niets aan te doen. Ik ga proberen het zo lang mogelijk vol te houden.'

Ze vroeg mij haar daarbij te helpen en ze ging dat ook vragen aan een aantal anderen, onder wie de leden van onze club. Voorwaarde is dat we open en eerlijk tegen haar zijn. Geen nutteloos medelijden. Ik moest plechtig beloven dat ik haar, als ze een blok aan het been zou worden of onhandelbaar, aan de goede zorgen van de verpleegafdeling zou toevertrouwen. Bij dat laatste kon ze een klein ironisch lachje niet onderdrukken. Ze wist dat ze nergens anders heen kon en had zich ermee verzoend. Maar voor ze zich over zou geven wilde ze met alle kracht die in haar was genieten van het leven 'als weldenkend mens'.

Ik kreeg een brok in mijn keel en heb alle mogelijke steun toegezegd. Dat 'alle mogelijke' vond ze een beetje overdreven maar: 'Vooruit, ik doe het ervoor.'

We hebben het erover gehad hoe die hulp gestalte moet krijgen maar dat is nog niet zo eenvoudig. We gaan daar nog een nachtje over slapen.

Donderdag 13 juni

Soms bemerk ik bij mijn medebewoners een licht vijandige houding. Ik weet dat er met regelmaat gesproken wordt over ons clubje. 'Uitslovers' zijn we. 'Ondankbaar' dat we alles wat er wordt aangeboden aan vermaak te min vinden.

'Kapsones' hebben we ook.

Bij sommigen gaat de teleurstelling dat ze niet mee mogen doen over in afgunst en nijd. Afgunst en nijd die hier alle tijd krijgen om wortel te schieten.

Onderschat nooit de haatdragenden, de intriganten en kwaadsprekers. Zij bestoken de milde of onverschillige of onwetende medebewoners met opmerkelijke hardnekkigheid. De aanleiding is meestal klein maar de gevolgen op lange termijn mogen er zijn: minachting, onbegrip en haat. Als iemand de hele dag niets van belang omhanden heeft, worden kleine dingen groot. De tijd van een mens moet gevuld, de aandacht moet ergens op worden gericht. Nare karaktertrekjes zoeken een uitweg. In tegenstelling tot wat je misschien zou mogen verwachten, wordt de kleingeestigheid groter en de ruimdenkendheid kleiner met het stijgen der jaren. Oud en wijs is eerder uitzondering dan regel.

Ik voel nu soms de spanning. Er wordt gekucht als ik in aantocht ben. Gesprekken vallen stil. Blikken worden gewisseld.

Ik had het er met Edward en Graeme over vanmorgen bij de koffie, toen onze tafel opmerkelijk leeg bleef. Zij voelden het soms ook. Het is niet prettig, maar we kunnen niet anders dan het op de koop toe nemen.

Vrijdag 14 juni

Het gaat niet zo goed met de beroemdste bejaarde ter wereld, Nelson Mandela. De ene dag gaat het ietsje beter, de andere dag ietsje slechter. Er wordt erg met hem meegeleefd hier. Hij is vermoedelijk met afstand de minst omstreden held van de laatste twintig jaar. Maar ook helden gaan dood. De kranten hebben alle tijd om de necrologieën nog even op orde te brengen. De groten der aarde hopen dat de begrafenis een beetje op een handige dag valt.

Gelukkig is Mandela al lange tijd niet meer in het openbaar verschenen zodat we als laatste beeld dat van een breekbare maar waardige en wijze man zullen bewaren. Precies daarin school zijn grootsheid.

'Max Ledendag komt naar u toe!' Een oude slogan van Radio Veronica gerestyled voor bejaarden. De bewonerscommissie heeft aangekondigd dat bewoners zich kunnen inschrijven voor de ledendag van omroep Max in een nog onbekend theater.

'We ontvangen u deze middag met een heerlijk kopje koffie of thee met iets lekkers', dus eigenlijk kan er al niets meer misgaan. Een ander belangrijk element voor een geslaagde dag: u maakt kans op mooie prijzen. En als klap op de vuurpijl komt Ronny Tober zingen.

Een paar jaar geleden toerde omroep Max 's zomers langs de bejaardenhuizen met een roadshow. Joop van Zijl presenteerde een quiz over televisie uit de oude doos. Toen was, naast Joop, de grote publiekstrekker een 'omroep Max-gebakje'.

Gelukkig zat de roadshow toen al volgeboekt. Deze keer is de bewonerscommissie er voor de ledendag extra vroeg bij. De locatie is nog niet eens bekend. Misschien moet de bus wel naar Groningen.

Zaterdag 15 juni

Grietje, Eefje en ik hebben een alzheimer-plan van aanpak gesmeed voor Grietje. Uit gegevens van Alzheimer Nederland blijkt dat zeventig procent van de demente mensen nog thuis woont. Nu is 'thuis' hier een beetje misplaatst, maar toch is het voor Grietje hoopgevend dat de kans op een spoedige verhuizing naar de verpleegafdeling vrij klein is. Met wat hulp moet ze nog een hele tijd op haar eigen kamer kunnen blijven wonen. De eerste concrete stap is dat elke middag een van ons even langsgaat om te controleren of Grietje de hamster niet in het vriesvakje heeft opgesloten. Het voorbeeld is van Grietje zelf en ze heeft geen hamster. Verder hebben we lijstjes gemaakt, veel lijstjes. Een lijst met namen, functies en telefoonnummers. Een lijst met dingen die dagelijks gedaan moeten worden. Een lijst met dingen die niet gedaan moeten worden. Een boodschappenlijstje. Een lijstje met 'wat ligt waar?' en een gedetailleerde agenda voor elke dag. Wij helpen waar nodig. Als ze iets niet weet of snapt, schrijft ze het op en bespreekt het later met ons. Als het urgent is dan belt ze.

We zullen ook eens een boek over dementie lezen, voor als het gezonde boerenverstand tekortschiet.

Het was prettig een aantal concrete dingen te kunnen doen. En daarbij een pond gerookte paling op te eten boven een oude krant. Met een slokje witte wijn. Grietje is een goede gastvrouw. We hebben afgesproken te waarschuwen als ze water en droog brood serveert.

Zondag 16 juni

Er bestaat een Honden Senioren T(e)huis waar oude, zieke en gehandicapte honden in een huiselijke omgeving hun laatste dagen slijten. Ze krijgen daar veel persoonlijke aandacht en, indien nodig, stervensbegeleiding. Een en ander wordt gerund door de stichting Djimba. Op een tekening op de Djimbasite staat een blinde blindengeleidehond met een stok en een donkere zonnebril. Ik verzin dit niet.

Zou de zorg verstrekt worden op basis van hondgebonden budgetten?

Er is een antwoord binnen op ons verzoek om inzage in alle reglementen, statuten en overige stukken die van belang zijn. Dat wil zeggen, alleen een bevestiging van ontvangst, naar ons doorgestuurd door Victor.

'Het grote tijdrekken is begonnen,' schreef onze advocaat in een begeleidend briefje, 'maar ik heb per kerende post als uiterste datum 1 augustus aangegeven. En anders gedreigd met een kort geding. Ik dacht, ik haal maar meteen het grof geschut tevoorschijn. Ik wil niet dat de gevraagde documenten pas openbaar worden als wij allemaal dood of dement zijn!'

Goed werk, Victor.

Het is zondagmiddag, bezoekmiddag. De eerste zonen en dochters zitten al met hun oude vader en moeder aan de koffie. De rollen zijn omgedraaid: werden de kinderen vroeger door hun ouders belerend toegesproken, nu lezen de kinderen de ouders de les. 'Doe toch eens een schoon overhemd aan als we komen en koop eens wat anders dan die eeuwige speculaasjes!'

Maandag 17 juni

'Dat wordt m'n dood', ik heb het al meerdere mensen stellig horen beweren. Ik weet niet in hoeverre je mensen aan zo'n toezegging kunt houden. Er zijn er een paar die ik er te zijner tijd in ieder geval even aan zal helpen herinneren. De geruchtenstroom over sluiting van verzorgingshuizen overspoelt de conversaties.

Volgens het adviesbureau Berenschot moeten de komende jaren achthonderdzeventig locaties voor ouderenzorg dicht. Het aantal nieuwe klanten zal door de aangekondigde strengere toelatingseisen flink gaan afnemen. Thuis wonen tot het echt niet meer gaat en dan in een keer door het verpleegtehuis in, is grofweg het idee erachter. Intussen blijven de oudjes die in verzorgingshuizen wonen natuurlijk wel doodgaan. Je hoeft dus geen rekenwonder te zijn om te voorzien dat er een flinke leegstand gaat ontstaan. En dan wachten de bestuurders niet met sluiting tot de laatste bewoner is overleden, dan worden de resterende oudjes verpot.

En dat wordt dan hun dood, voorspellen sommige potentiële slachtoffers. Enkele ouderen zijn er zelfs van overtuigd dat ze gedwongen zullen worden weer zelfstandig te wonen. Nog erger!

De angst te moeten verhuizen is groot. Om de discussie luchtig te houden spreekt meneer Bakker liever van deporteren. Maar je zult zien dat de meeste bewoners, in plaats van dood te gaan, nooit meer weg willen als ze eenmaal hun nieuwe ruime kamer hebben betrokken.

Mij kan het niet veel schelen of ik nu in dit huis woon of in een huis een paar kilometer verderop. Als mijn vrienden maar mee verhuizen en we tijdens de verhuisdagen een reisje langs de Rijn aangeboden krijgen.

Dinsdag 18 juni

Excuseer me dat ik over het weer begin maar het was gisteren een mooie zomerdag. Niet te warm en niet te koud. 's Middags met een krantje en een boek in het park gezeten. Eerst met Eefje, die na een uurtje weer vertrok, en daarna met Evert, die rond borreltijd aan kwam strompelen met zijn nieuwe rollator. In het boodschappenmandje zaten twee thermoskannen: een met whisky en een met witte wijn. Uit zijn binnenzak kwamen twee glaasjes, netjes in wc-papier gerold.

'Ik drink minder,' zei hij. 'Nee, serieus!' En toen ik nog steeds begrijpend knikte, voegde hij eraan toe dat hij wel steeds duurder dronk. En dus lekkerder. Dat leek mij heel verstandig en hij had inderdaad heerlijke witte wijn meegenomen, die wel een beetje naar thermoskan smaakte. Dus zo zaten wij als twee keurige zwervers op een bankje in het park te drinken tot we een beetje rozig en enigszins onvast ter been van de drank samen naar huis liepen. De rollator tussen ons in. Met elk één hand aan het stuur. Edward zei vanmorgen dat het, vanaf zijn balkon, een aandoenlijk gezicht was geweest. Misschien is de duorollator een gat in de markt.

Thuis ben ik op de bank in slaap gevallen en pas om elf uur weer wakker geworden. Een zuster heeft nog even om de hoek van de deur gekeken toen ik niet kwam opdagen bij het avondeten. Ze heeft gecontroleerd of ik nog leefde maar wakker maken vond ze niet de moeite waard.

Woensdag 19 juni

Bij warm weer is de bejaardensterfte bovengemiddeld. Piet Paulusma voorspelt drieëndertig graden. Ik hoop de avond te halen.

Langs geweest bij Anja op de administratie om te informeren of ze ons al op het spoor waren. De directrice had ergens een congres over veranderingen in de zorg dus we hadden het rijk alleen.

Er is een intern memo gewijd aan de vraag waar het verzoek om openbaarmaking van statuten en reglementen vandaan komt. De directrice heeft tegenover het bestuur het vermoeden uitgesproken dat er 'een klein maar hecht groepje ontevreden bewoners' achter zit. Dat zijn wij.

De raad van bestuur was geschrokken van de dreiging met een kort geding en had geïnformeerd naar de mogelijke achtergronden. Het feit dat bestuurders van zorginstellingen de laatste tijd nogal eens onvrijwillig de kranten halen werkt in ons voordeel: ze zijn als de dood voor negatieve publiciteit. De opdracht aan Stelwagen was dan ook: doen wat nodig is om verdere escalatie te voorkomen. Zij heeft toegezegd op korte termijn contact op te nemen met de advocaat die het verzoek heeft ingediend.

Ik heb later met Eefje overlegd wat te doen met de informatie die we van Anja krijgen. We hebben besloten onze bron geheim te houden voor onze advocaat en ook voor de overige leden van onze club, om ze niet op te zadelen met gevaarlijke kennis. We willen niet dat onze Anja Appelboom in één adem genoemd gaat worden met Julian Assange, Edward Snowden en Bradley Manning.

Ik moet bekennen dat ik er een beetje zenuwachtig van word.

Donderdag 20 juni

Er is gisteren ingebroken bij mevrouw Van Gelder. Ze liep huilend door de gang en jammerde tegen iedereen dat haar horloge was meegenomen uit het laatje van haar nachtkastje toen ze beneden thee zat te drinken. Het was het huwelijkscadeau van haar man.

Dat hakt er overal flink in.

De dief moet een sleutel gehad hebben, want Van Gelder doet altijd haar deur op slot.

Bewoners moeten hun kamers afsluiten als ze weggaan. Dat is verplicht sinds er een verwarde oude heer de verkeerde kamer binnen was gegaan en daar in bed was gaan liggen. De rechtmatige eigenaar van dat bed was later zo geschrokken toen ze de dekens opsloeg dat ze gevallen was en haar pols had gebroken.

Naar aanleiding van het verdwenen horloge zijn de vage, bijna terloopse verdachtmakingen aan het adres van diverse schoonmakers en verzorgers niet van de lucht. Over het algemeen geldt: hoe bruiner hoe verdachter. En: 'Het moet een man geweest zijn, want vrouwen doen zoiets niet.' Zou een cursus argumentatietheorie nog zin hebben voor mensen van boven de zeventig?

De sfeer is er in ieder geval niet beter op geworden.

De directrice was niet blij. Uit betrouwbare bron heb ik verno-

men dat het horloge haar niet zo veel kan schelen, de goede naam
van het huis des te meer.

Vrijdag 21 juni

De zomer gehaald! Ook al is het wat herfstig.
'Zelfmoordweer,' riep de altijd chagrijnige Bakker wel drie keer
bij een kopje thee. Na de derde keer zei Evert: 'Ik breng je wel
even naar het dak.' Hij bood ook aan om op Bakkers portemonnee
te passen.
Het aantal zelfmoorden onder ouderen is de laatste jaren flink
toegenomen, melden de statistieken.
Hier in huis worden geen mededelingen gedaan over de doodsoorzaak van overleden bewoners. Dan bestaat zelfmoord gewoon
niet. Statistisch gezien moeten er de laatste jaren een paar zelfmoorden bij hebben gezeten. Maar informatie daarover zou maar
voor onrust zorgen of mensen op ideeën brengen.
Ik verbaasde mij gisteren over mijn eigen schriele naaktheid in
de spiegel van de huisdokter.
De mens is toch eigenlijk een tamelijk mislukt en lelijk dier. Op
een enkele uitzondering na zijn mensen mét kleren aan mooier dan
zonder. Alleen kinderen zijn bloot mooi. Daarna geldt: hoe ouder,
hoe meer kleren aan graag. En steeds wijder vallend. Het rijtje
peervormige dames dat hier elke maandag in strakke leggings door
de gang naar de gymzaal paradeert is zeer lustremmend.
De dokter was trouwens, alle kwalen in aanmerking genomen,
zeer te spreken over mijn lichamelijk welzijn. Het druppelen valt
niet meer te verhelpen. 'U moet aan de luiers, meneer Groen. Niets
aan te doen.'
Het rijm maakte het wat luchtiger.

Zaterdag 22 juni

Het horloge van mevrouw Van Gelder is terecht. Een schoonmaakster heeft het gevonden tussen de natte was uit de wasmachine. Het was mooi schoon geworden, maar het liep niet meer. Mevrouw Van Gelder vermoedt dat de dief bang is geworden en van het horloge af wilde en het daarom in de wasmachine heeft gestopt. Waarom iemand speciaal naar de wasserette zou gaan om daar een horloge te dumpen kon ze niet verklaren. 'Maar er gebeuren wel gekkere dingen in de wereld!'

Dat zijzelf per ongeluk haar horloge in de wasmand zou hebben gegooid was 'uitgesloten'.

Ze heeft de eerlijke vindster vijftig cent gegeven.

Mijn dokter maakte mij eergisteren attent op Jan Hoeijmakers, de ouderdomsprofessor, die zich ten doel heeft gesteld om mensen erg oud te laten worden maar dan zonder gebreken. Hoeijmakers is erg optimistisch en boekt bij muizen al behoorlijke resultaten. Iets met extra onderhoud aan het DNA. Over een jaar of tien zou er misschien al een wonderpil kunnen zijn tegen allerlei ouderdomskwalen.

Net te laat dus voor mij en mijn vrienden, daar ben ik goed ziek van. Ik hoef geen tweehonderd te worden maar een beetje gezond over de eindstreep, daar zou ik voor tekenen.

Ik ben trouwens vergeten om mijn huisarts nogmaals te vragen hoe hij tegenover euthanasie staat.

Zondag 23 juni

Nieuws over de verbouwing. De directrice stelt in een brief voor een bewonerscommissie in het leven te roepen die de bouwcommissie mag adviseren over alle zaken 'die met het woongenot te maken hebben.'

Blijkbaar bestaat er een bouwcommissie en zijn de plannen al een stuk concreter dan tot nu toe werd gesuggereerd. De illusie van inspraak moet dat wat verhullen.

Aan de ene kant een hele geruststelling voor menig bewoner: als ze het huis grondig gaan verbouwen gaan ze het niet meteen daarna sluiten. Dus hoeven ze niet te verhuizen. Aan de andere kant betekent een grote verbouwing zo goed als zeker toch verhuizen, ook al is het maar tijdelijk. Alleen al de gedachte daaraan doet de gemiddelde bloeddruk hier gevaarlijk stijgen. Onzekerheid en verandering zijn twee nagels aan de doodskist van iedere bejaarde. Mevrouw Pot, een nare intrigant, sloot niet uit dat de verbouwing bedoeld is om het bestand op te schonen. 'Ze doen het erom. Dat gaan een hoop mensen niet overleven!' Er zijn er altijd wel een paar aan de koffietafel die dan instemmend knikken, hoe dom een uitspraak ook is.

Een flinke verbouwing zal letterlijk en figuurlijk stof doen opwaaien, dus kom maar op. Hoe meer actie hoe beter. Ik wil wel in de commissie die de bouwcommissie gaat adviseren.

Ik heb de suggestie van Eefje opgevolgd en onze advocaat Victor gevraagd in een aanvullend schrijven specifiek naar de plannen voor een verbouwing te vragen.

Maandag 24 juni

Mevrouw Aupers is nieuw. Ze leest elke ochtend aan de koffietafel alle rouwadvertenties in de krant voor. Ik ben benieuwd wie daar als eerste wat van gaat zeggen. Niet iedereen zit te wachten op zo'n vrolijke dagopening.

Er zijn nog een paar bewoners met een fascinatie voor de doden. Bij iedere overledene hoor je ze denken: die heb ik toch maar mooi achter me gelaten. Ze zien graag de namen van oude bekenden zwart omrand in de krant staan, dat geeft nog meer voldoening.

Ik ben zelf alleen geroerd door advertenties voor overleden kinderen. Die doen me aan mijn dochtertje denken. Gewichtige doden met wel tien advertenties van alle bedrijven waar ze ooit in het bestuur zaten of commissaris waren laten me zo koud als ze nu zelf zijn. Hup, onder de grond ermee. Eens kijken hoe belangrijk ze daar nog zijn.

Onze nieuwe clubleden Ria en Antoine hebben de keuken en een zaaltje van het buurthuis afgehuurd voor aanstaande vrijdag. Er viel een mooie uitnodiging in de bus voor een welkomstdiner ter gelegenheid van hun toetreding tot onze club.

In de uitnodiging ook het verzoek tussen de gangen door een intermezzo te verzorgen in de vorm van een toespraak, een verhaal of een lied. Mijn oude hersens kraken bijna hoorbaar.

Ik heb mijn smoking, die ik vijfentwintig jaar niet gedragen heb, naar de stomerij gebracht en ga morgen een nieuw overhemd kopen.

Dinsdag 25 juni

Als mevrouw Aupers geen rouwadvertenties voorleest, jammert ze over haar kat die ze naar het asiel heeft moeten brengen. Er was net voor 3500 euro verspijkerd aan het beest. Iets met een ingewikkelde operatie aan een verbrijzeld achterpootje. Glimlachend heeft de dierenarts al het spaargeld van mevrouw Aupers in zijn zak gestoken. Ondanks haar geweeklaag kreeg ik medelijden met haar. Ze hield zo veel van die poes. Maar ja, regels zijn regels hier: huisdieren verboden. Liefst was ze om die reden toch maar thuis blijven wonen, maar daar hebben haar kinderen een stokje voor gestoken. Die waren wel klaar met de mantelzorg.

De verkoopster bij C&A was niet genegen veel werk te maken van mijn aanschaf van een overhemd. De verlepte dame in een te strak bedrijfspakje wees verveeld naar een paar bakken tien meter verderop. 'Daar liggen ze.'

'Dank u vriendelijk voor uw behulpzaamheid.'

Die opmerking leverde eerst een verbaasde en daarna een geïrriteerde blik op.

Bij Vroom en Dreesmann was de service niet veel beter. Oude onwetende heren worden niet erg gewaardeerd als klant. Uiteindelijk heb ik, een beetje op de gok, een lichtblauw overhemd gekocht dat veel te groot blijkt. Moet ik morgen weer terug. Ik denk zomaar dat winkelpersoneel ook niet verzot is op oude mensen die dingen komen ruilen.

Woensdag 26 juni

Het gaat niet goed met Evert. Hij is vanochtend voor controle naar het ziekenhuis geweest en ze wilden hem het liefst meteen daar houden. Evert heeft op grond van een begrafenis uitstel bedongen tot maandag.

'Ik heb wat begrafenissen verzonnen in mijn leven,' zei hij, 'als het erop aankomt kan ik nooit iets anders bedenken. En als je maar niet drie keer bij dezelfde persoon met een begrafenis aan komt zetten durven ze je niet snel voor leugenaar uit te maken.'

Niet dat hij veel opschiet met een paar dagen uitstel, dat realiseert hij zich ook wel, maar hij heeft even tijd nodig om zich mentaal voor te bereiden op een nieuwe operatie. En hij wil vrijdagavond ons diner in het buurthuis niet graag missen.

Hij zat er toch wat geknakt bij toen ik langsging. Hij had een kopje thee in zijn hand, dat stond ook niet opbeurend. Toen ik hem daarop wees, zei hij dat er wel een drupje rum in zat. Dat was weer hoopgevend.

We hebben het samen aan Mo verteld. Die tilde een oor op en liet een scheet toen hij hoorde dat hij volgende week weer aan mijn zorgen zou worden toevertrouwd.

Het plan van de directrice om camera's op te hangen had met de commotie rond de horlogediefstal flink aan populariteit gewonnen, maar zakte weer weg in de peilingen toen bleek dat het horloge per ongeluk in de wasmachine terecht was gekomen. Ik hoorde van Anja dat Stelwagen het bijna jammer vond dat er niets gestolen bleek te zijn. Tot zover het nieuws van onze vrouw aan het front.

Donderdag 27 juni

Bejaarden zijn soms zo groezelig. In hun regenjas met vlekken en een vette kraag. Ze zien het niet meer of ze vinden het niet meer zo belangrijk. Het is zonde van het geld om een nieuwe jas te kopen als de tijd om hem te verslijten je niet meer gegeven is. Dus dragen ze jurken en pakken van veertig jaar oud, afgetrapte schoenen en sokken met gaten. Het begin van het verlies aan waardigheid. Als het uiterlijke ze nog maar weinig kan schelen hoeven ze zich ook niet te bekommeren om het feit dat ze smerig zitten te eten, ongegeneerd tussen hun benen krabben of nog maar één keer per maand hun haar wassen. 'Als de schone onderbroeken op zijn trek ik de minst vieze nog maar een dagje aan,' zat een bewoonster zonder enige gêne bij de koffie te verkondigen.

Gelukkig zijn er ook keurige, welriekende en elegante dames en heren. Eefje, Edward, Ria, Antoine, ikzelf ondanks mijn druppelprobleem. Prettige oude ijdeltuiten met mooie kleren aan, een lekker luchtje op en keurig gekapt.

Ik vind het prettig eens in de twee maanden naar de kapper te gaan en de paar haren die er nog op mijn hoofd zitten twéé keer te laten wassen.

'En, hoe wilt u het geknipt hebben?'

'Graag een beetje modern. En neemt u gerust alle tijd.'

'Ik ga er op mijn gemak iets moois van maken.'

Ik heb al jaren dezelfde kapster en deze kleine conversatie verveelt nooit.

Vrijdag 28 juni

Het is 28 juni en de kachels staan overal vrolijk te snorren. Bij wijze van spreken, want we hebben centrale verwarming. De thermostaat staat op de meeste kamers zoals gebruikelijk op de maximaal toegestane drieëntwintig graden en de eerste winterjas is gesignaleerd op weg naar de uitgang. Het was gisteren op het heetst van de dag veertien graden buiten.

Ik ga vandaag weinig tot niets eten als voorbereiding op ons diner in het buurthuis vanavond. Dat kost weinig moeite. De lust tot eten wordt minder naarmate je ouder wordt. Soms moet ik mijzelf dwingen iets naar binnen te werken. Gelukkig hebben ze tegenwoordig drinkontbijt. Indien nodig ook te gebruiken als drinklunch. Dat scheelt lusteloos kauwen. De toestand van Evert werkt ook niet eetlustverhogend.

Mijn oude smoking is wat aan de grote kant. Wel keurig gestoomd. Met het nieuwe overhemd is het uiteindelijk nog goed gekomen. Toen ik het te grote hemd ging ruilen bij V&D werd ik geholpen door een vriendelijke Marokkaanse verkoopster die mijn boordje mat en de mouwlengte en daarna de goede maat overhemd uit een bak viste.

Al met al zie ik er nog best aantrekkelijk uit, al zeg ik het zelf.

Ik heb ook een luchtje gekocht. Ik had er een paar uitgeprobeerd op mijn hand maar dat werd al snel een onherkenbare potpourri van geuren. Dat was niet de bedoeling, je moest een beetje parfum op een speciaal papiertje spuiten. Uiteindelijk heeft een verkoopster iets uitgezocht wat volgens haar precies bij mij past. En bij mijn portemonnee.

Zaterdag 29 juni

Ik neem de hoed diep af voor Antoine en Ria van pop-uprestaurant *Chez Travemundi*. Ik heb in geen jaren zo lekker gegeten. Zes gangen! In alle rust geserveerd, prettige bejaardenporties en zeer aangenaam gezelschap. Een topavond. Van vijf tot tien aan tafel gezeten, gezongen bij de afwas en daarna gezamenlijk naar huis gestrompeld. Gelukkig heb ik verstandig gedronken anders was ik op dit moment nog hersendood geweest.

Na de welkomstcocktail heeft Evert het woord genomen. In een gloedvolle toespraak belichtte hij de geneugten van het leven en de vreugden van de vriendschap. Hij had er werk van gemaakt. Tot slot vermeldde hij terloops dat hij maandag een paar dagen op vakantie ging naar het Boven IJ-ziekenhuis met vermelding van de bezoekuren.

'Wie daar verder vanavond één woord aan vuilmaakt, smeer ik deze carpaccio van langoustine in zijn haar.'

Even viel het stil.

Toen bracht Graeme een toost uit op Evert en was de ban gebroken.

Er zijn gisteravond nog meer prachtige woorden gesproken, er is gezongen en voorgedragen en er was een kleine quiz over eten. Jammer dat ik al weer zo veel vergeten ben.

Vanmiddag begint de Tour de France. Ben ik drie weken lang onder de pannen 's middags. Ik hou ervan: eindeloze live-tv-uitzendingen. De eerste uren kies ik voor Belgisch commentaar en op het eind, als het spannend wordt, zet ik Radio Tour de France aan bij de televisiebeelden.

Zondag 30 juni

Ik ben op de helft. De eerste zes maanden zitten er na vandaag op. Slechts vijf of zes dagen heb ik wegens ziekte verzaakt. Keurig toch?

Het gaat niet vanzelf. De onderwerpen dienen zich niet altijd spontaan aan en ik moet mijn woorden zorgvuldig wegen. Maar de verplichting tot schrijven scherpt de blik en houdt je oplettend. Als iemand iets opmerkelijks zegt moet ik het onthouden, terwijl het geheugen nou juist een van de zwakke schakels is in dit krakkemikkige lijf. Een klein blocknootje brengt uitkomst maar dat kan ik niet te opvallend gebruiken. Nieuwsgierige kraaloogjes loeren overal.

'Wat zit je toch altijd te schrijven, Hendrik? Laat eens lezen.'

'Ik werk aan mijn memoires. Pas als ze af zijn mag iedereen ze lezen.'

Dan willen ze meestal weten of ze er zelf ook in staan en dat beaam ik dan, zonder aanzien des persoons. 'Alleen maar goede dingen, hoor!' voeg ik er ter geruststelling aan toe. Daar nemen ze genoegen mee, al vinden ze me wel een uitslover met mijn memoi-res.

Ik ben een beetje een angstige Tour de France-kijker geworden. Vorig jaar en het jaar daarvoor lagen er zo vaak kluwens gehavende renners op het asfalt, met onderop altijd een paar Nederlanders, dat het kijkplezier eronder ging lijden. De openingsetappe gaf weinig hoop op verbetering. De eerste die ik onderuit zag gaan was nationale pechvogel Johnnie H. weer. Gelukkig in een reclamedoek en niet in het prikkeldraad. Daarna nog een paar flinke valpartijen.

Jammer dat de bus die onder de finishboog vast kwam te zitten net op tijd bevrijd kon worden. Dat had anders een mooi schandaaltje opgeleverd.

Maandag 1 juli

Evert is vanmorgen per taxi vertrokken naar het ziekenhuis. Ik heb hem net gebeld. Hij ligt nu te wachten op de chirurg die hem de vorige keer heeft geopereerd.

'Niet mijn grootste vriend, maar je hebt je dokter niet voor het uitkiezen.'

De vrije markt werkt niet voor doktoren. Althans, niet als de verzekering betaalt. Als je Beatrix heet is het natuurlijk een andere zaak. Zou die trouwens gewoon aanvullend verzekerd zijn?

Een onbekende Belg die nog nooit iets belangrijks had gewonnen, is gistermiddag het aanstormend peloton tien meter voorgebleven en heeft de etappe van de Tour de France gewonnen. Ook als je niet van wielrennen houdt kun je blij zijn als Klein Duimpje wint van de reus, David van Goliath. Ik hou van underdogs! Tenminste, als ze niet zielig doen als ze verliezen.

Grietje heeft zichzelf een lange brief geschreven en deze op het keukenkastje geplakt. Daarin legt ze zichzelf uit dat ze alzheimer heeft en schetst ze de mogelijke problemen die daaruit voort kunnen komen. Ze geeft zichzelf raad en spreekt zichzelf moed in voor als ze straks niet alles meer netjes op een rijtje heeft. Ze besluit met: 'Rijtjes zijn ook niet alles. Liefs, Grietje.' Het ontroerde me hoe ze zichzelf groette. Ze gaat origineel om met haar ziekte.

Ze vroeg zich tegenover mij af hoe ze later op haar eigen brief zou reageren. Tegen de tijd dat ik het antwoord weet kan ik het haar vermoedelijk niet meer duidelijk maken. Een surrealistische situatie.

Dinsdag 2 juli

Evert vreest voor minimaal nog een paar tenen. De chirurg had nogal bedenkelijk gekeken.

'Bent u niet tevreden over het resultaat van uw eigen werk de vorige keer?' had Evert gevraagd. Nou, zo zou de dokter dat niet willen formuleren. Die sprak liever in termen van onvoorziene complicaties. De eerste dokter die spontaan toegeeft dat hij een fout heeft gemaakt, moet nog geboren worden. Als de bakker het brood een keer laat verbranden, dan valt daarmee te leven maar zet de chirurg het verkeerde been af... dan heeft de zuster een fout kruisje op het formulier gezet. Hoge bomen vangen dan wel veel wind maar ze zorgen ook altijd voor een goede stormschadeverze-kering. Waait er eens een hotemetoot om dan staat hij binnen de kortste keren ergens anders weer fier overeind. Met behoud van salaris.

Evert wordt donderdag geopereerd. Tot die tijd houden ze hem als bedvulling. Hij hoopt dat zijn chirurg niet haatdragend is en voor zijn operatie een bot mes gaat gebruiken.

Ik werd nogal naar van ons telefoongesprek. Ik ga morgen op ziekenbezoek. Op verzoek van mijn vriend moet ik weer een flesje spa blauw van Bols meenemen.

Ik moet ook een paar beterschapskaarten meenemen van mede-bewoners. Sparen die ouwe krenten een postzegel uit.

Woensdag 3 juli

Ik ben vanmorgen op ziekenbezoek geweest. Moeilijk. Je moet toch een beetje optimisme uitstralen en dat valt niet mee als je het zo somber inziet als ik.

Ik zou een hele slechte cliniclown zijn.

Als troost voor mezelf kan ik zeggen dat ik, vergeleken met een andere bezoeker, het zonnetje in huis was. Twee bedden verderop was een vrouw op visite bij haar pas geopereerde man. Zij had het een half uur lang uitsluitend over zichzelf en dan ook nog vooral over haar kwalen. Wat ik vroeger niet gedurfd zou hebben deed ik nu. Ik vroeg haar: 'Kunt u niet beter van plaats ruilen?'

Dat vrolijkte Evert flink op, maar de vrouw keek ons alleen maar argwanend en niet-begrijpend aan.

'Mijn vriend bedoelt dat jouw ingegroeide teennagel eigenlijk veel erger is dan de openhartoperatie van je man en dat jij dus beter in zijn bed kunt gaan liggen,' zei Evert zonder een spier te vertrekken.

'Bemoei u met uw eigen zaken.'

Na de bus die vastzat onder het finishdoek is de Tour ontsnapt aan een nog grotere ramp. In een herhaling op tv lieten ze zien dat er, aan het eind van de derde etappe, een klein wit hondje, het tweelingbroertje van Bobby van Kuifje, vlak voor het aanstormende peloton de straat overstak. Als het hondje aan flarden was gereden had de Tour in ons huis opeens op massale belangstelling kunnen rekenen, vooral van de dames. De botbreuken en hersenschuddingen van tientallen renners zouden niet opgewogen hebben tegen de dood van één schattig hondje. Met afgrijzen zouden de mensen keer op keer naar de herhalingen in slow motion hebben gekeken.

Donderdag 4 juli

Evert wordt volgens de prognoses om een uur of zeven vanavond wakker in de uitslaapkamer. Dat klinkt lieflijk: uitslaapkamer. Hij heeft toegezegd te bellen zodra hij daartoe in staat is. Dit wordt een lange dag.

Maarten van Roozendaal is overleden. Ik had nog nooit van hem gehoord. We zitten hier in een verre uithoek van de maatschappij waar niet alles doordringt. We zijn vooral goed in het rond laten gaan van oude koek.

Grietje leende mij een cd van Van Roozendaal. Ik moest naar 'Het te late einde' luisteren.

Nog nooit hoorde ik zo'n mooi liedje over oude mensen. Ik vroeg Grietje hoe zij er, als beginnend alzheimerpatiënt, naar luistert. 'Het is misschien gek maar het geeft me rust. Of beter gezegd: berusting. Maar wel met behoud van energie.'

Er staan nog meer prachtige liedjes op de cd. Wie schrijft voor Maarten *Het te vroege einde*?

De Egyptische president Morsi is afgezet na een staatsgreep door het leger. Nou ja, een staatsgreep... 'Het leger kiest ervoor zelf sturing te geven aan het transitieproces.' verklaarde onze minister van buitenland, Timmermans.

'Nee agent, ik heb niks gestolen. Ik heb er alleen voor gekozen zelf sturing te geven aan het proces van transitie van eigenaar.'

Ook onze directrice bezuinigt niet, maar begeleidt alleen transitieprocessen.

Vrijdag 5 juli

Vanmorgen om negen uur kwam het telefoontje van Evert. Zijn onderbeen is geamputeerd.

Schrijven lukt niet vandaag.

Zaterdag 6 juli

Ik moest mijzelf dwingen weer te gaan schrijven. Dat is goed voor me. Als ik iets aan het papier, of in dit geval de computer, heb toevertrouwd kan ik er een beetje afstand van nemen en word ik weer wat gezeglijker. Dat is voor de mensen die in mijn gezelschap verkeren ook prettiger.

Ik ben gistermiddag nogal geëmotioneerd bij Evert op bezoek geweest. Die was zelf al weer over de eerste klap heen. Hij vertelde wel dat hij donderdagavond flink aangeslagen was.

'Ik dacht, ik probeer even of ik mijn voet kan bewegen maar er was geen voet meer. Die ligt ergens bij het slachtafval. Ik had niet de moed je te bellen, Henk. Ik moest het eerst zelf even verwerken.'

Ik zei dat ik het begreep en dat ik daar al bang voor was toen ik niets hoorde.

Om te tonen dat hij al weer aardig de oude was, vroeg Evert zich even later af of moslims ook halal geopereerd moesten worden, dat wil zeggen onverdoofd.

Ik ben bang dat het niet bij een onderbeen zal blijven en dat bij mijn vriend nog een paar keer een stuk been of arm afsterft voordat onontkoombaar de rest aan de beurt is.

De kleine gebeurtenissen in dit huis, de gesprekjes aan de koffietafel, gaan langs me heen.

Ik steun een beetje op Eefje. Die blijft nuchter, sterk en tegelijkertijd lief en meevoelend. Ze beurt me op tijdens onze bijna dagelijkse wederzijdse bezoekjes. Ik begin meer dan gewoon gesteld op haar te raken.

Zondag 7 juli

Bijna niemand hier in huis gaat op vakantie. Of is het mét vakantie?

Zal ik eens voorzichtig de belangstelling peilen voor bijvoorbeeld een wijnreisje? (Niet te verwarren met een Rijnreisje. Bij dat laatste zie ik in gedachte een bonte karavaan zieken en behoeftigen de loopplank van de Henri Dunant op geduwd worden door blije begeleiders. Al kreeg ik geld toe!)

Het moet mogelijk zijn met een klein gezelschap een comfortabel busje te huren en bijvoorbeeld naar de Champagnestreek te rijden en daar een paar dagen in een mooi chateau te verblijven. Goed eten en drinken, een paar proeverijen, een verdwaalde kathedraal en geen oude zielige of zeurderige mensen om je heen. Het moet wel rolstoelvriendelijk zijn.

De gedachte aan vakantie kwam in me op omdat ik, na de ellende van de afgelopen dagen, behoefte heb aan iets positiefs. Ik ga eens bij Eefje polsen wat zij vindt van een korte vakantie met ons clubje.

Vanavond gaan we overleggen wat we voor Evert kunnen regelen. We, dat zijn: Grietje, Eefje, Graeme, Edward en ik. Ria en Antoine hebben kaartjes voor het theater. Het liefst waren ze voor onze vergadering thuisgebleven maar dat hebben we weten te verhinderen. Ria stond er wel op van tevoren wat hapjes af te leveren bij Edward. We hebben pro forma twee keer gezegd dat dat echt niet hoefde. 'Maar het zou natuurlijk wel lekker zijn,' liet Graeme zich precies op tijd ontvallen en toen was het een uitgemaakte zaak. Graeme grinnikte.

Maandag 8 juli

'U gaat goed vooruit,' had de dokter gezegd.

'Nou, met één been valt dat juist behoorlijk tegen!' had Evert geantwoord.

Ik was vanmorgen op ziekenbezoek. Evert verhuist over een paar dagen naar een revalidatiekliniek, voor een dag of tien. Als alles meezit mag hij daarna naar huis.

Het was een vruchtbaar overleg gisteravond. Er zijn een aantal nuttige praktische afspraken gemaakt.

Edward regelt een elektrische rolstoel. Eefje heeft goede contacten met de thuiszorg en zorgt voor hulp in de huishouding. Graeme zal de huisarts raadplegen over de te verlenen medische zorg. Grietje doet voorlopig zijn boodschappen. 'Wel een duidelijk lijstje maken hoor! Ik kan niet eens mijn eigen twee boodschappen onthouden.' Ria en Antoine zorgen voor zijn eten en ik bekommer me om de hond. Kijk, dat noem ik mantelzorg!

Een en ander voor de eerste dagen na zijn thuiskomst, zodat hij tijd heeft te bedenken hoe hij de problemen die een half been met zich meebrengt op kan lossen. Het uiteindelijke doel is dat hij aangeleund kan blijven wonen waar hij woont. We waren het eens: een verhuizing van Evert naar ons huis zou leiden tot oorlog tussen hem en een flink deel van de rest van de bewoners. Een duidelijke 'lose-lose'-situatie.

Onze maatregelen zijn niet overbodig. Anja meldde dat de aanleunwoning van Evert op een lijst is gezet van woningen die binnenkort vrijkomen. Wie dat had gedaan wist onze klokkenluider niet.

Dinsdag 9 juli

De Canta van mevrouw Groenteman is door een brommer met een vaartje van veertig vol in de flank geraakt. Ter verdediging van de jongen op de brommer moet gezegd worden dat Groenteman op de gewone weg reed en plotseling besloot via het zebrapad over te steken. Het is een klein wonder dat er geen gewonden zijn gevallen. Nou ja, de Canta is waarschijnlijk niet meer te redden. De brommerjongen was over de Canta heen gevlogen en had alleen een paar schrammen. Mevrouw Groenteman kermde alsof ze doodging maar uiteindelijk zat alleen haar haar in de war.

Het ooggetuigenverslag was van meneer Elroy (van de elandenkop) die er een smeuïge conference van maakte bij de thee.

Groenteman is van mening een ijzersterke zaak te hebben wat betreft de schuldvraag. 'Alles wat over het zebrapad oversteekt heeft voorrang,' beweerde ze stellig. Gelukkig is ze all risk verzekerd.

Veel bewoners zijn voor van alles en nog wat all risk verzekerd.

'Want je weet maar nooit...' Van alle premies die hier voor begrafenispolissen zijn betaald hadden we makkelijk een eigen middelgrote begraafplaats kunnen kopen.

Hoogbejaarden zijn in elk voertuig, zelfs al gaat dat niet harder dan vijf kilometer per uur, een gevaar op de weg. Of in de Albert Heijn. Zelfs al rijden ze in hun scootmobiel alsof ze een vrachtwagen met aanhanger op zaterdagmiddag door de Kalverstraat moeten loodsen. Schiet hun karretje warempel toch opeens vanzelf in zijn achteruit...

Maar dit alles weerhoudt me er toch niet van binnenkort in mijn eigen scootmobiel straten en pleinen onveilig te gaan maken!

Woensdag 10 juli

Een mevrouw de wethouder in Hengelo, maar het kan ook Almelo zijn geweest, is van mening dat de zorg voor hulpbehoevende ouderen best overgenomen kan worden door werklozen, met behoud van uitkering. Dan kunnen de beroepsverzorgsters de ww in.

Krijg je in plaats van een vakvrouw met diploma's een werkeloze bouwvakker om je onder de douche te doen en je kont te wassen. Daarmee zou een nieuw dieptepunt in het respect voor ouderen bereikt worden. Gelukkig vonden veel mensen de dame die dit met een uitgestreken gezicht voorstelde, wel héél dom. Maar als je 408 gemeenten in Nederland allemaal op hun eigen manier de zorg voor ouderen en hulpbehoevenden laat regelen vraag je om ongelukken, verspilling en ellende. Domme wethouders heb je overal.

De parlementaire enquêtecommissie kan vast worden samengesteld.

In Duitsland wordt in tientallen plaatsen een deel van de zorg voor behoeftigen, zoals boodschappen doen, warme maaltijden rondbrengen en vervoer regelen, geleverd door andere mensen in de *ruhestand*, de nog fitte gepensioneerden. Die laten zich uitbetalen in zorgtegoeduren die ze kunnen opnemen als ze later zelf hulp bij het een of ander behoeven. Daarvoor heb je dan wel steeds nieuwe jong-gepensioneerden nodig en dat kan nog wel eens een probleem worden gezien de schrikbarende vergrijzing die Duitsland tegemoet gaat.

Overigens: daarnaast blijven professionele verzorgers gewoon hun gespecialiseerde betaalde werk doen. Uiteraard!

Donderdag 11 juli

Ik ben vanmorgen met het busje naar het revalidatiecentrum gegaan om Evert te bezoeken. Hij leek het wel naar zijn zin te hebben. 'Je moet in elk geval flink aan de bak hier. Iedereen trouwens, alleen maar halve en hele invaliden om me heen hier. Maar om in wielertermen te blijven: de moraal is goed.'

De dokters en fysiotherapeuten hebben Evert beloofd dat hij hier met een dag of acht redelijk zelfstandig de deur uit gaat. Een mooi doel om na te streven en Evert doet erg zijn best. Hij vertelde me dat hij zichzelf op een streng rantsoen van vier illegale borrels per dag heeft gezet.

Hij mist zijn hond Mo. Ik heb de indruk dat dat wederzijds is, hoewel dat moeilijk valt op te maken uit de minimale inspanningen die Mo zich bij warm weer getroost om de dag door te komen. Nog nooit een hond zo hard horen kreunen als hij opstaat. Eenmaal buiten is 'sloffen' een woord dat nog te veel beweging suggereert. Dat was altijd al zo, maar het lijkt wel alsof Mo nu nog een tandje trager gaat. Ik moet regelmatig op hem wachten bij het uitlaten, dat wil wat zeggen.

Gisteravond hebben we vergaderd over de volgende clubuitjes. Uitstellen, tegen de uitdrukkelijke wens van Evert in, of gewoon door laten gaan, dat was de vraag. We hebben ervoor gekozen om ze door te laten gaan, ondanks het feit dat de animo wat minder is. We willen niet graag de woede van Evert over ons afroepen.

'Oké, maar als we gaan dan gaan we goed,' sprak Graeme, de eerstvolgende organisator, plechtig. Hij deed een beetje geheimzinnig en vroeg of we smetvrees hadden en of iedereen ingeënt was tegen tropische ziektes. Dat bracht al snel weer sfeer bij de Oudmaar-niet-dood-club.

Vrijdag 12 juli

Ik heb voorzichtig gepolst of er belangstelling is voor een kort zomerreisje met de club. Eerst bij mijn vriendin Eefje natuurlijk. Als zij het een hopeloze missie vindt hoef ik er verder geen energie in te stoppen. Maar ze was, na lang nadenken (waar ik nogal zenuwachtig van werd) enthousiast.

'Het is eigenlijk nooit bij me opgekomen, maar misschien is het wel een heel goed idee,' zei ze bedachtzaam. 'Ik laat het nog even indalen, Hendrik.'

Ik vroeg hoe lang 'even' was.

'Ik dacht aan twee dagdelen. Heb je nog zo veel tijd?'

Er rest ons nog maar weinig tijd, maar we hebben alle tijd.

We zouden haast moeten hebben maar er is bijna niets meer dat de moeite van het haasten nog waard is.

De zeer valse zusjes Slothouwer hebben quasi per ongeluk een vaas met chrysanten over mevrouw Van Diemen heen gekieperd. Edward zag het gebeuren en zweert dat ze het met opzet deden. De zusjes hebben een hekel aan Van Diemen. En aan iedereen die wel eens iets heeft gezegd van hun asociale gedrag. Ze hebben het vooral op de zwakkeren gemunt. Ze zijn gestoord en bloeddorstig. Er is een hoop gedoe omdat de wolf terug is in Nederland, maar hier lopen al jaren twee hyena's rond. De directrice ziet het met lede ogen aan. Er zijn niet veel machtsmiddelen tegen sadistisch gedrag. Je mag de dames Slothouwer bijvoorbeeld niet schoppen. Dan staat onmiddellijk de pers op de stoep: 'Bejaarde zussen (87 en 85) mishandeld!' Nooit de kop: 'Bejaarde zussen (87 en 85) VOLKOMEN TERECHT mishandeld!'

Zaterdag 13 juli

Ik ben gistermiddag bij mijn vrouw op bezoek geweest. De gesloten inrichting ligt in Brabant. Een reis van twee uur. Tijd om na te denken over hoe het was.

Ik weet niet zeker of ze me herkent, maar ik denk van wel. Het was mooi weer, we maakten arm in arm een klein wandelingetje in de prachtige tuin. Zoals altijd greep het me aan. Veel te zeggen valt er niet. Hoewel er nauwelijks contact mogelijk is, is er een diep gevoel van verbondenheid. Mooi en intens treurig tegelijk.

Zondag 14 juli

Met Evert gaat het naar omstandigheden goed. Hij revalideert voorspoedig. 'Ik ben pas drie keer gevallen.'

Hij leert met krukken lopen en intussen zijn ze voor hem een prothese aan het knutselen, maar die mag er pas onder worden geschroefd als de wond genezen is.

Naar eigen zeggen is hij ook bijna van de drank af. 'Ik drink eigenlijk alleen nog voor de gezelligheid.'

Toen ik gisteren bij hem op visite was vroeg hij of ik zin heb een weekje met hem mee te gaan naar Brabant. Zijn zoon heeft hem uitgenodigd de tweede week van augustus bij hem in Uden te komen logeren.

'Volgens mij is het een beetje een moetje,' zei Evert erbij. 'Hij voelt zich schuldig dat hij al jaren nauwelijks naar me omkijkt.'

Evert kan niet zo goed overweg met zijn meer dan keurige schoondochter en nu dacht hij dat als ik hem gedurende het weekje logeren gezelschap houd en een beetje de sfeer bewaak, het misschien best uit te houden is. Ik krijg een eigen kamer en de hond een eigen hok. 'Mijn schoondochter kan niet alleen goed poetsen, maar ook goed koken en als we voorzichtig aandringen trakteren ze ons ook nog wel op een dagje Efteling. Gaan we samen in de Python,' besloot hij zijn promopraatje.

Ik heb ja gezegd. Een week leek me wat lang dus we hebben er vijf dagen van gemaakt. Valt me toch zomaar een kleine vakantie in de schoot.

Maandag 15 juli

'90-plussers worden kraniger,' kopte *Trouw*. Nog kraniger? Jawel. Deens onderzoek.

Het betreft een verbeterde mentale en cognitieve staat, zeg maar het hoofd. Het lijf gaat er niet op vooruit. Een en ander vergeleken met twaalf jaar geleden. Als die ontwikkeling zich krachtig doorzet heb ik er nog wat aan over weer twaalf jaar. Er gloort weer hoop voor de 80-plusser.

Ik heb bij de andere leden van onze club geïnformeerd naar eventuele belangstelling voor een korte vakantie samen. De reacties waren enthousiast. Alleen Grietje houdt een slag om de arm. 'Ik laat het een beetje afhangen van de vorm van de dag,' zei ze 'want ik merk dat ik in een vreemde omgeving sneller gedesoriënteerd raak.'

Natuurlijk heb ik daar alle begrip voor. Grietje gaat tot nu toe als een elegante koorddanseres om met haar dementie. Ze omzeilt handig de gaten die op onverwachte momenten in haar geheugen vallen en ze verpakt haar onzekerheid in luchtige ironie. 'Nog wel,' zei ze, toen ik dit opmerkte.

Wat betreft ons vakantiereisje is er een voorkeur voor september. Goedkoper en rustiger. We blijven natuurlijk Hollandse bejaarden. En liefst niet te ver. Het bejaardenvakantieland bij uitstek, Luxemburg, is voorgesteld. Ook Maastricht is genoemd. 'Moeten we wel even controleren of André Rieu ver genoeg uit de buurt is,' zei Eefje. Ben ik toch een beetje een slapjanus dat ik dan niet zeg dat ik daar eigenlijk wel eens naartoe zou willen.

Dinsdag 16 juli

'Het zal mijn tijd wel duren' is geen gewaagde uitspraak voor mensen van negentig die op hun kamertje zitten te wachten tot ze doodgaan.

Grote gebeurtenissen gaan aan velen voorbij. Alleen klein leed komt nog goed binnen. 'Er zullen wel minder mooie prijzen bij de bingo komen als Griekenland failliet gaat,' was de analyse van de eurocrisis van mevrouw Schouten.

Voor mensen die hun leven lang elk dubbeltje hebben omgedraaid is zoiets als de Amerikaanse overheidsschuld van tienduizend miljard dubbeltjes niet te bevatten. Voor andere mensen trouwens ook niet. Voor enkele tientallen miljarden is de honger de wereld uit en heeft iedereen schoon water. En de Amerikanen staan voor duizend miljard euro in het rood en lenen er regelmatig nog een miljardje of vijftig bij.

Ik heb me voorgenomen in het rood dood te gaan. Dat is nog niet zo eenvoudig. Er staat nog ongeveer achtduizend euro op mijn bankrekening maar ik weet natuurlijk niet hoe lang ik daarmee moet doen. Vooralsnog is mijn plan de Nederlandse economie aan te gaan jagen met een extra uitgave van duizend euro per jaar. Aan mij zal het niet liggen dat we maar niet uit de crisis komen.

Woensdag 17 juli

Je zit beneden aan de koffietafel, je bent een beetje zwaarmoedig en je hoort naast je: 'En toen ging ik naar de bakker maar ik was laat door de pedicure en ik vraag een half knip bruin gesneden, heb de bakker alleen nog panne bruin waar ik niet zo gek op ben, op die korst, maar je moet toch eten en normaal heb ik nog wel een paar zakjes met twee ingevroren boterhammen in de vriezer maar die had me kleinzoon opgegeten, alle zes boterhammen, eten dat die jongen kan...'

'Nou, anders die jongen van mij wel. Acht pannenkoeken en allemaal met stroop en dat moet stroop van Van Gilse zijn want die andere vindt ie niet zo lekker. Tjonge wat is het toch altijd benauwd hier.'

'Dat had je vroeger niet, een vriezer, wij moesten thuis altijd eerst het oude brood opeten en daardoor aten we eigenlijk altijd oud brood en nooit vers omdat mijn moeder altijd iets te veel brood kocht, voor je weet maar nooit, en pas als de schimmel erop stond mocht het naar de eendjes.'

Eindeloze stromen van nutteloze woorden die alles overwoekeren als verstikkend onkruid. Zonder nadenken. Zonder betekenis. Dwangmatig. Uitgesproken om de omgeving te laten weten dat de spreker nog niet is overleden en best nog wel wat te melden heeft. Of er iemand is die ernaar wil luisteren is een vraag die men zichzelf zelden stelt, anders zouden de mensen veel vaker hun mond houden.

Donderdag 18 juli

In een oude *Consumentengids* vond Edward een onderzoek naar de hygiëne in verpleegtehuizen. Er is medewerking gevraagd aan honderdeenentwintig van de ongeveer driehonderd tehuizen. De helft, waaronder ons huis, weigerde aan het onderzoek mee te werken. Uiteindelijk zijn zevenendertig tehuizen bezocht. Resultaat: achttien onvoldoendes, elf zesjes, acht zevens en geen een 'goed'. Zouden ze zo streng gecontroleerd hebben of is de boel zo smerig? De weigeraars zouden het er waarschijnlijk niet beter van af hebben gebracht.

Ik heb Anja gevraagd of ze de brief van de directie aan de Consumentenbond met de argumenten om niet mee te werken, boven water kan krijgen.

Wij hebben hier over het algemeen schoonmakers die zwijgend door de gangen zwabberen omdat ze niet of nauwelijks Nederlands spreken. Ze kunnen wel heel vriendelijk knikken. Erg kwiek zien ze er meestal niet uit. Laten we zeggen dat ze zich goed aan het tempo van de bewoners aanpassen. Ik schat: middelmatige schoonmaak voor het minimumloon. Af en toe is er iemand die erbovenuit steekt. Die blijft meestal niet lang. Weggekocht door de concurrent of weggepest door de collega's die niet van uitslovers houden.

Maandag is er weer een uitje van de club, georganiseerd door Graeme. Evert heeft gevraagd of we een kaartje willen sturen. Ik heb vast een postzegel gekocht.

Vrijdag 19 juli

Mevrouw De Koning, mijn stille, schuchtere buurvrouw, kwam vanmorgen met een klassiek probleem aanzetten: een cassetterecorder die het bandje had opgegeten. Ze keek schichtig om zich heen, alsof ze me heroïne wilde verkopen, en gaf me het apparaat in handen. Ze moet ten einde raad zijn geweest, want in de twee jaar dat ze er woont heeft ze me nog nooit iets gevraagd. 'Het is nog wel het bandje waar mijn overleden man op staat,' zei ze.

Ik heb het bandje eruit gepeuterd en daarna met een potlood in het gaatje van de cassette weer opgewonden. Ze bedankte me zeven keer en liep buigend achteruit de deur uit.

Van onze advocaat Victor kreeg ik een kopie van een brief van de raad van bestuur. Victor kwam hem persoonlijk brengen. De raad kan, om zwaarwegende redenen de privacy betreffende, tot haar spijt niet overgaan tot openbaarmaking van de gevraagde stukken. En of we de zaak verder willen bespreken met de advocaat van de stichting. Victor verzoekt om overleg over de volgende stap.

Eefje en ik hebben woensdag aanstaande een afspraak met hem.

Zaterdag 20 juli

Voor de eerste keer sinds ik het dagboek begonnen ben, heb ik een writer's block.

Zondag 21 juli

Er zijn enkele bewoners met de onhebbelijke gewoonte om bij de koffie te klagen over hun stoelgang. Bij voorkeur op zondag als er extra veel mensen beneden komen. Dan krijgt iedereen van het huis een plakje cake aangeboden. Ik weet uit betrouwbare bron dat het hier Aldi-cake betreft die negentig cent kost en, opdracht van het afdelingshoofd, in ten minste vijftien plakken gesneden moet worden, zodat ons een geschenk wordt aangeboden van zes cent per persoon.

En dan wordt zo'n miezerig plakje cake omstandig en met veel misbaar geweigerd met de mededeling: 'Ik ben namelijk al vier dagen niet naar de wc geweest!' Of juist afgeslagen met als argument: 'Ik heb de halve ochtend op de wc gezeten, ik loop helemaal leeg.'

DAT WIL IK ALLEMAAL NIET WETEN!

Bespreek dat lekker met je huisarts of ga naar de poeppoli (die schijnt te bestaan), maar kom niet bij mij aan met je strontverhalen als ik net een plakje cake zit te eten, want dan heb ik namelijk geen trek meer in cake!

Die wonderlijke schaamteloosheid die veel oude mensen hebben... En dat gekoppeld aan de vreemde veronderstelling dat mensen oprecht geïnteresseerd zouden zijn in andermans geklaag en gesteun.

Kleine kinderen lopen te koop met hun buikpijn en geschaafde knieën opdat moeders met glaasjes warme melk en pleisters aan komen zetten, maar het eeuwige gezeur van bejaarden is volstrekt nutteloos en onverdraaglijk.

Morgen een dagje uit met de onvolprezen Oud-maar-niet-dood-club.

Maandag 22 juli

Het Tour de France-gat wordt vanmiddag opgevuld door Graeme. Hij is de organisator van ons clubdagje uit. 'Dagje uit' klinkt een beetje truttig maar het zijn, gegeven onze gemiddelde leeftijd van 82,5 jaar, behoorlijk enerverende dagen.

De halfjaarlijkse uitstapjes onder regie van de bewonerscommissie hebben eigenlijk als doel om, bij wijze van verrassing, ergens anders koffie te drinken (10.30 uur), te lunchen (12.30 uur) en thee te drinken (15.30 uur) en tussendoor in een bus te zitten. Net als een doorsnee dag in het tehuis. Alle resterende tijd is nodig om vijfenveertig bejaarden vier keer in en uit een bus te laden en drie keer allemaal het invalidentoilet van een wegrestaurant te laten bezoeken.

De laatste twee dagjes uit van het huis heb ik me ziek gemeld. De tweede keer werd dat zeer argwanend ontvangen. 'Alweer? Precies vandaag?'

Een keer is toeval, twee keer is boos opzet. Bij drie keer ben je een paria. Ik moet zeker weer twee keer mee.

Hoe anders zijn de feestelijke uitstapjes van de Oud-maar-niet-dood-club. Actief tot je erbij neervalt, met (niets menselijks is ons vreemd), op gezette tijden koffie, brood en wijn.

Dinsdag 23 juli

Gelukkig was het gezellig, excuseert u mij de gemeenplaats. Ik was vooraf bang dat de afwezigheid van Evert als een schaduw boven de dag zou hangen maar dat viel erg mee.

Het was een dagje Artis met als emotioneel hoogtepunt een babygorilla die na een mislukte handstand in de fruitsalade van zijn moeder terechtkwam.

Graeme was op vooronderzoek geweest en had een speurtocht uitgezet met geestige opdrachten. Prijsuitreiking bij de borrel. Ria kreeg de poedelprijs omdat ze er met haar schatting van het gewicht van de olifant 2700 kilo naast zat. Het was een tweedehands personenweegschaal. Die kijkt ook niet op een kilootje meer of minder.

We hebben Evert gebeld om te zeggen dat we hem misten. Hij gaf per telefoon een rondje.

En Graeme had drie gebruiksvriendelijke digitale fotocamera's meegenomen voor een fotosafari. Ik moest met Edward bijvoorbeeld een serie 'konten' maken. Anderen moesten de dieren fotograferen die het meest leken op de leden van ons gezelschap.

Graeme heeft voor de volgende ledenvergadering een gelikte PowerPoint presentatie toegezegd. Hoezo niet met onze tijd mee?

Elf uur de deur uit en om vijf uur weer thuis. Ik was kapot. We hadden wel twee rolstoelen geregeld waar ik regelmatig in mocht zitten maar ik heb voor mijn doen ook heel veel gelopen, op het laatst van bankje naar bankje. We hebben maar twee betrouwbare rolstoelduwers, Antoine en Graeme. Alle anderen zijn beter in geduwd worden.

Woensdag 24 juli

De warmte eist zijn tol in ons tehuis: drie doden in twee dagen. HITTEGOLF ZORGT VOOR KAALSLAG ONDER BEJAARDEN. Mooie krantenkop. Zelf bedacht.

Het lijkt erop dat wij oudjes van de lome warmte gebruikmaken om er zachtjes tussenuit te knijpen. Rustig de kist in doezelen. De profetie die zichzelf in vervulling laat gaan.

Eefje en ik zijn vanochtend bij onze advocaat op bezoek geweest. Victor is ervan overtuigd dat het antwoord van de raad van bestuur vooral bedoeld is om tijd te winnen en ons op kosten te jagen. Om ons af te schrikken.

Hij krijgt er steeds meer plezier in en heeft als honorarium elke week een fles wijn uit een ander land bedongen. Naarmate het langer duurt moeten wij steeds onbekendere wijnlanden opsporen. Na een jaar mogen we opnieuw beginnen. 'Want,' zei Victor 'je moet niet gek opkijken als we hier twee jaar mee zoet zijn.'

Waarschijnlijk keken Eefje en ik toen heel bedenkelijk.

'Ik zal, met het oog op de gevorderde leeftijd van mijn cliënten, de grootst mogelijke spoed bedingen. Trouwens ook met het oog op de leeftijd van de advocaat zelf.'

Hij zou onmiddellijk beginnen met een brief aan de advocaat van het bestuur, en een gerechtelijke procedure starten.

En het hele gesprek dezelfde kouwe kakstem uit een slecht toneelstuk.

We mogen hem steeds meer.

Donderdag 25 juli

Grote ophef: het gerucht gaat dat meneer Vergeer met rolstoel en al door zijn vrouw van de trap af is geduwd. Hij ligt met diverse gebroken botten in het ziekenhuis en mevrouw Vergeer is meerdere keren ondervraagd door de directrice in hoogsteigen persoon. Zou dit nog in de doofpot passen?

Kennelijk hebben twee mensen gezien dat mevrouw Vergeer het expres deed. Zijzelf beweert dat de handvatten losschoten. Die schijnt ze inderdaad nog in haar handen gehad te hebben terwijl de rest van de stoel tien treden lager lag. Tegen haar pleit dat er geen enkele reden was om recht op de trap af te gaan, tenzij om hem bang te maken. Wat te billijken valt, want mijnheer Vergeer doet altijd heel onaardig tegen zijn vrouw. Hij spreekt uitsluitend in geblafte commando's. Zij verzorgt hem desondanks al jaren met liefde, geduld en toewijding. Eigenlijk had hij al veel eerder van de trap geduwd moeten worden.

Ben benieuwd of dit uit de krant gehouden kan worden. Een telefoontje naar *Het Parool* is genoeg.

Er wordt indringend op ons ingepraat om er, 'in het belang van alle bewoners' niet over te praten. Voor vragen kunnen we terecht bij de directrice.

Omdat mijn sympathie bij de mogelijke dader ligt zeg ik niets over deze wonderlijke rechtsgang, maar het is natuurlijk schandalig dat er hier bewoners straffeloos van de trap geduwd kunnen worden omdat de directrice bang is voor negatieve publiciteit.

Ik heb besloten voorlopig te geloven in een ongelukje. Mevrouw Vergeer achter de tralies kan altijd nog.

Vrijdag 26 juli

Evert is vanmorgen thuisgekomen. Het was een vrolijke bedoening met taart en slingers. Ter verhoging van de feestvreugde demonstreerde hij het welkomstcomité hoe zijn nieuwe onderbeen aan- en afgeschroefd moet worden. Evert deed het met niet-gespeelde trots, maar een paar van onze clubleden moesten toch even de andere kant op kijken.

Hij was verder bijzonder te spreken over de maatregelen die de Oud-maar-niet-dood-club getroffen heeft om zijn leven als nieuw-invalide de eerste twee weken te vereenvoudigen.

'En na die twee weken allemaal weer opgedonderd, want dan regel ik mijn eigen zaakjes weer.' Hij trok een goeie fles wijn open en toostte met ons op zijn nieuwe been. Met heel veel ijs erin is witte wijn goed te drinken als frisdrank. Het was tenslotte nog geen twaalf uur.

De val van meneer Vergeer van de trap zorgt nog steeds voor discussie: heeft zijn vrouw hem nou wel of niet een handje geholpen bij de afdaling richting ziekenhuis? De officiële lezing van de directie is dat mevrouw Vergeer, enigszins in de war door de hitte, een stuurfout heeft gemaakt maar dat de losse handvatten de oorzaak zijn van dit betreurenswaardige ongeval. De getuigen die zeggen dat mevrouw Vergeer het expres deed mompelen dat ze zich misschien hebben vergist.

'Ja, ja, een fata morgana zeker vanwege de hittegolf,' kon Bakker niet nalaten op te merken.

Ik zou eigenlijk een scootmobiel gaan kopen maar dat is er in alle commotie niet van gekomen. Morgen dan maar.

Zaterdag 27 juli

Het is geworden: de Élégance 4. Stabiel, comfortabel, kleine draaicirkel en in een mooie kleur rood. Ziedaar het resultaat van mijn bezoek aan de scootmobielenwinkel. Ik heb in drie verschillende bromstoelen een proefritje gemaakt. Afgevallen zijn de goedkope Capri, dat leek wel een speelgoedwagentje, en nog een andere waarvan ik de naam vergeten ben en die te duur was. Ik heb de meneer van de winkel verteld dat ik al jaren op een scootmobiel rijd, dat leek me beter voor zijn gemoedsrust toen hij me de proefritten liet maken.

Levertijd drie weken, dus ik kan pas na mijn korte vakantie met Evert de wijk onveilig gaan maken met mijn rode monster. Ik moet nog even informeren naar de verzekering. Vreemd dat de verkoper daar niets over heeft gezegd, dat is meestal geen goed teken.

Ik ga nog even bij meneer Hoogdalen langs om me te laten informeren over diverse accessoires, te leveren door zijn zoon de garagehouder. Ik verheug me op mijn herwonnen mobiliteit.

Grietje heeft, in het kader van de dementiebestrijding, samen met mij twee nieuwe briefjes gemaakt die ze bij zich zal dragen.

1. Wat te doen als ik de weg kwijt ben?
2. Wat te doen als ik niet precies meer weet wie iemand is?

Beide briefjes beginnen met: 'Neemt u mij niet kwalijk maar ik ben nogal vergeetachtig...'

Zondag 28 juli

Ik stel voor dat de brandweer bij een aanhoudende hittegolf overgaat tot het nathouden van bejaarden. Niet alleen is het geklaag over de warmte net zo onverdraaglijk geworden als de warmte zelf, maar ook is er weer een bewoner overleden, de vierde in een week.

Een record voor zover ik weet. Ook deze keer betrof het gelukkig een vage kennis zonder begrafenisverplichting.

Het gebouw is ongeveer veertig jaar oud en behalve zonneschermen zijn er bij de bouw geen voorzieningen getroffen om de bewoners koel te houden. 'Oudjes hebben het toch altijd koud,' zal de architect hebben gedacht. Het dreigt nu in het gebouw soms warmer dan dertig graden te worden. Er worden draagbare airco's aangeschaft en ventilatoren geplaatst om ons in leven te houden, maar het effect op de temperatuur is vooralsnog klein.

Mijn vriendin in het hol van de leeuw laat weten dat de directrice bang is dat we met onze sterftecijfers de krant gaan halen als dit zo doorgaat. En voor het eind van de week zijn temperaturen boven de dertig voorspeld.

Maandag 29 juli

Leeftijdsgenoot Rita Reys is dood. Ik heb net een onderzoekje gehouden: iedereen kent haar, maar niemand die ooit een plaat van haar draaide. Dibidoebidoeba, dadadibadoe.

Er wordt veel geklaagd over het eten. Nog meer dan normaal. De nieuwe kok lijkt voor iedereen zoutloos te koken en hij heeft veel mededogen met mensen zonder gebit: hij kookt gaarder dan gaar. Alles kan met een rietje gegeten worden. Onze gaarkeuken wordt steeds vaker ingeruild voor kant-en-klaar magnetronmaaltijden van AH.

Het probleem is dat niemand de leiding durft te nemen van een opstand tegen de keuken en de kans dat iemand, bij wijze van protest, zichzelf in brand steekt is verwaarloosbaar klein, al is het maar omdat de meesten te veel trillen om een lucifer aangestreken te krijgen.

Ik heb het er met een paar vrienden van de club over gehad of wij een brief zouden moeten sturen over het eten maar we hebben besloten eerst 'de anderen' een kans te geven zich te onderscheiden. We zullen de grootste klagers op deze mogelijkheid wijzen.

Wij hebben twee bewoners, meneer Graftdijk en mevrouw Delporte, die aandelen hebben. Veel zal het niet zijn, anders zaten ze niet hier, maar ze doen er altijd heel gewichtig over. Ze hebben samen een abonnement op *Het Financiele Dagblad* en zoeken daarin naar aanwijzingen voor aandelen die zullen stijgen als raketten. Wordt er verlies geleden dan is het domme pech, winst is te danken aan hun superieure inzicht in de markt. Het bericht dat een aap in het verleden net zulke goede beleggingsresultaten heeft gehaald als een beursexpert zonder voorkennis kwam hard aan. 'Die aap heeft geluk gehad,' zei Graftdijk zuur.

Dinsdag 30 juli

Tweeduizend spoedopnames per jaar na ongelukken met scootmobielen. Eefje kwam een krantenberichtje met de harde cijfers langsbrengen nadat ik haar trots had verteld over de aanschaf van de Élégance 4, de Saab onder de scootmobielen. Het merendeel van de ongelukken vindt plaats zonder directe tegenstander of je moet een stoeprand daartoe rekenen. Daar wordt heel wat van afgekukeld.

Vorig jaar waren er in Nederland naar schatting 350.000 scootmobielen dus dan valt het aantal van tweeduizend ziekenhuisopnames me nog reuze mee, gelet op de gênante onkunde die gemotoriseerde bejaarden tentoonspreiden. Vergissen is menselijk, maar gasgeven en remmen moet toch te leren zijn zonder ze door elkaar te halen. Ik ben voorstander van een verplicht rijbewijs. Een deel van het examen zou afgelegd moeten worden in een drukke supermarkt.

Ik ben zelf een handige chauffeur, al zeg ik het zelf. Ooit een jaar op een vorkheftruck gereden. Hele wedstrijden mee gedaan met collega's. Het is weliswaar lang geleden maar het gevoel is er nog. Tijdens mijn proefritjes heb ik wel gemerkt dat er vaak met veel minachting wordt gekeken naar onze bromstoelen. Ik heb daar begrip voor.

In het Kruidvat had een heel dikke, nog niet zo oude mevrouw zich met haar scootmobiel muurvast klemgereden in de toegang tot de kassa. Ze kon niet meer voor- of achteruit. Het was uiteraard niet haar schuld dat ze het grote bord 'brede doorgang' iets verderop had genegeerd.

Woensdag 31 juli

Enkele jaren geleden heeft een Belgisch echtpaar gezamenlijk euthanasie gepleegd. Hij (83) had terminale kanker en zij (78) had ernstige ouderdomskwalen en geen zin om alleen verder te leven. Hand in hand zijn ze eruit gestapt. Het heeft iets romantisch.

Het openbaar ministerie is destijds nog wel een onderzoek gestart om erachter te komen wie deze twee oude geliefden had geholpen zacht in te slapen. Ik geloof niet dat ze een verdachte van deze daad van naastenliefde hebben gevonden.

Ik moest daaraan denken toen ik las dat, eveneens in België, een oud echtpaar samen van de trap is gevallen. Allebei dood, dat is toch tamelijk toevallig. En waarschijnlijk zo veel beter dan dat er één treurend achterblijft met een gebroken heup en een schedelbasisfractuur. Nog jaren aanmodderend, tot de zoete dood hem of haar komt halen.

Ik heb zelf hier en daar wel eens geïnformeerd hoe je op eenvoudige wijze en zonder rommel achter te laten uit het leven kunt stappen. Steeds onder de nadrukkelijke verzekering dat ik geen plannen heb in die richting, maar dat het is 'voor het geval dat...' Het resultaat was steeds: veel angstige blikken, weinig handige tips. Wat me eraan herinnert dat ik het er met mijn geriater over moet hebben.

Donderdag 1 augustus

Evert koketteert regelmatig met zijn prothese en maakt een hele show van het aan- en afschroeven van zijn kunstbeen.

'Hij knelt een beetje, ik leg hem even ter ruste,' en dan legt hij zijn halve plastic been midden op tafel tussen de bokkenpootjes.

Na diverse aanmaningen van het personeel is de directrice persoonlijk komen meedelen dat zijn been er in de recreatiezaal aan moet blijven zitten.

'Zo, moet dat? Staat dat ergens? In een reglement of zo?'

Stelwagen aarzelde even of ze zou reageren, keek hem toen onbewogen aan en liep weg. Als tacticus is ze niet te onderschatten. Ze maakt weinig fouten en haar timing is erg goed. Ze laat nooit haar kaarten zien, toont weinig emotie en laat anderen het vuile werk doen. Ik heb nog geen zwakke plekken kunnen ontdekken.

Anja heeft me vanmorgen een stapel papieren overhandigd. Onze eigen Wikileaks. Ik ga een en ander vanmiddag eens doorkijken. Voor nadere bestudering neem ik ze mee naar Uden.

Vanavond klaverjassen met Evert. Hij heeft een uitgebreid systeem van seinen uitgewerkt om aan te geven welke kleur troef moet worden gemaakt. 'Alleen in geval van nood en bij bepaalde tegenstanders hoor,' voegde hij er vergoelijkend aan toe. Mijn brave inborst verzet zich ertegen, maar ik wil een uitzondering maken als we tegen meneer Bakker of mevrouw Pot spelen en dreigen te verliezen. Principes moet je soms, omwille van een hogere rechtvaardigheid, overboord kunnen zetten.

Vrijdag 2 augustus

De gelekte geheime stukken zijn niet wereldschokkend, zo op het eerste gezicht. Helaas. Een paar aardige details zullen er niettemin wel boven water komen bij nadere bestudering.

Onze spion heeft aangeleverd:

1. De notulen van de laatste vijf bestuursvergaderingen
2. Het huishoudelijk reglement
3. Een stapeltje interne memo's
4. Het protocol bij het overlijden van bewoners
5. Voorschriften aan het personeel

Ik heb Eefje een setje kopieën gebracht. Ik voelde me bij het kopiëren bij Albert Heijn van alle kanten bekeken en liet van de zenuwen voortdurend papieren vallen. Ik zou een beroerde spion zijn.

Ik weet niet zo goed wat we aanmoeten met onze advocaat die probeert langs officiële weg stukken te krijgen die we nu via 'een betrouwbare bron' al illegaal in ons bezit hebben.

Met klaverjassen zijn Evert en ik in de achterhoede geëindigd en dat is maar beter ook. Wij zijn al niet bijster populair en met het winnen van klaverjastoernooien maak je geen vrienden. De kinderachtige jaloezie over van alles en nog wat neemt bij sommige oudjes ziekelijke proporties aan. Men gunt elkaar het licht in de ogen niet, laat staan de eerste prijs bij het kaarten, ook al is dat onveranderlijk een leverworst.

Het motto van dit groepje afgunstigen lijkt te zijn: 'Hoe maak ik het mezelf zo moeilijk mogelijk?' Alsof alleen hoogbejaard zijn al niet genoeg ellende met zich meebrengt.

Zaterdag 3 augustus

Net als vroeger ben ik een beetje zenuwachtig voor mijn logeerpartijtje. Ik ben twaalf jaar niet op vakantie geweest.

In mijn weekendtas uit de jaren zeventig stond een zwartgrijze schimmel, vermoedelijk ook uit de jaren zeventig. Hoogste tijd om met mijn tijd mee te gaan: een nieuwe koffertje op wieltjes staat gepakt bij de voordeur. Een mooi stevig exemplaar waar je ook op kunt zitten in geval van vermoeide voeten.

Jan, de zoon van Evert, komt ons over een uurtje ophalen en dan gaat de reis naar Brabant. Volgens Evert heeft Jan er zin in en staat zijn schoondochter Ester al drie dagen strak van de stress vanwege de komst van haar twee stokoude logeetjes. 'Ik denk dat ze een klein weekje nodig heeft om een beetje te wennen aan onze aanwezigheid, dus ongeveer tot we weer weggaan.'

Ik voelde me bij voorbaat wat bezwaard daarover, maar dat was volgens Evert nergens voor nodig. 'Die windt zich altijd wel ergens over op; is het niet over ons dan is het wel over de kat van de buren.'

In dit geval misschien over ons én over de kat van de buren, want Mo gaat ook mee en die heeft een hekel aan katten.

Ik ga nu voor de laatste keer bedenken wat ik vergeten zou kunnen zijn.

Ik meld mij weer op vrijdag 9 augustus, onvoorziene gebeurtenissen daargelaten.

Vrijdag 9 augustus

Uden, je moet er geweest zijn! Het was leuk. Een aangename onderbreking van de slome regelmaat. Maar ik ben ook blij dat ik weer thuis ben. De gehechtheid aan het kleine rustige wereldje van een verzorgingshuis is groter dan ik dacht, moet ik tot mijn spijt bekennen. Met het stijgen der jaren daalt het vermogen soepel mee te buigen met de omstandigheden. Ik meende flexibeler van geest te zijn. Al na vijf dagen ga ik terugverlangen naar een klein kamertje in een huis vol oude mensen. Ik troost me maar met de gedachte dat ik iets minder versteend ben dan de gemiddelde huisgenoot.

Jan, de zoon van Evert, lijkt sprekend op zijn vader. Hartstikke leuke vent. Maar na een dag of vijf komt er toch een moment dat je denkt: één Evert is eigenlijk wel vermoeiend genoeg. Gelukkig was het toen net zo'n beetje tijd om gedag te zeggen.

We hebben veel gelachen, zijn elke dag wel ergens naartoe geweest, hebben gekaart, geminigolft, gemonopolyd en de puberdochter en puberzoon hebben ons de eerste beginselen van het gamen en de Wii bijgebracht. Er is een wereld voor me opengegaan. Jammer genoeg is die per vandaag weer gesloten.

Ester, de vrouw van Jan, vreesde vooraf een moeilijk weekje. Haar lompe man en haar lompe schoonvader samen in haar brave, degelijke en brandschone huis leek een te zware opgave. Mijn rol, zo was de afspraak met Evert, was om haar enigszins te ontdooien. Dat is gelukt. Het kostte me weinig moeite om, naast twee ongelikte beren, de charmante, complimenteuze en beschaafde oude heer uit te hangen.

'Nu moet je ophouden, ouwe slijmbal,' fluisterde Evert me een paar keer toe, 'anders ga ik overgeven!'

Zaterdag 10 augustus

Ik heb een uitje bedacht voor de club: een golfclinic. Golfen schijnt een sport te zijn die zeer geschikt is voor ouderen, al vraag ik me af of dat ook geldt voor hoogbejaarden. Ik denk eigenlijk van niet, maar minigolf leek me een beetje beneden onze waardigheid.

Vanochtend heb ik gebeld met de golfbaan hier ter plaatse. Ik heb uitgelegd wie we zijn en wat we willen: een middag plezier met een vleugje uitdaging. De mevrouw aan de telefoon hoorde mij welwillend aan en zou iets voor me gaan regelen. Ik schrok wel een beetje van de prijs: € 55,- per persoon, met koffie en cake, maar nog zonder wijn en bitterballen. 'Dat is geen enkel probleem,' hoorde ik mezelf niettemin zeggen. Ik ben niet goed in afdingen. Ik durf er nooit aan te beginnen.

Voor dat geld zijn we drie uur onder de pannen, met uitleg, oefenen en een klein potje spelen op de beginnersbaan. Het lijkt me leuk genoeg om er wat eigen geld in te steken zodat het voor de leden betaalbaar blijft. Mijn potje voor calamiteiten, met daarin ongeveer vijfduizend euro, gaan we zo zoetjesaan maar eens aanspreken.

Ik zit wel een beetje in mijn maag met Evert, maar de vrouw aan de telefoon zei dat er wel vaker invaliden golfen. Ze zou twee karretjes voor ons reserveren. Voor dertig euro.

Ik heb besproken voor 14 september.

Zondag 11 augustus

Morgen ga ik mijn gloednieuwe rode scootmobiel ophalen. Ik ben opgewonden als een kleine jongen.

Grietje kwam gisteren aanzetten met een grote bos bloemen en een boekenbon. Toen ik vroeg waar ik dat aan had verdiend hield zij mij een boekje voor over dementie waar ze een zin in had onderstreept: 'Door de ziekte heeft iemand met dementie nauwelijks oog voor alles wat u voor hem of haar doet.'

'Ik bedank je vast vooraf.'

'Dat had toch niet gehoeven.'

'Nee, dat had niet gehoeven maar ik doe het toch.'

Ik was ontroerd.

Het boekje *Zorgen over alzheimer* mocht ik ook houden. Ik heb het gelezen en er nog een paar nuttige tips uit gehaald.

Grietje heeft aan meer mensen een cadeautje gegeven. Daar ben ik bij de thee met Eefje achter gekomen.

Onze theekransjes zijn aangename momenten. Zonder pretenties: thee, iets lekkers, koetjes en kalfjes en soms een diepgaander gesprek. Een andere keer laten we elkaar muziek horen of bespreken we een boek of dvd. We genieten van elkaars gezelschap.

Maandag 12 augustus

Ik heb net mijn nieuwe scoot opgehaald en ben ermee naar huis gereden. Blij als een kind met zijn nieuwe fiets. Hij rijdt heerlijk. Ik heb in het park alles op mijn gemak uitgeprobeerd. Stoepje op, stoepje af, scherpe bocht links, scherpe bocht rechts. Optrekken, remmen. Stukje over het gras, stukje door de modder. Maandagmorgen, dus er was geen kip. Hij gaat al redelijk hard, maar ik wil hem toch een beetje op laten voeren. Volgens onze scoot-expert hier, meneer Hoogdalen, is dat eenvoudig te doen. Ik heb met hem afgesproken volgende week naar de garage van zijn zoon te rijden; die is in Oost.

Ik ben in kranten en op internet ideeën aan het opdoen voor ouderenreizen. Het aanbod is groot. *Ouderenreizen op niveau* organiseert een twaalfdaagse busreis naar Zwitserland voor € 2000,-. Dat niveau slaat zeker op de prijs. Het moet korter en goedkoper. Ik zal de komende weken eens informeren wat een luxe negenpersoonsbusje met chauffeur kost voor vijf dagen. Dan hoef ik verder alleen nog een mooi en aantrekkelijk geprijsd hotel in de Champagnestreek te vinden, en de eerste reis van Omanido kan van start.
Ik zal Eefje vragen als medeorganisator.
Leuke vooruitzichten zijn belangrijk voor de levenslust.

Dinsdag 13 augustus

Bij koninklijk leed of koninklijke blijdschap kleurt ons huis altijd fel oranje. Het overlijden van Friso zorgt voor veel welgemeend verdriet onder de bewoners, waar opluchting toch meer voor de hand zou liggen. Je gunt niemand jarenlang verder te moeten leven met iemand die zo goed als dood is.

Ik ben vanmorgen naar de geriater geweest. Ik heb geïnformeerd naar de symptomen van alzheimer en wat eraan te doen valt. Het antwoord op de laatste vraag is weinig bemoedigend: bijna niets.

De dokter meldde dat het volgens hem bij mij nog niet zo'n vaart liep en ik legde uit dat ik informeerde in verband met een goede vriendin. Hij suggereerde de maatregelen die wij in grote lijnen inmiddels al hebben genomen. Dat stemt tot enige tevredenheid.

Daarna heeft hij mij onderzocht en geconcludeerd dat het verval er bij mij 'een acceptabel tempo op na houdt'.

'Wat is acceptabel?' vroeg ik.

'Nou, een rustig afglijdende schaal, waarbij de kwaliteit van leven vermoedelijk nog wel een paar jaar voldoende is.'

Hij raadde me daarna opnieuw aan luiers te gaan dragen.

Ik vroeg hem wat hij vond van de kwaliteit van leven van de luierdragende bejaarde.

Hij kende mensen die ondanks hun luier 'best wel' gelukkig waren.

Daarna controleerde hij diverse versleten gewrichten ('niet veel aan te doen') en tot slot werden de medicijnen doorgenomen en hier en daar bijgesteld.

Ik informeerde, na drie keer slikken, hoe hij stond tegenover euthanasie.

Hij meldde dat hij geen tegenstander was, maar daar niet mee te koop liep.

'Maar kan ik rekenen op uw medewerking als ik u weloverwogen vraag er een einde aan te maken?' Zo, de vraag was eruit.

Hij wachtte even en knikte bedachtzaam.

Het bleef even stil. Toen stelde hij voor er een volgende keer uitgebreider over te spreken. 'Dit zijn zaken die meer tijd vragen.'

Ben ik nog vergeten te vragen hoe oudjes reageren op cocaïne. Ik zou het wel eens willen proberen.

Woensdag 14 augustus

In Kootstertille is een bejaarde met zijn scootmobiel in het Prinses Margrietkanaal gereden en verdronken. Laat dat een waarschuwing zijn, Groen! Denk niet dat je Nikki Lauda bent en dat je altijd op standje 'haas' kunt rondscheuren.

Ik heb gistermiddag een ritje door Noord gemaakt in mijn nieuwe Ferrari. Stukken van mijn stadsdeel gezien waar ik in geen jaren was geweest. Het is een verademing om niet meer alleen de beperkte wandelactieradius te hebben of gebonden te zijn aan het busje. Ik had dit een paar jaar eerder moeten doen. Wel goed opletten, want het gevaar kan van alle kanten komen maar toch vooral van brommers en fietsers. Van auto's heb je vreemd genoeg minder te duchten en wandelaars kan ik wel hebben. Maar jeugd op brommers en fietsen moet je in de gaten houden, want die denken koning van het fietspad te zijn. Het misnoegen over scootmobielen straalt hun uit de brutale ogen.

Ik moet wel snel goede regenkleding kopen, want gisteren stond ik een kwartier onder een fietstunneltje omdat ik in een enkel zomerjasje vertrokken was en er een stevige bui viel. Dan is het zaak de rust te bewaren en je niet na vijf minuten alsnog drijfnat te laten regenen omdat je het geduld niet kunt opbrengen langer te wachten.

Je ziet het fenomeen ook bij oversteken: eerst bij de minste twijfel rustig wachten op alles en iedereen en dan, als het te lang duurt, uit ongeduld oversteken net wanneer het wel gevaarlijk is.

Donderdag 15 augustus

Er is in ons huis een OPA geboren.

'DE ouderen dreigen de dupen te worden van de bezuinigingen die landenlijk overal in de zorg worden opgelegt aan de lokalen uitvoerenden instantie's. Vandaar deze oprichting in ons huis va een afdeling van de Ouderen Partij Amsterdam om optekomen voor onze plaatsenlijke belangen.'

Als het aantal schrijffouten een afspiegeling is van de kwaliteit van deze partijafdeling kunnen we onze lol op.

De heren Krol en Nagel, van 50PLUS, voelen er niets voor om met hun partij mee te doen aan de gemeenteraadsverkiezingen van maart 2014. Zij zien de bui al hangen: een meute incapabele opportunistische opa's en oma's die straks onderling rollebollend door de raadszalen van Nederland gaan. Daar gaan zij hun partij niet voor lenen.

Speerpunt van onze OPA-afdeling: meer bankjes voor ouderen.

50PLUS kan een machtsfactor van belang worden. De partij kan rekenen op de steun van een grote groep boze kansarme 70-plussers. Zij zullen zorgen voor de macht van het getal. De kracht van bestuur en organisatie zal komen van de bestuurlijke elite die nu de touwtjes in handen heeft en tussen de vijftig en vijfenzestig jaar is. Een deel daarvan wil zich straks best wel bezighouden met belangenbehartiging van 50-plussers. Al is het maar uit verveling.

De mate van beschaving in een land is af te lezen aan de manier waarop het omgaat met zijn oude en zwakke bewoners. De domme en respectloze manier waarop in Nederland de zorg voor ouderen wordt afgebroken zorgt voor een vruchtbare bodem voor grijs populisme. We leven in een van de rijkste landen ter wereld maar keer op keer is de boodschap: de zorg wordt onbetaalbaar.

Vrijdag 16 augustus

Ik ben met mijn scootmobiel de bosjes in gereden.

Ik reed na het eten nog een rondje door het park en keek om me heen naar wel twintig konijnen die overal op de grasveldjes aan het avondmaal zaten. Toen ik weer voor me keek zat een babykonijntje nog geen meter voor mijn voorwiel. Ik moet nog aardig snel hebben gereageerd, want een seconde later zat ik met mijn hoofd klem tussen de takken. Ik heb eerst even gekeken of er geen resten konijn onder mijn wielen zaten en heb daarna voorzichtig mijn bromstoel achteruit de bosjes uit gemanoeuvreerd. Daarbij vriendelijk geholpen door een mooie dame op de fiets die erger geschrokken was dan ik.

Gisteren ook op de koffie geweest bij Anja op kantoor. Ze heeft het maar druk met het bijhouden van alle ontwikkelingen. Er wordt veel overlegd over de verbouwing van het huis. Het bestuur overweegt een deel van het verzorgingshuis om te bouwen tot verpleegafdeling, zeg maar onze groeimarkt. Ze heeft ook iets opgevangen over een forse verhoging van de representatiekosten van onze directrice. Terwijl die er toch al zo representatief uitziet met haar moderne pastelkleurige mantelpakjes.

Maandag is het volgende uitje van de club. Vertrek 13.00 uur. Vrijetijdskleding. Organisatrice van dienst: Eefje.

'Het is iets dat echt bij me past,' heeft ze als breinbrekertje mee gegeven.

Het wordt ook tijd dat er weer iets gebeurt.

Zaterdag 17 augustus

Vierenzestig procent van de ouderen vindt dat mensen het recht hebben hun leven op een humane manier te beëindigen als zij vinden dat het wel mooi geweest is. Veertien procent van de ouderen is van mening dat hun leven inderdaad voltooid is. Belangrijkste redenen om eruit te stappen zijn angst om dement te worden en angst voor steeds meer pijn en ellende. Onderzocht door omroep Max.

Dus statistisch gezien heeft ongeveer een op de zeven bewoners van dit huis er geen probleem mee als Magere Hein hem of haar komt halen. Als ik dan bij de koffie de kring eens rondkijk kan ik toch niet met zekerheid aanwijzen wie dat zouden zijn.

Er is een nieuwe huisregel ingevoerd: bewoners mogen niet meer met de trap tenzij ze daar toestemming voor hebben van het personeel. Vorige week is mevrouw Stuiver van de trap gevallen en heeft haar sleutelbeen gebroken, vandaar. (Ik dacht toen ik het hoorde: alleen maar haar sleutelbeen, dat valt reuze mee.)

Regels zijn er zogenaamd altijd voor onze eigen bestwil. Maar ze dienen natuurlijk vooral om risico's te vermijden en te voorkomen dat het huis later aangeklaagd wordt.

Mevrouw Stuiver had misschien beter de lift kunnen nemen, maar ze nam al vijf jaar elke dag vier trappen en bleef daar fit bij. En zolang mevrouw Stuiver niet dement is, moet ze dat zelf weten. Het personeel moet er alleen voor zorgen dat de trap niet bezaaid is met bananenschillen.

Zondag 18 augustus

Er is een protocol overlijden bewoners.

Daar staat onder andere in dat er geen mededelingen mogen worden gedaan over de doodsoorzaak. In geval van vragen moet het personeel doorverwijzen naar óf de behandelend arts óf de directie. Die verwijzen dan weer naar elkaar. Als zich een echte doorzetter meldt, deelt men mee dat er om redenen van privacy geen mededelingen worden gedaan over de doodsoorzaak. Iedere verwijzing naar zelfmoord is strikt verboden.

In het protocol staat ook dat er bij de familie tactvol aangedrongen moet worden op een snelle ontruiming van de kamer van de overledene.

De directie moet erop toezien dat er niets wordt gestolen. Dat is nieuws. Blijkbaar is in het verleden een en ander verdwenen.

Ik weet wel dat er door bewoners wel eens toezeggingen worden gedaan aan verzorgers in de trant van 'als ik doodga mag jij dit of dat hebben'. Dat is het bij leven organiseren van ruzie met de nabestaanden.

Ik heb in het protocol geen verplichting kunnen vinden tot het bezoeken van begrafenissen of crematies, als die binnen werktijd vallen. Ik dacht dat dat zo was. Wel is het tegenovergestelde het geval: personeel krijgt geen vrij voor uitvaarten maar moet er vrije uren voor opnemen.

Zo, dat lijkt me wel genoeg over de dood voor een zondagmorgen.

Maandag 19 augustus

Ik ben vanochtend vroeg al een uurtje wezen scheuren op mijn bromstoel. Eigenlijk meer een fluisterstoel, want een van de aangename aspecten van dit vervoermiddel is dat het bijna geen geluid maakt. Daarbij is de scoot goed geveerd. Op mooi asfalt is het of je zweeft. Deze keer het Vliegenbos bezocht, dat zijn naam niet te danken heeft aan veel vliegen maar aan meneer W.H. Vliegen, die vast een belangrijk man was dat hij een heel bos naar zich vernoemd kreeg.

Ik was er zeker in geen tien jaar geweest. Het zag er aardig uit en je kon er goed oefenen in sturen, want er was geen kip om aan te rijden. Wel konijnen. Weer een krasje op de lak gemaakt vanwege een iets te scherp aangesneden bocht. Over deuken en krassen hoef ik me geen zorgen meer te maken, die heb ik inmiddels genoeg. Ik moet toch iets rustiger gaan rijden. Off the road is mijn scootmobiel niet op zijn best.

Ik heb Eefje gevraagd of het niets voor haar is.

'Nee, dat is niets voor mij. Ik ga graag met je op stap maar niet in zo'n ding.'

Jammer.

Maar niet getreurd: ik moet me nu omkleden voor het uitje van hedenmiddag. Vrijetijdskleding.

Wij hebben alleen nog maar vrije tijd maar niet alleen maar vrijetijdskleding. Of is alle kleding die je in je vrije tijd draagt automatisch vrijetijdskleding?

Dinsdag 20 augustus

Hoewel ik vergeten was een extra inlegkruisje mee te nemen, was het een heerlijk dagje gisteren.

Eefje had gezegd dat het uitstapje op haar lijf geschreven was. Achteraf had ik kunnen bedenken dat onze amateurornitholoog ons wel eens naar vogelpark Avifauna zou kunnen voeren. En al heb ik niets met vogels (ik vind ze vooral schichtig en gemeen uit hun kraaloogjes kijken), ik heb me toch kostelijk geamuseerd. Evert was weer in goeden doen en vertelde bij elke vogel hoe je die het lekkerst kon klaarmaken of welke wijn er goed bij smaakte. Antoine kwam dan heel serieus met culinaire alternatieven. Antoine en Ria zijn soms een beetje naïef en hebben het niet altijd door als ze in de maling worden genomen. Als ze het wel merken vinden ze het niet erg.

Eefje liet zich nergens door van de wijs brengen en genoot van haar gevederde vrienden.

Grietje was maar een paar keer de weg kwijt en leek zich er niet al te druk over te maken.

Edward glom toen hij met een speciale handschoen een valk mocht vasthouden en Graeme was gewoon Graeme.

Na de rondleiding met gids was er een hapje en een drankje en een rondvaart door het groene hart van Holland met weer een hapje en een drankje.

Uiteindelijk waren we net op tijd thuis om aan te schuiven.

Woensdag 21 augustus

Het blijft verbazingwekkend hoe de afgunst hier regeert. Na een geslaagd uitstapje van ons clubje is de ontvangst door onze medebewoners overwegend koel tot ijskoud. Dat anderen een veel leukere dag hebben gehad dan zijzelf is voor velen moeilijk te verkroppen. Om ons heen vandaag dus weer veel zuinige mondjes.

Sommige mensen worden met het stijgen der jaren milder en wijzer. Anderen harder en dommer.

Gemiddeld heft dat elkaar wel zo'n beetje op. Maar de zachtaardigen in ons huis hebben weinig andere wapens tegen geroddel, gezeur en afgunst dan aan een ander tafeltje te gaan zitten. En dat is wat er gebeurt. Steeds vaker zit onze Oud-maar-niet-dood-club aan een apart tafeltje. Het schept een extra sterke band om samen de gemeenschappelijke vijand te zijn, maar vijandschap is besmettelijk. Als je niet oppast krijg je al snel ook een hekel aan 'de rest'.

Het personeel behandelt tweespalt als kleuterjuffen die de lieve vrede bewaken. 'Meneer Duiker (Evert), u kunt toch wel proberen iets aardiger te zijn tegen mevrouw Slothouwer? Kom er toch even gezellig bij zitten. Dan drinken we samen nog een kopje koffie.'

'Ik heb eigenlijk meer zin om speculaas door haar strot te duwen tot ze de langzame verstikkingsdood sterft,' hoor ik Evert dan denken. Evert hoort niet echt bij de zachtaardigen.

Opdat u niet denkt dat het hier alleen maar een slangenkuil is:

er wonen ook lieve, aardige en belangstellende mensen hier. Alleen vallen die niet zo op.

Donderdag 22 augustus

Je zal maar de hele middag met de zoon van meneer Bakker moeten mens-erger-je-nieten. Die is nog botter en dommer dan zijn vader.

Zorginstelling Vierstroom heeft familieleden van nieuwe bewoners 'moreel' verplicht minstens vier uur per maand klusjes te doen. Daarbij denkt Vierstroom aan wandelen met bewoners, spelletjes doen of een praatje maken. God beware me voor wildvreemde familieleden met obligate praatjes en opdringerige belangstelling. De eenzaamheid is soms veel erger in gezelschap.

Uit het experiment met de verplichte mantelzorg blijkt ook dat sommige familieleden, eenmaal binnen, niet meer weg te slaan zijn. Een op de drie bewoners die bij de proef betrokken waren, leverde een mantelzorger die meer dan achtentwintig uur per week rondliep in het betreffende verzorgingshuis. Als die zich met je bemoeit en je hebt een hekel aan hem of haar dan loop je vrijwillig onder de tram.

Waarom alleen nieuwe bewoners hulpjes aan huis hoefden te leveren weet ik niet. Misschien zouden de ouderen anders in een zee van mantelzorg verzuipen.

Directrice Stelwagen vertoont zich de laatste tijd weinig onder de mensen. Anja meldt veel ge-vergader met nog hogere bestuurders. Het lukt haar niet er het fijne over te weten te komen. Er komen haar maar weinig verslagen en memo's onder ogen.

Vrijdag 23 augustus

Ik heb een bekeuring gekregen! Door rood gereden met mijn bromstoel terwijl achter me een agent op een mountainbike reed. Dat ik zonder gevaar voor anderen of mijzelf met een vaart van ongeveer zes kilometer per uur rechts afsloeg vond de agent geen goed argument.

'Rood is rood!' en hij vervolgde met iets van trots in zijn stem: 'U bent denk ik de oudste persoon die ik in mijn carrière heb geverbaliseerd.' Zijn collega fietsbrigadier stond er wat ongemakkelijk bij. Die zou dit niet op verjaardagen gaan vertellen. 'Heeft uw collega niets beters te doen?' kon ik niet nalaten te vragen. Nee, dat had hij niet.

Evert viel bijna uit zijn rolstoel van het lachen toen ik het vertelde. Inmiddels weet het hele huis het. Ik ben een held of een hooligan, de meningen zijn verdeeld.

Dinsdag is het uitje van Grietje. Ze heeft bij het organiseren ter controle Graeme over haar schouder mee laten kijken omdat ze bang is fouten te maken. Ze vergist zich nogal eens in tijd en plaats en haar inschattingsvermogen laat wat te wensen over. Vorige week had ze voor haar visite, een zus en een nichtje, twee kilo koekjes gehaald. Was ze in de war met twee ons, wat al royaal is voor drie personen. Ze had het wel een grote zak gevonden en een beetje duur, maar de mevrouw van de bakker had gedaan alsof twee kilo allerhande niets bijzonders was.

Ze moest er zelf ook een beetje om lachen, zij het niet van harte.

Alle vrienden en bekenden hebben een zakje koekjes gekregen.

Zaterdag 24 augustus

Met de Arabische lente wil het niet meer zo vlotten. Er is geen geschikt jaargetijde om de huidige ellende in samen te vatten. Arabieren mogen zich in ons huis op niet al te veel belangstelling verheugen. De algemene opinie is dat als die islamieten zo nodig een heilige oorlog moeten voeren, ze dat maar het beste tegen elkaar kunnen doen. Daar ligt verder niemand wakker van.

Het feit dat vakantiereizen naar de piramides geannuleerd zijn zorgde voor meer commotie dan duizenden doden.

'M'n zoon is gewoon zijn dure geld kwijt. Tweeduizend euro in de Nijl gegooid!' aldus mevrouw Deurloo.

Maar de foto's van in gifgas gestikte kleine kinderen hebben nu ook ons kleine wereldje hier ervan overtuigd dat er toch wel iets gruwelijks aan de hand is.

Wij klagen veel over onze ouderenzorg maar bij de National Health Service in Engeland loopt ook niet alles op rolletjes: twintig ziekenhuizen overtraden de afgelopen jaren de wet door oudere patiënten onvoldoende te eten en te drinken te geven. Het voederen nam waarschijnlijk te veel tijd in beslag. Een andere klacht was dat de alarmbellen buiten bereik van de patiënten werden geplaatst. Dat heeft waarschijnlijk nog een hoop klachten gescheeld.

Maar het is niet alleen maar kommer en kwel: het is een prachtige zomer en gisteren heb ik bijna twee uur met Eefje op een terras gezeten. Prettig gezelschap om mee te praten maar ook om mee te zwijgen. Zonder je er ongemakkelijk bij te voelen. Gewoon een middagje geluk. Stapvoets terug geschuifeld. Ik had voor de gelegenheid mijn rollator weer van stal gehaald, want ze wil voor geen goud bij me achter op de scootmobiel.

Zondag 25 augustus

Grietje liet me een foto zien van de strandkamer in Woonzorg-centrum Vreugdehof. (Zo'n naam maakt me meteen een beetje wantrouwend.) Deze kamer is speciaal aangelegd voor demente bejaarden. Er is een metershoog decor van strand en zee. Met een nepzon en opgezette meeuwen. Je hoort de ruisende golven en af en toe waait er een briesje van de ventilator.

De bejaarde patiënten zouden er rustig van worden.

Grietje vroeg zich af of ze vast een nieuwe bikini zou kopen en glimlachte.

'Tja Henk, het is wat het is. Of beter: het wordt wat het wordt. Ik zal het nemen zoals het komt.'

Ik heb steeds meer bewondering voor de manier waarop ze haar toekomst tegemoet treedt.

Volgens haar zie ik dementie als de totale ontluistering. Daar heeft ze gelijk in. Vandaag gunde ik mijzelf een (illegaal) kijkje in de verpleegafdeling en zag drie kwijlende oude vrouwen wezenloos naar kabouter Plop kijken.

Grietje zei dat ze ook alle begrip heeft voor mensen die de schrijnende aftakeling niet willen ondergaan.

De weg kwijt zijn in je eigen huis.

De woorden die je leest niet meer begrijpen.

De mensen om je heen niet meer herkennen.

Maandag 26 augustus

Anja wordt met vervroegd pensioen gestuurd. Ze belde net. Ze klonk alsof ze bijna in tranen was van teleurstelling en woede. Het was een kort gesprek, ze kon niet vrijuit praten. Ik ben bang dat ze als klokkenluider door de directie ontmaskerd is. Ik vind het erg voor haar en voel me schuldig. Mede voor mij heeft ze risico's genomen.

Donderdag gaan we samen lunchen en weet ik meer.

Het drukt mijn stemming behoorlijk. Die was uitgelaten (voor mijn doen), want we hebben straks het dagje uit, georganiseerd door Grietje. Om twee uur moeten we beneden verzamelen.

Het lijkt me beter pas morgen Eefje op de hoogte te stellen.

Jetty Paerl is dood. Vermoedelijk wordt er alleen in bejaardenhuizen om haar getreurd. Met weemoed werd bij de thee teruggedacht aan Radio Oranje en Jetty.

'Ach ja... dat waren nog eens mooie tijden,' zei mevrouw De Ridder, die blijkbaar even vergeten was dat bijvoorbeeld de Joden daar bepaald anders over dachten.

'Liepen er in die tijd niet erg veel Duitsers hier rond?' vroeg Edward vilein.

Nou ja, afgezien van die Duitsers waren het echt mooie tijden, hield ze vol.

Het sentiment dat vroeger alles beter was woekert in verzorgingshuizen onuitroeibaar voort. Als schrale troost voor oude uitgerangeerde mensen.

Ik ga mooie kleren aandoen en mijn schoenen en tanden poetsen.

Dinsdag 27 augustus

Wonderlijk dat oude mensen ogenschijnlijk gewone dingen nooit of bijna nooit meer doen, bijvoorbeeld naar de film gaan. We hebben het uitgerekend en de acht mensen van ons clubje waren opgeteld al meer dan een eeuw niet naar de bioscoop geweest. Nochtans een eenvoudig en goedkoop genoegen.

Grietje had een film in 3D uitgekozen, iets wat we geen van allen ooit hadden meegemaakt. *Cars*, eigenlijk een kinderfilm maar iets anders was er niet voorhanden in 3D. Zaten wij, acht oudjes, met onze speciale brilletjes tussen een stuk of veertig kinderen.

3D, een bijzondere ervaring de eerste keer. Vooral het eerste kwartier deinsden we regelmatig paniekerig achteruit als er weer een auto recht op ons af raasde. Het geluid was ook 3D: overal om ons heen klonk het knisperen van popcorn. Dat mocht de pret niet drukken.

De film begon pas om vier uur en vooraf hadden we een uitgebreide high tea. Daardoor was het niet erg dat we pas bij het toetje weer thuiskwamen. De kok vatte het op als een persoonlijke belediging. Dat moet hij zelf weten.

Grietje werd overladen met complimenten en dankbetuigingen. Het was ontroerend om te zien hoe mooi ze straalde.

Ik maak me zorgen om Anja. Ik heb geprobeerd haar te bellen maar dat is niet gelukt.

Straks een mooi stuk rijden op mijn scoot. Het is prachtig weer. Ik ga langs de garage van de zoon van Hoogdalen. Die gaat hem een beetje opvoeren. Ik zou eigenlijk vorige week gaan, maar toen had Hoogdalen junior het te druk. Straks kan ik erop wachten.

Woensdag 28 augustus

Het is erger dan ik dacht. Anja vermoedt dat ze al een tijdje in de gaten werd gehouden. Ze weet bijna zeker dat haar bureau onderzocht is en denkt dat de stapel kopieën van bestuursstukken, rapporten en memo's die daar in een la lag aanleiding is geweest haar met pensioen te sturen. Het in bezit hebben van deze stukken was weliswaar niet illegaal, maar de verzameling heeft misschien de argwaan die er al tegen haar was versterkt.

De directrice deed het voorkomen alsof Anja's vervroegde pensionering een beloning was voor jarenlange trouwe dienst.

Eind oktober moet ze stoppen. Ze heeft nog twintig vakantiedagen tegoed en hoeft dus per 1 oktober niet meer te verschijnen.

Of per die datum haar bureau ontruimd kon zijn?

Anja is zwaar aangeslagen en ik heb weinig troost te bieden. Ik voel me zo schuldig dat ik haar tot klokkenluider heb gemaakt. Onze directrice blijft minzaam naar mij knikken, als ze me in de gang tegenkomt.

De topsnelheid van mijn scootmobiel ligt nu rond de vijfentwintig denk ik. Fietsers en een enkele brommer kijken vreemd op als ik ze achteloos passeer. Ik ben wel een béétje een gevaar op de weg. Ik zou eigenlijk een integraalhelm op moeten zetten. Ben ik meteen onherkenbaar als ik geflitst word. Nee hoor, geintje, laat de wind maar door de laatste vier haren waaien.

Donderdag 29 augustus

BUDGETBEJAARDEN DE GEVANGENIS IN. Zou een mooie krantenkop zijn.

De koepelgevangenis in Breda staat leeg en een handige ondernemer, ene Aad Ouborg, heeft bedacht dat daar vast wel een geschikt budgetbejaardenhuis van te maken is. Als ik de krant mag geloven denkt hij dat een opgeknapte cel van 11 vierkante meter voor twee bejaarden wel genoeg moet zijn. Ongeveer 2 x 3 meter per persoon.

Ze bewegen toch nauwelijks meer, moet Ouborg gedacht hebben, en veel spullen hebben ze ook niet nodig.

Een schuifpui zal er wel niet inzitten. Een klein raampje om te luchten is vast voldoende.

De goedkoopste kamer moet € 870,- gaan kosten. Ik dacht: dat zal wel per jaar zijn, maar nee, dat is de maandhuur. Zonder eten en drinken maar met een vaag 'pakket basiszorg'.

Nee, het is geen grap.

Dat is waar sommige mensen in dit steenrijke land bejaarden

mee af willen schepen: een fris geverfde gevangeniscel. Niet voor mensen die nu in verzorgingstehuizen wonen, wordt er geruststellend bij gezegd. Meer voor 'nieuwe' bejaarden die anders maar vereenzamen of onder een brug moeten slapen.

Gisteren geluncht met Anja. 'Ik ben een spion van niks geweest,' verzuchtte ze. Ik heb haar getroost met een grote bos bloemen, iets origineler kon ik niet bedenken.

Ze was ergens ook opgelucht dat ze binnenkort verlost is van de kille sfeer op haar werk. We hebben gedronken op haar nieuw verkregen vrijheid.

Vrijdag 30 augustus

Ons advocaatje leeft nog. Ik heb hem vanochtend gesproken. Victor was als altijd strijdlustig en optimistisch, maar hij moest wel toegeven dat we een kleine nederlaag hadden geleden in de vorm van een brief van de commissie van beroep die ons verzoek tot openbaarmaking van de bestuursstukken gaat behandelen. Daarin staat dat onze zaak medio januari 2014 in behandeling zal worden genomen. Het beroep op de hoge leeftijd van de cliënten was al meegewogen in de termijn.

Victor was nog aan het uitzoeken of er niet toch een snellere weg was.

'Blijft allen in ieder geval in leven is mijn welgemeend advies,' besloot hij ons gesprek.

Ik ga zondagmorgen met mijn bromstoel de sprong over het IJ wagen. Na een aantal ritjes naar de uithoeken van Amsterdam-Noord wordt het tijd de grenzen te verleggen en de pont te nemen. Ik verheug mij op Amsterdam tijdens een van de zeldzame momenten dat het stil en rustig is, zondagmorgen om een uur of negen. De grachten zijn als het ware aangelegd om er rondjes over te rijden.

Evert overweegt ook de aanschaf van een scootmobiel. Niet zo vreemd, want hij kan nauwelijks uit de voeten met zijn rolstoel. Gisteren kwam hij moeizaam aangerold met Mo op zijn schoot. Die kan even niet lopen omdat hij een ontsteking onder zijn poot heeft. En een lampenkap om zijn nek zodat hij niet aan zijn poot kan likken. Een mooi stel.

Zaterdag 31 augustus

Het wetsvoorstel dat het recht op een schone luier zou gaan vast-leggen is ingetrokken. Precies op het moment dat ik luiers moet gaan gebruiken! In wat voor imbeciel land leven wij, dat je bij wet moet regelen dat je ouderen niet de hele dag in hun eigen poep en pies mag laten rondlopen? Waarom de wet nu wordt ingetrokken is niet helemaal duidelijk. De Raad van State, die juridisch advies uitbrengt, zegt dat alles eigenlijk al bij wet geregeld is. Ik zou alleen niet weten op welke wet een demente oudere een beroep moet doen voor een extra verschoning. Ikzelf hoop, lang voordat ik de hele dag met één luier moet doen, rustig uit het leven gestapt te zijn.

Of... zou dit bericht ook verzonnen zijn? Net als het verhaal over de budgetbejaardenhuisvesting in de koepelgevangenis in Breda? (Ja, daar ben ik in getrapt.)

Er komt een informatiemiddag over de voorgenomen verbouwing. Gedwongen verhuizingen kan het bestuur niet uitsluiten. De ach-terliggende motieven zijn niet duidelijk. Wel lijkt er opeens haast te zijn.

Het zijn zo'n beetje de laatste berichten van achter de vijande-lijke linies die Anja naar buiten heeft weten te smokkelen. Ze heeft besloten de laatste weken dat ze op kantoor zit nuttig te gebruiken, ook al weet ze dat ze in de gaten gehouden wordt. Over eventuele gevolgen hoeft ze zich geen zorgen meer te maken. De directrice is er niet bij gebaat onze klokkenluider aan de schandpaal te nagelen. Ze beseft dat de kans groot is dat publiciteit alleen maar in het voordeel van Anja zou werken.

Zondag 1 september

Hier in huis heten de mensen gewoon Piet, Kees, Nel en Ans en geen Storm, Vlinder, Felicity of Zwaard van de Islam.

Wij zijn allemaal geboren ver voor de tijd dat ouders in de naamgeving van hun kinderen willen laten zien hoe origineel en modern ze wel niet zijn. Met alle gevaren van dien. Heb je je dochter Vlinder genoemd en dan blijkt ze zich te ontpoppen tot een slome papperige vetzak. Die kan dan toch maar beter Ans heten.

Vanmorgen negen uur stond ik op de pont met mijn scootmobiel. Een prachtig ritje door slapend Amsterdam gemaakt. Het is een voorrecht om in een van de mooiste steden van de wereld te wonen. Alleen moet je van dat voorrecht wel gebruikmaken, anders heb je er niets aan. Dat heb ik voor het eerst sinds jaren gedaan en ga ik vaker doen als de tijd me gegeven is. Ik heb bijna de hele weg op stand 'schildpad' gereden om rustig om me heen te kijken.

Nu weer aandacht voor belangrijke zaken: de bewonerscommissie heeft voorgesteld de contributie eenmalig met twee euro te verhogen om een aantrekkelijk prijzenpakket voor de kerstbingo te kunnen verzorgen. Regeren is vooruitzien.

Maandag 2 september

Het valt niet mee om zondagmiddag een uurtje te kunnen biljarten. Er is een ondoorzichtig systeem van reserveren. Uiteindelijk mochten we, Graeme, Edward en ik, na enig aandringen en anderhalf uur wachten van 16.40 tot 17.20 spelen. Toen hadden we wel al een paar borreltjes op. Dat kwam de losheid van spelen ten goede; helaas heb je daar met biljarten niets aan. Ik denk dat we samen nog geen twintig caramboles hebben gemaakt.

De spraakzaamheid leed er niet onder. Graeme vertelde mooie verhalen over vroeger. Hij is de jongste uit een gezin met veertien broers en zussen. Allemaal dood. Verder heeft hij een zoon in Australië en een dochter in Oude Pekela. Het ene jaar gaat hij met zijn zoon naar zijn dochter en het andere jaar met zijn dochter naar zijn zoon. In januari gaat hij drie weken naar Australië.

'Dat houdt me op de been, die reisjes.' We knikten. Hij voegde er snel aan toe: 'En jullie gezelschap hier natuurlijk ook.'

Edward is een beetje een droevige figuur. Hij heeft veel te zeggen, maar is helaas zo goed als onverstaanbaar. Met een paar borrels op helemaal.

'Je kan het maar beter opschrijven, Ed,' was de conclusie van Evert, die voor de gezelligheid was komen meedrinken.

Dat zou hij doen. Hij heeft toegezegd ons elke week een brief te sturen. Wij mogen kiezen of we de inhoud daarna schriftelijk of mondeling afhandelen.

We gaan vaker biljarten.

Graeme gaat een vast uurtje reserveren, want hij heeft de beste contacten met de secretaris van de biljartclub.

Dinsdag 3 september

Overmorgen ben ik jarig. Voor het eerst in jaren heb ik weer genoeg vrienden om het mee te vieren. Ik heb de Oud-maar-niet-dood-club uitgenodigd 's avonds een drankje te komen drinken. Ria en Antoine heb ik gevraagd of ze een klein hapje willen verzorgen voor mijn rekening. Daar doe ik mijzelf én hun een plezier mee. Er moet natuurlijk frituurfruit geserveerd worden, zonder bitterballen geen borrel, maar verder hebben ze de vrije hand.

Geen bloemen, geen cadeaus, heb ik iedereen op het hart gedrukt. Benieuwd of ze zich daaraan houden.

Grietje heeft toegezegd te komen, maar liet me wel meteen iets beloven voor de toekomst: 'Als ik dement ben, zul je me dan niet overal tegen mijn zin in mee naartoe slepen?'

'Hoezo?'

Ze legde uit dat het een groot misverstand is dat dementerenden koste wat kost vermaakt moeten worden, uit hun apathie moeten worden gehaald. Dan worden ze meegenomen voor een dagje uit, maar hebben ze geen idee waar ze zijn, wie die mensen zijn die die hele tijd zo opgewekt tegen ze praten en waarom ze in een raar treintje moeten. Krijgen ze ook nog vreemd eten en tot slot worden ze door wildvreemde mensen gekust.

'Zo'n dement oudje heeft drie dagen nodig om weer recht te trekken,' verzuchtte Grietje. 'Dus laat mij tegen die tijd maar gewoon in mijn stoel voor het raam zitten.'

Dat heb ik haar beloofd.

Woensdag 4 september

Een van onze portiers is maar een klein beetje minder bejaard dan de bewoners. Toch heeft hij het altijd over 'die oudjes' en gedraagt hij zich alsof hij de baas van deze tent is. Hij is dan ook geen portier maar 'gastheer / veiligheidsmedewerker'. Hij doet niets liever dan mensen aanspreken die zondigen tegen de regels.

Ik ging met Evert een ommetje maken. Evert heeft de gewoonte om met zijn rolstoel gewoon door te rijden als de schuifdeuren vlak voor zijn neus dichtgaan. Dan komt hij ertussen en gaan ze vanzelf meteen weer open. Dat was een doorn in het oog van portier Post (zo heet hij).

'U moet óf sneller rijden óf langer wachten,' sprak hij Evert op strenge toon aan.

Heel langzaam keek Evert op, kneep even zijn ogen iets toe, als om beter te kunnen zien en zei toen: 'Er hangt een snotje aan uw neus.'

Ik stond ernaast en stikte haast.

Er ontstond verwarring.

Moest de portier die opmerking negeren? En als het dan waar was?

We draaiden ons bij de deur nog even om. Hij keek net naar zijn vinger die op inspectie was geweest.

'Een beetje naar rechts,' zei Evert.

Om met C.A. Helder te spreken: 'Portier *c'est mourir un peu.*'

Ik heb een hoeveelheid drank in huis gehaald die genoeg is voor drie verjaardagen. Beter te veel dan te weinig. Uiteindelijk komt alles vroeg of laat wel op met een vriend als Evert.

Donderdag 5 september

Geboren 5 september 1929. Ik vier vandaag mijn vierentachtigste verjaardag. Evert stond om negen uur voor de deur, of eigenlijk zat hij voor de deur, in zijn rolstoel, met een dienblad op schoot met daarop een uitgebreid ontbijt. Een vertederend gezicht. Croissantjes, beschuit, brood, thee, jus d'orange en prosecco. Het meeste heeft hij, na het zingen van een bijzonder vals 'Lang zal hij leven' zelf opgegeten en gedronken. Ik ben geen groot ontbijter.

Voor vanavond heb ik een paar stoelen geleend van de huishoudelijke dienst. Staanplaatsen op een verjaardag leek me op onze leeftijd niet zo geschikt.

De meeste bewoners vieren hun verjaardag beneden in de recreatieruimte. De genodigden zitten dan om de grote tafel en krijgen een plakje cake, terwijl de overige bewoners zo dicht mogelijk in de buurt gaan zitten in de hoop op een paar overgebleven kruimels. Een treurig gezicht. Daar begin ik dus niet aan.

Dan maar wat krapper zitten op mijn kamer maar in ieder geval zonder pottenkijkers.

Ik heb voor vrijdag de dertiende een golfclinic geboekt voor acht personen. Ik hoop dat het net zulk mooi weer wordt als vandaag, dan is de kans op een succesvol uitstapje groot. Ik ben er niet helemaal gerust op dat ik de juiste keuze heb gemaakt. Golfen is weliswaar een geschikte sport voor bejaarden maar niet iedere bejaarde is geschikt voor golfen. Ik kan alleen niet meer terug, want ik heb al betaald.

Vrijdag 6 september

Om half een vannacht moest ik een aangeschoten Evert in zijn rolstoel terugbrengen naar zijn aanleunwoning. Zelf was ik ook niet meer zo vast ter been. Evert wilde liever blijven slapen, 'dan nemen we nog één afzakkertje'.

Dat leek me geen goed plan. In de gang ging hij 'Land of hope and glory' zingen.

Ik verwacht vandaag op het matje geroepen te worden wegens geluidsoverlast.

Verder was het een gezellige verjaardag. Ik heb nog voor twee dagen eten over en voor twee maanden drank. Voorlopig doe ik even rustig aan met eten en drinken.

Het plan om een reisje te organiseren voor onze club, is een beetje verwaterd. Ik ga er serieus werk van maken voor komend voorjaar.

Om mee te kunnen is het vooral zaak in leven te blijven tot juni. Ik neem me voor om me niet uit het veld te laten slaan door de dood, tenminste niet die van anderen. Als ik zelf dood ben, mag mijn urn mee en op het dashboard van het busje staan.

'Hij zat altijd al graag bij het raam.' Het is niet waar maar het klinkt wel grappig.

Zaterdag 7 september

Oudjes moeten gamen. Racen op de computer helpt beter dan suffe spelletjes om bejaarde hersenen fit te houden. Volgens de krant heeft onderzoek aangetoond dat oude hersenen weer leren meerdere dingen tegelijk te doen als ze regelmatig gamen.

Ik ga uitzoeken hoe dat moet, gamen, al is de kans dat ik hier in huis een leermeester vind niet erg groot. Hier wreekt zich het feit dat ik geen kleinkinderen heb.

Ik had ze graag gehad. Ik zou een schat van een opa geweest zijn, al zeg ik het zelf.

Als... ja als.

Overigens is het met kleinkinderen lang niet altijd alleen maar vreugde en plezier. Edward heeft een drugsverslaafde kleinzoon, Graeme een kleindochter met anorexia. Deugen na jaren eindelijk je kinderen een beetje, krijg je de sores van je kleinkinderen op je boterham. Kun je daar weer niet van slapen.

Misschien moet ik met gamen even wachten tot het volgende onderzoek, dat aantoont dat het eerste toch niet klopte of dat er tenminste allerlei wetenschappelijke vraagtekens bij kunnen worden gezet.

Zondag 8 september

'Wil er iemand mijn oude pillen?' vroeg Evert, 'Ze zijn nog goed. Tenminste, hangt er een beetje van af waar je ze voor wilt gebruiken.'

Evert was aan het provoceren naar aanleiding van een verhaal in de krant dat onderwerp van het koffietafelgesprek was geweest. Een zeventigjarige man stond terecht omdat hij een pillencocktail had bereid voor zijn negenennegentigjarige stiefmoeder die vond dat ze klaar was met leven. Ze had pijn en kon bijna niets meer, maar de huisarts van het verzorgingshuis vond haar lijden niet ondraaglijk genoeg en wilde niet meewerken aan euthanasie. De vrouw nam honderdvijftig pillen in een bakje yoghurt. Nog een hele klus om dat naar binnen te werken. Amateuristisch gepruts tegen wil en dank.

Zelfmoord is niet strafbaar. Lijkt me ook lastig straffen als het is gelukt. En als het mislukt zou je de doodstraf op verzoek kunnen invoeren. Hulp bij zelfmoord mag niet.

De pillen die Evert aanbood werden argwanend bekeken.

De meeste bewoners hebben trouwens zijn pillen niet nodig om een overdosis te slikken. Bijna iedereen hier heeft zo'n pillenautomaat waarin voor elke dag van de week de porties afgepast zijn. Sommige ouderen zetten iedere morgen hun pillenverzameling beneden op tafel, kiezen er een handvol uit en spoelen die met veel misbaar weg met lauwe koffie. Klagend en zuchtend over kwalen en ziektes, dood en ellende. Uit de buurt blijven dus als je van plan bent er een gezellige dag van te maken.

Maandag 9 september

Er is een nieuwe bewoner, meneer De Klerk, die de andere bewoners probeert te bekeren tot de gereformeerde kerk. Ik weet niet precies welke maar wel een behoorlijk orthodoxe. Gelukkig hoeft hier niemand meer ingeënt te worden tegen mazelen, want 'ingrijpen in de loop der dingen is in Gods schoenen gaan staan en die schoenen passen ons niet', aldus De Klerk.

Zijn pogingen gereformeerde zieltjes te winnen zorgen voor nogal wat opschudding bij het katholieke deel van de bewoners. Ik zie een ouderwetse geloofsstrijd opdoemen en kan niet wachten op het verbranden van de eerste ketters.

Meneer De Klerk, dat rijmt op kerk, sprak mooie woorden toen ik hem gisteren meedeelde dat ik nogal twijfelde aan Gods goede werken. 'De Heere heeft zich niet geopenbaard opdat we over Hem discussiëren maar opdat we voor Hem buigen.'

Mooie woorden hoeven gelukkig niet altijd waar te zijn. Ze waren niet van De Klerk zelf maar kwamen uit het gereformeerde tijdschrift *De Waarheidsvriend*. Een bejaarde CPN'er dacht dat zijn oude partijblad uit de as herrezen was. Claims op de waarheid kunnen van alle kanten komen.

Ik heb meneer De Klerk terloops nog twee vragen meegegeven. De eerste was of hij op zondag wel bekeringswerk mocht doen en de tweede of zijn God een steen kon scheppen die zo zwaar is dat hij hem zelf niet kan tillen. (Had ik ergens gelezen.)

Ik zag enige verwarring.

'Nou, ik hoor het nog wel,' zei ik onder het weglopen.

Dinsdag 10 september

Vanmorgen op bezoek geweest bij de geriater en geïnformeerd naar peppillen voor ouderen. En naar het tegenovergestelde ervan: de pil van Drion.

'Beide pillen liggen moeilijk,' zei de dokter. 'De peppillen die u bedoelt zijn illegaal. Over de specifieke werking bij ouderen is niet veel bekend. Het zou best kunnen dat een beetje coke voor sommige ouderen heel aangenaam is.'

Ik vroeg of hij het zelf wel eens gebruikt had. Ja, dat had hij.

'En?'

'Te lekker. Gevaarlijk lekker. Ik kon me meteen goed voorstellen niet meer zonder te kunnen.'

Het enige wat hij op dit moment voor mij kon doen was lichte antidepressiva voorschrijven, 'al lijkt u me niet depressief'. Het nadeel was dat je er een beetje duf van werd.

Ik zei dat ik juist pillen nodig had die een beetje energie gaven.

Hij zou erover nadenken.

De pil van Drion lag een stuk ingewikkelder. De dokter begreep dat het voor sommige mensen een geruststellend idee moest zijn om zo'n pilletje in het medicijnkastje te hebben liggen 'voor het geval dat', maar de werkelijkheid was anders.

Een oudere die dood wil moet zich melden bij een 'stervenshulpverlener' die hij moet overtuigen van zijn authentieke doodswens na een voltooid leven. Dat moet in minimaal twee uitvoerige en indringende gesprekken. Als de hulpverlener besluit hulp te verlenen moet er nog een tweede gediplomeerde hulpverlener worden gevonden die het ermee eens is. Vervolgens moet een arts de benodigde middelen voorschrijven die de levensmoede oudere onder toezicht van een hulpverlener moet innemen. Van zo'n poppenkast wil je nóg liever dood.

'Overigens komt het me voor dat u nog lang niet zover bent.'

'Dat klopt, maar er is sprake van een wankel evenwicht. Als de balans doorslaat is er vaak geen weg terug naar levensvreugde.' Hij knikte.

'Kunnen we dit gesprek als een eerste intake beschouwen?' vroeg ik. Dat kon.

Woensdag 11 september

Vandaag zullen op veel televisiezenders de vliegtuigen zich in de herhaling opnieuw in de Twin Towers boren: 2995 doden. De directe aanleiding tot de *War on terror*: 200.000 doden, onder wie 6.000 Amerikaanse soldaten, 350.000 gewonden en geschatte kosten 1.000.000.000.000 dollar.

Ik liet gisteren een paar van deze getallen (ik heb ze uit mijn hoofd geleerd) vallen bij de thee, maar de prijs van deze oorlog scheen niemand onredelijk voor te komen. Op enkele van mijn vrienden en vriendinnen na, gelukkig.

Goh, wat had je voor die biljoen dollar niet allemaal voor leuke dingen kunnen doen? Daar hadden de Amerikanen zich, in plaats van gehaat, vast ook hier en daar heel populair mee kunnen maken.

En het moslimfundamentalisme zal na Irak, en straks als alle Arabische revoluties hun eigen kinderen hebben opgegeten, sterker zijn dan voorheen.

Ik begrijp maar al te goed dat de Amerikanen geen zin hebben om zich in een avontuur in Syrië te storten waar ze zelf nooit beter van zullen worden. De vorige avonturen liggen nog te vers in het geheugen.

Beetje veel wijze oude man, Hendrik. Misschien komt het door het herfstige weer na een lange prachtige zomer. Ik ga vanmiddag een grote poncho kopen voor op mijn scootmobiel zodat ik ook bij regenachtig weer het hoofd door kan laten waaien.

Donderdag 12 september

Ik hoorde dat er, in navolging van de cliniclowns voor zieke kinderen, nu ook speciale clowns zijn voor eenzame bejaarden. Hoe ze heten en waar ze vandaan komen weet ik niet, maar ik wil ze wel vast waarschuwen: de clown die mij komt opvrolijken sla ik, sapperdeflap, met mijn laatste krachten en een koekenpan zijn vrolijke schedel in.

Een week geleden was het buiten nog bijna dertig graden. Nu staat overal de centrale verwarming volop te loeien. Het is koud en het regent vaak. Morgen gaan we golfen. Het weer wordt niet veel beter en ik heb geen alternatief programma achter de hand. Ik kijk elk uur naar de weersverwachting maar dat helpt niet. Morgenmiddag 13.00 uur rijdt het busje voor.

Ik ben er nerveus van.

Vrijdag 13 september

Er was een bewoonster die elke vrijdag de dertiende voor de zekerheid de hele dag in bed bleef. Dan kon haar niets gebeuren. Ze at een boterham en dronk een kopje thee. Het hengsel van de theepot brak, ze kreeg kokendhete thee over zich heen en bracht de rest van vrijdag de dertiende door in het ziekenhuis.

Evert kwam gisteren aanzetten met een verlaat verjaardagscadeau: een schapenvacht om op te zitten in mijn scootmobiel. Ik moest hem nog wel even laten wassen, daar had hij geen tijd voor gehad, zei hij. Het schaap kwam uit de kringloopwinkel.

'Wie weet wat ze op die vacht allemaal uitgespookt hebben voor de open haard. Er zitten wel een paar rare vlekken op,' zei hij grijnzend.

Mij maakt hij niet gek met vieze verhalen. Ik heb het ding naar de wasserette gebracht en hij is al weer gewassen en gedroogd terug. Helemaal schoon.

Alleen: als ik hem in mijn bromstoel leg en er valt een stevige bui als ik even elders ben, dan moet ik daarna op een grote natte witte spons gaan zitten. Ik neem mijn scoot namelijk, zolang ik nog maar enigszins kan lopen, nergens mee naar binnen. En ik zie mezelf, bij regen of sneeuw, ook niet met een schapenvacht door de Albert Heijn lopen.

'Daar heb je die rare oude man weer met zijn schapenvacht,' hoor ik al fluisteren bij de mineola's.

Zaterdag 14 september

Het golfen was het eerste mislukte uitje in de reeks, tot nu toe.

Het begon nog wel aardig. Met koffie en taart in het clubhuis en een vriendelijke, beetje bekakte instructeur, die de eerste theoretische beginselen van het spel uitlegde. Maar we stapten nog niet naar buiten om een en ander in praktijk te brengen of het begon te regenen. En het was koud. En eigenlijk was het een beetje te hoog gegrepen, we wisten bijna geen bal zelfs maar te raken. Om een idee te geven: Eefje sloeg tegen haar eigen enkel en Graeme liet een stok uit zijn handen glippen die het hoofd van de instructeur op een haar na raakte. Alleen Evert in zijn rolstoel was een sensatie: hij sloeg het balletje soms wel honderd meter ver.

Na een half uur had iedereen het eigenlijk wel gezien maar om mij een plezier te doen deden ze, nat en koud, nog bijna drie kwartier alsof ze het leuk vonden.

Toen heb ik tegen de instructeur gezegd dat het wel mooi geweest was voor de eerste keer, hoewel we pas op de helft van het programma waren.

We dronken nog een wijntje in een verder verlaten bar en toen heb ik vervroegd het busje laten voorrijden.

Iedereen was aardig voor me en verzekerde me dat het een leuk idee was, maar dat het weer en de leeftijd niet meewerkten. Toch heb ik er nu, een dag later, nog steeds een kater van. Ik kan kinderlijk slecht tegen teleurstellingen.

Zondag 15 september

Het mislukte uitstapje etterde nog wat na toen Evert op bezoek kwam. Al na vijf minuten dreigde hij weer te vertrekken als ik niet onmiddellijk ophield met mokken.

'Gezeik van een ouwe vent over een onbenullig tegenvallertje, daar kan ik heel slecht tegen.'

Het was op slag over.

Evert kwam trouwens goed nieuws brengen: de felicitatiedienst voor eenzame oudjes was bij gebrek aan vrijwilligers opgeheven.

Wildvreemde mensen die je op je verjaardag komen toezingen en daarna je taart opeten is van een gezelligheid die je hevig naar eenzaamheid doet verlangen. Toegegeven: ik had zelf vorig jaar niet de moed ze de toegang te weigeren. Evert wel. Bij hem gingen ze daarna buiten voor de deur toch nog 'Lang zal hij leven' zingen.

Mevrouw Aupers loopt tegenwoordig soms achteruit omdat ze denkt dat ze dan minder vaak naar de wc moet. Ik zal haar voordragen voor de alternatieve Nobelprijs. Er werden dit jaar weer prachtige onderzoekers beloond met deze bijzondere prijs. Brian Crandell, voor het bestuderen van zijn eigen ontlasting na het eten van geblancheerde spitsmuis. Een Japanner en een Chinees, allebei met een moeilijke naam, die onderzoek deden naar het effect van operamuziek op de overlevingskansen van muizen na een hartoperatie. Nog een dan: Gustano Pizzo kreeg de prijs omdat hij een valluik had bedacht voor vliegtuigkapers, dat leidt naar een capsule die de piloten kunnen droppen aan een parachute. Sommigen vonden de parachute een overbodige luxe.

Maandag 16 september

Of iedereen zijn afgebrande lucifers aan meneer Schipper wil geven. Hij is van plan daarmee ons bejaardenhuis op schaal na te bouwen. Hij hoopt ermee *Het Parool* te halen. Onze directrice zit in het comité van aanbeveling.

Er is ooit iemand geweest die de Sint Pieter heeft nagebouwd met zeven miljoen luciferhoutjes. Bij zulke projecten denk ik altijd: de brand erin! In drie minuten vijfentwintig jaar werk naar de haaien. Diep in mij zit een vernielzuchtig trekje.

Anderhalve week geleden was het achtentwintig graden en zomer. Nu is het veertien graden en herfst. Ik hou niet van de herfst. Ja, ja, natuurlijk zijn er mooie kleuren maar het zijn de kleuren van het verval. In de late herfst van mijn leven word ik al genoeg geconfronteerd met versterving en verrotting, daar hoef ik niet ook nog eens die dooie bladertroep bij te hebben. De herfst ruikt hetzelfde als een bejaardenhuis. Geef mij maar de lente, een nieuw begin, voor een beetje tegenwicht.

Daarbij heb ik een hekel aan koude korte dagen, en Sinterklaas en de Kerstman zijn ook niet mijn grootste vrienden.

Ik klink als een oude chagrijn maar daarvoor is dit dagboek ook een beetje bedoeld: dat ook ik af en toe kan klagen en zeuren, maar dan zonder dat iemand er last van heeft.

Dinsdag 17 september

Jaloezie neemt met het ouder worden soms lachwekkende vormen aan. Vanwege het grote vrouwenoverschot in het huis verliezen vooral de getrouwde vrouwen hun mannen niet graag uit het oog. Mevrouw Daalder bevindt zich nooit ver van meneer Daalder vandaan, maximaal een meter. Als een valse waakhond snauwt ze iedere vrouw af die enige belangstelling toont voor haar man. Ook al vraagt een argeloze buurvrouw alleen maar om de suiker.

'Kan je die zelf niet pakken? Niet geven hoor, Wim.'

Wim is diep ongelukkig omdat hij geen fatsoenlijk gesprek meer kan voeren. En er is geen vrouw die valt op Wim want hij is lelijk als de nacht, maar toch moet hij zich de permanente bewaking van zijn jaloerse vrouw laten welgevallen. Ik meen soms in de ogen van Wim een groot verlangen naar de dood te zien.

Ik kom erop omdat hier een week of drie geleden ene meneer Timmerman is komen wonen die een oogje op Eefje lijkt te hebben. Dat op zich kan ik maar al te zeer begrijpen. Hij heeft echter de pech dat Eefje niets van hem moet hebben omdat het een enorme opschepper is, en omdat hij stinkt.

Dat klinkt als een jaloerse Hendrik Groen, maar afgunst is in dit geval volkomen onnodig. Eefje heeft Timmerman al verschillende keren heel vriendelijk gevraagd ergens anders te gaan zitten.

Dat heeft bij Timmerman de afgunst ten opzichte van mij gewekt. Ik zit immers dagelijks naast Eefje, tot wederzijds genoegen.

Woensdag 18 september

Het is de dag na Prinsjesdag.

'Kijk, dat langste rode streepje zijn wij, de gepensioneerden.' Meneer Elroy probeert mevrouw Blokker uit te leggen hoe het zit met de bezuinigingen. 'Wij moeten het meest inleveren van iedereen!'

Mevrouw Blokker knikt. Zij denkt dat koopkrachtplaatjes in een nieuw Verkade-album geplakt moeten worden.

De onrust groeit. Hebben we straks nog een speculaasje bij de koffie?

Henk Krol van 50PLUS roept alle ouderen op ten strijde te trekken en aanstaande zondag te gaan protesteren in Amsterdam. Ik denk erover om te gaan, als het weer niet al te beroerd is. Het lijkt me een leuk uitje. Ik heb nog nooit van mijn leven gedemonstreerd, maar wat let me om daar op mijn vierentachtigste alsnog mee te beginnen? Niet dat ik me ook maar in het minst kan opwinden over de twee procent die ik erop achteruit dreig te gaan, maar een Museumplein vol rollators, scootmobielen en Canta's lijkt me een fascinerend gezicht. Ik hoop dat er iemand 'Rutte, moordenaar!' gaat schreeuwen en dat er relletjes uitbreken en de ME zich gedwongen ziet charges uit te voeren tegen een harde kern van 80-plussers die met stenen gaat gooien alsof ze aan het jeu-de-boulen zijn.

Bij de gemeenteraadsverkiezingen in maart 2014 zullen de OPA's, de lokale ouderenpartijen, gloriëren, samen met SP en PVV. De PvdA zal weggevaagd worden. Diederik zal aftreden. Het kabinet zal alsnog vallen. Er zal een politieke impasse ontstaan maar uiteindelijk zal alles met nieuwe partijen bij het oude blijven. Tot zover uw politiek commentator Hendrik Groen, vanuit het bejaardenhuis.

Donderdag 19 september

Twee dagen na Prinsjesdag heeft niemand het meer over de begroting maar zijn de dames hier nog steeds niet uitgepraat over de hoedjesparade rondom de troonrede. Er was één hoedje bij dat leek op een afgescheurd stuk bruidsjurk, zei iemand. Ze waren niet mild in hun oordeel over de dames politici: saaie mutsen die opeens een rare hoed opzetten. 'Nou, die gaat nog wel,' was ongeveer het meest positieve oordeel dat langskwam.

Zelf zijn ze de laatste generatie hoedjesdragers. Degelijke hoedjes tegen de winterse kou 'en ook een beetje voor de mooiigheid'. Van die lachwekkende carnavalsoptocht in de Tweede Kamer moeten ze niets hebben.

Eefje heeft vaak zeer charmante hoedjes op.

Ik loop daar graag met gepaste trots naast. Liefst gearmd.

Vrijdag 20 september

Op het prikbord hangt een aankondiging van een cursus valpreventie. Alle bewoners kunnen zich inschrijven.

Ouderen die bang zijn om te vallen, vallen juist extra vaak. Dat heeft een biomedisch wetenschapper geconcludeerd. Mensen die bang zijn denken: zolang ik niet beweeg kan ik ook niet vallen. Dan gaan ze conditioneel en motorisch snel achteruit en vallen daardoor extra vaak als ze bijvoorbeeld de onontkoombare gang naar de wc moeten maken. Ik vat de theorie van de valparadox even kort samen.

De cursus leert 'de lichamelijk balans te verbeteren' en, ook niet onbelangrijk, hoe weer overeind te krabbelen.

De harde cijfers: per jaar vallen oudjes 1 miljoen keer en breken ze voor 725 miljoen euro aan heupen en polsen.

Ik word ook onzekerder... maar zo'n cursus...

Ik heb Eefje gevraagd, die peinst er niet over. Graeme wacht nog een jaartje. Grietje is wel vaak de weg kwijt maar valt nooit. Alleen Evert wil graag meedoen in zijn rolstoel. Om een beetje te zieken.

Zou ik een individuele proefles kunnen aanvragen?

Antoine en Ria treuren om de dood van hun held Johannes van Dam, de man voor wie restaurants sidderden. Hij gaf op het eind van zijn leven wel steeds hogere cijfers aan de eetgelegenheden die hij bezocht. Zou dat zijn om zijn stelling te ondersteunen dat hij hoogstpersoonlijk het culinaire niveau in Amsterdam heeft opgekrikt?

Wat ook een rol gespeeld kan hebben is dat hij niet bepaald incognito kon gaan proeven. Hij was niet te vermommen. Dus alle hens aan dek als Johannes aanschoof.

Zaterdag 21 september

Het is vandaag Wereld Alzheimer Dag. Wat je daarmee moet? Eraan denken?

Al die dagen voor van alles en nog wat, vooral voor ziektes: Wereld Lepra Dag, Wereld Aids Dag, Wereld Diabetes Dag, Wereld Diarree Dag. Ik zal straks even bij Grietje langsgaan, dan kan ik tegen haar zeggen: het is jouw dag vandaag. Jouw dubbele dag, want het is vandaag ook nog Burendag. We komen dagen tekort blijkbaar, dat alzheimer zijn dag met de buren moet delen.

Overigens is Alzheimer Dag aan de echte doelgroepers niet besteed. Die weten niet eens meer welke dag van de week het is.

Johannes van Dam stelde een paar jaar geleden in *Het Parool* dat niet meer op jezelf kunnen wonen gelijkstaat aan ondraaglijk lijden. Ik heb deze stelling aan de koffietafel gedeeld met een stuk of acht medebewoners. Dat zorgde voor gespreksstof. Evert, met zijn aanleunwoning, was het als enige eens met de dode Johannes. Hij bevond zich tegenover een overmacht aan mensen die schande spraken van zo'n ondankbare instelling. Het was een vermakelijke discussie. Evert was in vorm: scherp en bot.

Stelwagen keek van een afstandje toe. Toen ze zag dat ik haar zag, knikte ze me toe en liep weg.

Zondag 22 september

Zelfs al ben je tachtig, heb je altijd een grote waffel en heet je Evert, dan nog is er onzekerheid. Evert heeft mijn hulp ingeroepen bij het organiseren van het uitstapje van aanstaande woensdag. Hij heeft ergens een workshop schilderen besteld en is een beetje bang dat niemand het leuk zal vinden. 'Is het niet een beetje kaal? Moet ik er nog iets bij doen misschien?'

Ik heb hem verzekerd dat zijn project goed is zoals het is, haast niet kan mislukken en in ieder geval leuker wordt dan mijn golf-uitje.

'Dat is waar,' zei hij met een grijns die me niet zo beviel.

Ik heb bij de demonstraties tegen de regering geen woedende ar-mada's rollators, Canta's en scootmobielen gezien om te proteste-ren tegen het feit dat de ouderen dubbel gepakt worden.

Dat schijnt ook reuze mee te vallen, als ik het artikel 'Hoezo oud en zielig?' in *de Volkskrant* van gisteren mag geloven. Belang-rijkste conclusie: de jongeren van nu zullen voor hun pensioen en AOW aanzienlijk langer moeten werken en meer moeten betalen dan al die gepensioneerden die nu moord en brand schreeuwen.

Opwekkend vooruitzicht: een coalitie van PVV, SP en 50PLUS gaat het straks opnemen voor de kapotbezuinigde oudjes. Ze staan in de laatste peiling van Maurice de Hond samen op zesenzestig ze-tels.

Maandag 23 september

Gistermiddag brak na een week herfst de zon weer door. De bank-jes voor het huis zaten vol.

Mevrouw Bakel had een voordeeltube zonnebrandcrème mee-genomen en deelde gul uit aan iedereen die wilde. Even later zaten acht bejaarden met klodders slecht uitgesmeerde crème op hun ge-zicht met hun ogen dicht van de zon te genieten. Een mooi plaat-je.

Mevrouw Bakel keek nog eens op de tube en riep verschrikt uit: 'Over de datum!'

'En niet zo'n beetje ook,' zei mevrouw Van der Ploeg, nadat ze haar leesbril erbij had gepakt.

'Augustus 2009. Is dat gevaarlijk?'

De vraag stellen zorgt voor wilde speculaties.

'Misschien krijg je er wel ká van, huidká,' opperde meneer Snel.

Even later waren acht bejaarden druk doende de crème weer weg te poetsen. Dat viel met al die rimpels nog niet mee.

Dinsdag 24 september

Meneer Van der Schaaf is op straat aangesproken door een jongeman die vroeg of hij een euro kon wisselen in twee muntjes van vijftig cent voor een winkelwagentje. De knul was heel behulpzaam en hield de portemonnee wel even vast. Thuisgekomen bleek meneer Van der Schaaf een euro gewisseld te hebben voor twee briefjes van twintig en een briefje van tien.

Het was een jongeman met een Noord-Afrikaans uiterlijk. Het lijkt soms of die erop uit zijn om onze vooroordelen te bevestigen.

En mochten ze hem ooit pakken...

Straatroof zonder geweld?

Taakstraf met behoud van uitkering.

Het gebeurt niet vaak dat mensen met het stijgen der jaren linkser worden. Wel rechtser. Wat zegt dat?

Dit was geloof ik de derde keer in een paar maanden tijd dat een van onze bewoners in een opzichtige wisseltruc is getrapt. Iedereen is gewaarschuwd, maar op het moment dat ze op straat door iemand worden aangesproken is de helft wantrouwend tot op het bot en de andere helft naïef overtuigd van het goede in de mens.

Woensdag 25 september

Een wetenschapper, ik heb de naam niet onthouden, beweert dat de ziekte van alzheimer over een jaar of vijftien te voorkomen zal zijn. Dat is een schrijnend bericht voor alle ouderen die net zo'n beetje beginnen te dementeren. Die gaan dat niet meer meemaken, althans niet bewust. Domme pech.

Dom geluk voor oude Amerikanen. Tussen 1950 en 1968 vonden er minstens zevenhonderd belangrijke incidenten met kernwapens plaats, blijkt uit gedwongen vrijgegeven documenten. Een Amerikaanse bommenwerper verloor boven de vs per ongeluk twee waterstofbommen, 260 keer zo krachtig als die van Hiroshima, waarvan er een bijna ontplofte nadat drie van de vier veiligheidssystemen gefaald hadden.

Er is geen enkele reden om aan te nemen dat er zich hier en nu opeens géén incidenten meer zouden voordoen. Die worden alleen pas in 2058 bekendgemaakt. Ik zal me daar dan niet meer over verbazen, beloofd.

Al met al is het meer geluk dan wijsheid dat we er nog zijn.

De mensheid heeft niet bepaald altijd de verstandigste mensen het roer in handen gegeven. Hitler, Stalin en Mao, om er maar eens een paar te noemen, zijn samen goed voor een slordige tweehonderd miljoen doden, en dat nog zonder kernwapens. Als er een prijs was voor het domste schepsel op aarde zou de mens zeker tot de genomineerden behoren.

Morgen zal ik weer berichten over de kleine charmante details van alledag. Straks rijdt het busje voor en gaan acht kwieke ouderen met veel plezier een dagje hun kop in het zand steken. Alleen voor een hapje en een drankje halen we hem er even uit.

Donderdag 26 september

Er staat een mooi portret van mij op het dressoir. Geschilderd door Graeme, die er een bijzondere neo-expressionistische stijl op na blijkt te houden.

Het busje reed ons gisteren na de lunch naar Bergen aan Zee, het Noord-Hollandse kunstenaarsdorp. Daar moesten we ons melden in een mooi houten strandpaviljoen. Evert had zich niet afgevraagd hoe we hem in zijn rolstoel ter plaatse moesten krijgen. Het kostte aardig wat moeite om hem over een klinkerweggetje het duin op te duwen en eenmaal boven konden we hem haast niet houden en scheelde het weinig of Evert was op eigen kracht naar beneden geracet en met zijn kop in het zand tot stilstand gekomen. We vonden uiteindelijk twee sterke joggers bereid om Evert het duin af te tillen, hem honderd meter door het zand te sjorren en af te zetten bij de strandtent van onze schildersworkshop.

Daar had een artistiekerige dame verf en acht tafelezeltjes klaargezet met acht doekjes erop en moesten we in tweetallen elkaar portretteren. De resultaten waren hilarisch. Alle stijlen uit vijfhonderd jaar kunstgeschiedenis kwamen voorbij.

Met Eefje daarna nog even pootje gebaad in de Noordzee. Arm in arm.

De nabespreking was culinair en vinologisch verantwoord. De meneer van het strandpaviljoen zorgde met zijn tractortje dat Evert weer boven op het duin kwam. Evert zwaaide tijdens de rit als de koningin. In het busje terug werd uit volle borst gezongen.

Vanochtend heeft mevrouw Kamerling Graeme gevraagd of hij van haar ook een portret wil schilderen. Evert adviseerde Graeme daarvoor € 780,- te rekenen, exclusief btw.

Vrijdag 27 september

'In het kader van de week van de dementie trakteer ik op wijn en hapjes op het terras van eye,' zei Grietje gistermiddag tegen Eefje, Edward en mij. Toen we een beetje sputterden over het delen van de kosten zei ze alleen maar: 'Niet zeuren!'

Taxi heen, taxi terug.

Toen we genoeglijk in het zonnetje uitkeken over het IJ legde ze het tussen neus en lippen uit. 'Ik word een big spender op mijn oude dag. De spaarrekening moet leeg voor ik niet meer weet wat een spaarrekening is.'

Dit lijkt me de juiste benadering van dementie.

Ik heb het er verder wel een beetje mee gehad. Een Alzheimer Dag gaat nog wel, maar een hele week... Ik geloof dat er de laatste tijd wel acht programma's over dementie te zien waren op tv. Nou weten we het wel. Zo ingewikkeld is het ook weer niet: je krijgt het en na een tijdje weet je niks meer en herken je jezelf niet meer in de spiegel. Dan wordt het tijd voor de gesloten afdeling.

Er wordt nogal veel ophef gemaakt over de voorspelling dat een op de twee meisjes die nu geboren worden, de honderd haalt. Een belangrijke vraag heb ik nog niet horen stellen: is dit goed nieuws of is dit slecht nieuws? Van de mensen in ons tehuis die de honderd naderen wil minstens een op de twee het liefst zo snel mogelijk dood.

Zaterdag 28 september

Toen de liftdeur openging stonden er al twee rollators en een scootmobiel in de lift maar mevrouw Groenteman schatte in dat haar scootmobiel er nog wel bij kon. Ze liet haar bromstoel iets te snel optrekken en reed alles wat er al in de lift stond helemaal klem. Het duurde een half uur voor alle stukken blik en alle oudjes uit de knoop waren gehaald. Het gekerm was niet van de lucht, ook al waren de verwondingen met het blote oog nauwelijks waarneembaar.

De directrice heeft mij, heel indirect, laten weten dat zij denkt dat Anja mij vertrouwelijke informatie heeft doorgespeeld. Ze nodigde me gisteren persoonlijk uit voor de afscheidsborrel van Anja op maandag 7 oktober. Toen ik waarschijnlijk enigszins verbaasd keek zei ze: 'U bent toch bevriend met mevrouw Appelboom? Ik heb tenminste gehoord dat u regelmatig een kopje koffie met haar dronk op kantoor. Jammer dat ik er dan nooit was.'

Ik moet gebloosd hebben. Ik stond daar maar en zei niets. Een beetje schaakmat.

Een béétje schaakmat kan niet!

Stelwagen groette met een glimlach en vertrok.

Dat de afscheidsborrel op een maandag is zegt genoeg over de waardering die haar kantoorgenoten voor Anja hebben.

Overigens is zijzelf inmiddels meer opgelucht dan boos over haar onverwachte ontslag.

Zondag 29 september

Er stond gisteren, meteen na de kettingbotsing in de lift, een rij ramptoeristen tot aan het einde van de gang.

'O, o, o,' handen onthutst voor de mond, hoofd schudden en belachelijke analyses van oorzaak en gevolg.

'Die botsing kwam doordat de mensen in de lift te veel plaats innamen.'

Een aantal eigenschappen vlakt af bij ouderen maar nieuwsgierigheid hoort daar niet bij.

Het is prachtig nazomerweer. Maar wel een beetje verraderlijk. Vanmorgen ging ik in alle vroegte een ritje op de scootmobiel maken en toen vroren mijn vingers er bijna af. Ik moet, voor in mijn wagentje, heel goede winterkleding aanschaffen anders vinden ze me op zekere dag doodgevroren voor een stoplicht.

Schijnt wel, net als verdrinken, een mooie dood te zijn, zeggen mensen die het op het nippertje hebben overleefd.

Ik ga het nu nog niet uitproberen maar mogelijk is het een aardig alternatief voor de pil van Drion: je rijdt op een vrieskoude winteravond naar een eenzame plek, trekt je jas uit en wacht op de dood. Gaat ook niet stinken als ze je niet meteen vinden.

Maandag 30 september

Ik kan nauwelijks lopen van de pijn in mijn voet. Ik heb Eefje gebeld om aspirientjes voor me te halen. Ik denk dat het jicht is. Ik herken de symptomen die Evert ook had. Ik heb de hele ochtend op mijn stoel gezeten met mijn been omhoog. Alleen een keer op mijn knieën naar de wc gekropen.

Eefje heeft een uurtje naast me gezeten en vanmiddag komt Evert in zijn rolstoel op visite. De lamme en de lamme.

Ik heb het personeel gevraagd of zij mijn avondeten boven willen serveren.

'Nou, dat is eigenlijk geen usance,' zei het hoofd huishoudelijke dienst.

'Usance?'

'Ja, daar beginnen we niet aan. Dan moet u officieel naar de verpleegafdeling.'

Bekijk het maar met je regeltjes, ik vraag Graeme wel of hij vanavond mijn bordje even naar boven wil brengen. Die is nog goed ter been. Zullen ze wel weer gaan zeuren dat ook dat geen 'usance' is, maar daar trekt Graeme zich vast niets van aan.

Men is hier in staat om iemand geheel volgens de voorschriften te laten creperen.

Gelukkig heb ik tegenwoordig vrienden.

Dinsdag 1 oktober

Jawel, het is jicht. Ik heb van de dokter pillen gekregen waarbij ik niet mag drinken en als het over is kan ik voortaan beter de rode wijn laten staan en moet ik zo min mogelijk aardbeien eten. Zonder aardbeien valt best te leven, zeker in oktober, maar het seizoen voor rode wijn was net aangebroken, dus nu moet ik terugvallen op zomers wit. Als ik daarmee de jicht buiten de deur kan houden valt de schade reuze mee.

Ik haal met veel pijn en moeite de wc. Het o-zo-belangrijke rondscharrelen door het tehuis is er even niet bij. De overgebleven bezigheden: lezen, schrijven, tv-kijken en wachten op visite.

En een beetje in mijn administratie snuffelen. Daarin vond ik een oud krantenbericht: 'Een Amerikaanse onderzoekscommissie heeft geconcludeerd dat een slordige 6,6 miljard aan versgedrukte dollars, die in 2003 in een paar vliegtuigen naar Bagdad zijn gevlogen om overheidssalarissen te kunnen betalen, "mogelijk gestolen zijn". De Amerikanen hebben het geld aan de Irakezen gegeven en die zijn het kwijtgeraakt.'

Kwijtgeraakt? Zesduizend miljoen dollar kwijtgeraakt? Ja, een paar vrachtwagens vol geld. Kwijt. Ergens laten slingeren.

Ik snap waarom ik dit krantenbericht heb bewaard. Het is te ongeloofwaardig voor woorden. Ergens in Bagdad duikt een Iraakse Dagobert Duck in zijn pakhuis in een zwembad vol dollarbiljetten.

Woensdag 2 oktober

Ik vertelde aan Grietje, bij wijze van troost, dat er in heel Europa wel zes miljoen mensen aan het dementeren zijn.

'Zo Hendrik, dus jij dacht: gedeelde smart is voor Grietje halve smart.'

Daarna zei ze lachend: 'Geeft niet hoor!'

Ik kreeg geloof ik een rood hoofd.

Het is geen opwekkende gedachte dat er alleen al in Europa honderdtwintig Arena's vol dementerenden zijn.

Grietje vertelde dat je in een vergevorderd stadium van dementie langs een spiegel kunt lopen zonder jezelf te herkennen. Ze hoopte dat ze in dat geval zou denken: 'Goh, leuke vrouw!'

Vervolgens hebben we de ons bekende demente bewoners doorgenomen en geconcludeerd dat ongeveer een op de twee tamelijk tot diep ongelukkig is. 'Maar de andere helft is er dus zo slecht nog niet aan toe. Niet veel slechter dan de meeste andere bewoners. Dat is de optimistische conclusie,' zei Grietje en ze vervolgde dat geen haar op haar grijze hoofd erover dacht er voortijdig een einde aan te maken.

Alsof ze antwoord wilde geven op de vraag die ik niet durfde te stellen.

Met de jicht gaat het al wat beter. De pillen doen hun werk. Ik kan al weer wat rondstrompelen.

Donderdag 3 oktober

In ons subtropisch leuterparadijs hoor je een paar keer per dag dat vroeger alles beter was. Mevrouw De Vries zei gisteren met weemoed in haar stem dat er vroeger altijd tijd was voor koffie en een praatje. Evert merkte op dat er wat haar betreft dus eigenlijk niets was veranderd.

'Hoezo?'

'Ik moet al jarenlang elke dag jouw praatjes aanhoren, slechts afgewisseld door kleine stiltes voor een slokje koffie.'

Als antwoord kwam er een verontwaardigd 'Nou...'

En voor het eerst sinds ik haar ken viel ze vijf minuten stil. Na die vijf minuten eiste ze op hoge toon dat Evert voortaan 'u' tegen haar zou zeggen. De meeste mensen zeggen hier 'u' tegen elkaar. Waarschijnlijk een overblijfsel uit de tijd dat alles beter was en de mensen nog respect voor elkaar hadden. Alleen Evert tutoyeert zonder aanzien des persoons.

Ik loop weer tamelijk vlot en kan met een gerust hart vanavond weer een wijntje drinken. Ik ben toch verslaafder aan drank dan ik dacht. Dat merk je niet zolang je rustig doordrinkt, maar als je een paar dagen gedwongen droogstaat krijg je toch meer trek in een glaasje dan goed is voor je humeur.

Ter verdediging van mijn drankzucht, kan ik altijd zeggen dat het op mijn leeftijd toch allemaal niets meer uitmaakt. Dan schenk ik mijzelf met genoegen voor het eten een eerste glaasje wijn in. Tot voor kort joeg ik dan ook de brand in een sigaar maar dat kan helaas niet meer. Dan hoest ik mezelf dood.

Vrijdag 4 oktober

Op dierendag staat er geen vlees of vis op het menu maar tofuballetjes en andijviestamppot. Een klein gebaar naar de dieren. Morgen schep ik wel een beetje extra vlees op.

De muizenvallen laten we gewoon staan en muggen slaan we, ook op 4 oktober, gewoon dood. Je hebt dieren en dieren. Voor mensen geldt hetzelfde: sommige worden doodgeschoten of creperen van de honger en andere krijgen er nog een villa met zwembad bij.

Mevrouw Stelwagen had me op haar kantoor uitgenodigd om te vragen of ik een mooi afscheidscadeau wist voor Anja. Dat wist ik niet.

'Het mag best wat kosten,' drong ze aan. Misschien heeft ze last van haar geweten.

'Geef haar dan maar een elektrische fiets.'

Dat vond ze zowaar een uitstekend idee. Ik had gedacht dat ze zich er met een fluthorloge van af zou maken. Ik denk dat ik met deze ingeving Anja een goede dienst bewijs.

Ik ga vanmiddag eens bij mijn scootmobiel-mannetje op bezoek. Heb ik in mijn leven toch eindelijk ergens een 'mannetje' voor. Ik ga vragen of hij een windscherm voor mijn bromstoel kan regelen. De stevige oostenwind van de voorbije dagen maakte de rondritjes nogal fris, ondanks het herfstzonnetje. Met een scherm moet het beter uit te houden zijn.

Zaterdag 5 oktober

Henk Krol, die zo op de barricade stond voor onze pensioenen, is daar vanaf gevallen. Hij was nogal selectief in zijn strijd voor een eerlijk pensioen. Hij had het niet nodig gevonden pensioenpremie te betalen voor zijn eigen werknemers.

Opeens bleek minstens de helft van de bewoners Krol altijd al een onbetrouwbare man gevonden te hebben.

Dat hij in de krant op één foto stond samen met zijn ex-vrouw én zijn ex-man maakte de zaak er niet beter op. 'Als je al niet eens weet of je homo bent of niet, hoe denk je dan voor drie miljoen bejaarden te kunnen zorgen? Oprotten met die handel!' aldus de altijd genuanceerde meneer Bakker.

Maar met het aftreden van Henk Krol ('Nee mevrouw De Goede, niet de broer van Ruud Krol!') zijn een hoop bewoners in een diep politiek gat gevallen. Op wie moeten ze straks stemmen?

'Jan Nagel Aan Mijn Doodskist is al aan zijn zesde partij bezig dus daar stem ik ook niet op,' bromde meneer Hijneman. Een flink aantal bewoners, vooral dames, zou het liefst op prinses Beatrix stemmen.

Nee, het is over het algemeen geen pretje om hier over politiek te praten.

Er zijn sowieso niet veel onderwerpen waar met enige kennis van zaken over wordt gesproken bij koffie en thee. Evert vroeg laatst plompverloren of er nog mensen waren die hun schaamhaar een beetje fatsoenlijk bijhielden. Had je die gezichten moeten zien.

Later legde hij uit dat het soms nodig is een beetje te choqueren om te voorkomen dat het te druk wordt aan onze tafel.

Zondag 6 oktober

Edward heeft een papier op een van de koffietafels beneden geplakt met daarop: *Gelieve aan deze tafel geen ziektes te bespreken.* Evert heeft daar nog een tweede mededeling onder geschreven: *En ook geen woord over overleden echtgenoten (m/v).*

Daar werd vreemd van opgekeken.

'Hoezo geen ziektes?' vroeg mevrouw Dirkzwager, die altijd als eerste handeling haar pillenautomaat op tafel zet naast haar kopje cafeïnevrije koffie en dan de medicijnen van de dag inneemt terwijl ze zuchtend meldt waar ze allemaal voor zijn. En dat elke dag, geloof het of niet.

Moeizaam legde Edward uit dat je overal over je kwalen, ellende en dierbare doden mocht praten, alleen liever niet aan deze tafel.

'Mensen willen ook wel eens niet lastiggevallen worden met andermans gezeur!' verduidelijkte Evert.

Aarzelend vormden zich toen twee kampen: een klein gezelschap aan de tafel zonder ziektes en de rest aan de overige tafels. Daar wisten ze even niet of ze nu juist wel of juist niet hun gebruikelijke geklaag over hun gezondheid konden laten horen.

's Middags waren de briefjes verdwenen.

Het ouderensongfestival komt er weer aan. Binnenkort zijn de voorrondes. Laat ik niet vervallen in dezelfde fout als hierboven aangekaart: klagen.

Eén opmerking dan: de grote winnaars zijn de doven en slecht-horenden.

Maandag 7 oktober

Er lopen hier een paar dames rond met smetvrees én een paar da-mes die er, vriendelijk gezegd, een leefstijl op na houden waar de persoonlijke verzorging er wel eens bij inschiet. Dat bijt elkaar nogal.

Mevrouw Aupers, een van de dames die niet elke maand schone kousen aantrekt, meldde onder het eten aan twee tafelgenoten die zeer begaan zijn met hygiëne, dat al dat wassen en verschonen geen zin heeft.

'Alleen al op je hielen zitten wel tachtig soorten schimmels. Heb ik gelezen. Ken je nagaan wat er allemaal in je kruis zit.'

'Ik zit te eten!' zei een van de keurige dames.

'Ik wil alleen maar zeggen dat al dat wassen geen zin heeft. Ook je handen zitten vol schimmels en bacteriën.'

Het was gelukt: de twee dametjes met smetvrees riepen om de zuster. Of mevrouw Aupers alstublieft haar mond kon houden on-der het eten. Mevrouw Aupers beriep zich op haar vrijheid van me-ningsuiting. Het werd een relletje. Uiteindelijk moest Aupers in haar groezelige jurk, waar je het menu van de vorige dagen op terug kon zien, aan een tafeltje apart gaan zitten.

Maar het kwaad was geschied. Bijna niemand at zijn bordje leeg. Alleen de dikke mevrouw Zonderland profiteerde van de situatie en at vier vlaflips. Normaal gesproken toch een van de favoriete toetjes van de bewoners. Meestal worden de glazen tot de bodem leeggeschraapt.

Dinsdag 8 oktober

Zou zo'n Henk Krol nou al die jaren hebben rondgelopen met de angstige gedachte: 'O, als er nou maar niemand begint over die pensioenpremies die ik weigerde te betalen voor mijn personeel.' Ik denk dat die sluimerende angst zijn intense tevredenheid met zichzelf wat heeft ondermijnd. Er zijn vast nog veel meer mensen die moeten leven met dreigende onthullingen. Wat er boven water komt aan schandalen zal slechts het topje van de ijsberg zijn.

Gistermiddag was de afscheidsreceptie van Anja. Het viel mee. Een paar collega's zongen een liedje dat niet tenenkrommend was en er was een meneer die een aardige respectvolle toespraak hield waarin hier een daar een vleugje kritiek doorklonk op de bedrijfscultuur in dit huis. Stelwagen vertrok geen spier. Haar glimlach zat er stevig op gespijkerd, de hele receptie lang. Ik vraag me trouwens af wie die meneer was.

Anja was echt heel blij met haar elektrische fiets.

We hebben afgesproken elkaar regelmatig te blijven zien. Een mooie intentieverklaring. Nu de weerbarstige praktijk nog.

Oude mensen raken vaak hun laatste oude vrienden buiten de muren van dit huis kwijt omdat ze elkaar niet meer opzoeken of gezamenlijk iets ondernemen. Ze zien als een berg op tegen elke activiteit. Als je het mooi wilt zeggen komt dat door gebrek aan energie en angst. Ik hou het op luiheid en gemakzucht. Niet eenzaam worden kost een hoop, soms vruchteloze, inspanning.

Woensdag 9 oktober

Ik hoorde een doffe bons in de kamer naast mij en vlak daarna zacht kreunen. De muren zijn hier dun. Ik ging meteen de gang op en klopte aan; geen antwoord. De deur zat op slot maar de schoonmaker kwam net aangesloft en maakte hem op mijn dringend verzoek open.

Mevrouw Meijer lag op de grond in haar keukentje en je hoefde geen dokter te zijn om te zien dat haar arm er heel raar bij lag. Het was een naar gezicht. Ik belde de receptie om hulp en even later ging Meijer op een brancard richting ziekenhuis.

Dat was gisteravond.

Inmiddels weet ik dat ze een arm én een been heeft gebroken.

Ze was via een stoel op het aanrecht geklommen om de bovenkant van de keukenkastjes te kunnen afstoffen. 'Dat doe ik altijd zo,' schijnt ze gekermd te hebben. Goed argument.

Ikzelf ben voor de derde keer deze week op mijn bril gaan zitten. Na zo veel aandringen heeft een pootje de geest gegeven. Dit was mijn reservebril, want vorige maand was ik al op mijn goede bril gaan zitten. Ik heb het pootje geplakt met tape, geleend van de klusjesman, en mijn andere bril eindelijk naar de opticien gebracht.

'Ik zal kijken of ik daar nog wat mee kan, meneer.'

Donderdag 10 oktober

Toen het Nobelprijscomité Ralph Steinman een paar jaar geleden belde om hem te feliciteren met zijn Nobelprijs voor de geneeskunde kon hij niet aan de telefoon komen, want hij was net drie dagen dood.

Dat was pech zeg, voor Ralph. Zo'n prijs win je niet elke dag dus dan wil je er wel graag zelf bij zijn. Maar ook een gelukje, al kan hij er niet over meepraten, want de regel is dat doden geen Nobelprijs kunnen winnen. Nu moest het comité snel een nieuwe regel bedenken: je kunt als dode de prijs wel winnen, als het comité maar niet wéét dat je dood bent.

Het gerucht gaat dat iemand van de organisatie een winnaar nu eerst persoonlijk aan de telefoon moet krijgen voordat hij of zij als winnaar bekend wordt gemaakt. Dames en heren geleerden, het heeft dus geen zin je dood te verzwijgen.

Overigens is het natuurlijk vooral de schuld van het Nobelcomité zelf: tien, twintig soms dertig jaar na een beroemde ontdekking pas met een prijs aankomen is vragen om moeilijkheden. Wie weet hoeveel dode professoren daardoor het mooiste moment in hun wetenschappelijke carrière zijn misgelopen?

Men vond het wel heel zielig voor Ralph Steinman, toen ik het vertelde.

'Wat ook heel zielig is, is dat Vincent van Gogh nooit één cent heeft gezien van al die miljoenen die ze later voor zijn werk betaalden,' zuchtte mevrouw Aupers.

'Het is dus maar een geluk dat ie dood is!' concludeerde Evert opgewekt.

Het Higgs-deeltje leeft hier niet zo.

Vrijdag 11 oktober

Ophef over een Russische diplomaat die opgepakt is door de Haagse politie.

'Voor een dronken Rus die zijn kinderen mishandelt lijkt palliatieve sedatie me meer voor de hand liggen dan diplomatieke onschendbaarheid.' Mooi gesproken, Graeme! Je koppelt prachtig twee hoogst actuele zaken aan elkaar. Er zijn alleen niet veel mensen die begrijpen wat je zegt.

'Wij' hebben het niet zo op Russen en bieden ze al helemaal niet graag excuses aan, zoveel is duidelijk na het kringgesprek bij de koffie.

'Heb je die wodkakop van die Rus gezien, dan weet je genoeg,' aldus onze meneer Bakker.

'In sommige reisfolders maken ze reclame dat er in hun hotels géén Russen worden toegelaten,' wist mevrouw Snijder te melden, die in haar leven nooit verder is gekomen dan de Veluwe.

Zelf zeg ik: loof de Heer dat wij Mark Rutte hebben en niet Vladimir Poetin.

Hoe zou het komen dat mensen vooral namen vergeten?

'Goh, hoe heet hij ook alweer? Die zanger uit dat ene bandje. Er was ook een blonde zangeres bij. Iets met een A. Het ligt op het puntje van mijn tong.'

Namen van mensen die je al jaren kent krijg je opeens niet meer uit het bijbehorende hokje in je hersenen. Uren later springt zo'n naam soms opeens ongevraagd weer tevoorschijn.

Steeds vaker pijnig ik mijn hersens op zoek naar een naam of een woord, met steeds minder succes. Ik moet me erbij neerleggen maar in plaats daarvan erger ik me kapot.

Niet doen, Groen.

Zaterdag 12 oktober

De directrice noemde de ontruimingsoefening een groot succes. Als het doel van een ontruiming is zo veel mogelijk chaos te scheppen, dan ben ik het met haar eens.

Daar stonden ze ineens met hun fluorescerende hesjes in de gangen: de bedrijfshulpverleners. Het alarm was nog niet afgegaan, zodat de hulpverleners eerst de gelegenheid hadden om overal te vertellen dat het niet echt was. 'Om hartaanvallen te voorkomen,' gaf Stelwagen later als verklaring.

De wetenschap dat het maar een oefening was zorgde ervoor dat de meeste bewoners eerst hun koffie opdronken en daarna boven nog even een vestje gingen halen, want het was fris buiten. De files die zich vervolgens voor de liften vormden mochten wel vermeld worden bij de verkeersinformatie. Iedereen weet: bij brand de lift niet gebruiken. De meeste bewoners weigerden echter categorisch de trap te nemen, wat niet gek is als je achter een rollator loopt. Ze bleven gewoon wachten op een lift die niet kwam. Uiteindelijk besloot de hoofd-BHV'er dat er bij nader inzien geen sprake was van brand maar van een bommelding en dus mochten de liften toch gebruikt worden. Intussen was er wel een dame van de trap gevallen en iemand met zijn vingers tussen de zelfsluitende branddeuren gekomen.

Ik hoop dat er bij een echte brand heel trage vlammen zijn, want het duurde 35 minuten voor de laatste bewoner buiten stond en toen waren de eersten al weer naar binnen gegaan, personeel voorop, omdat het zo'n slecht weer was.

Zondag 13 oktober

Ik word weer woedend als ik eraan terugdenk.

Het was onverwacht aangenaam weer gisteren en ik besloot een stukje te gaan rijden op de scootmobiel. Kort na het begin van mijn rondritje stopte een auto onverwachts schuin voor mij. Ik remde en stond stil, midden op het fietspad. Van de andere kant kwam met behoorlijke snelheid een brommer aan, die hard moest remmen om niet dwars door mijn bromstoel te rijden. De bestuurder, rond de twintig, keek mij vuil aan.

'Opzij ouwe!'

'Meneer ouwe, voor u. Een beetje respect graag. Daar hebben jullie het toch altijd over.' Ik tikte met mijn vuist tegen mijn borst en zei: 'Respect man.'

'Achteruit ouwe!'

Ik ging achteruit en maakte ruimte om hem door te laten.

Van vijftig centimeter afstand spuugde hij me vol in mijn gezicht, gaf gas en scheurde weg. Spuug droop over mijn wang. Walgend veegde ik het weg met mijn mouw.

Ziedend van machteloze woede reed ik terug.

Lees ik net dat 'mijn' burgemeester Van der Laan prostaatkanker heeft. Dat maakt mijn humeur er niet beter op. Een van de weinige mensen voor wie ik bewondering heb. Én een leuk mens én een goede bestuurder, een zeldzame combinatie.

Dan kijk ik ook nog even naar buiten, naar een bui die nu al drie uur duurt, en ik besef dat ik nú op visite moet bij Eefje, voor ik zelfmoord ga overwegen. En als zij er niet is, ga ik door naar Evert. Is die er ook niet dan ga ik de rest van de dag naar bed.

Maandag 14 oktober

Gelukkig was Eefje gisteren thuis. Zij heeft een rustgevende en opbeurende uitwerking op me en hoeft daar niet veel meer voor te doen dan er te zijn. Ze hoorde mijn verhaal aan. Toen het spugen ter sprake kwam trok ze haar hoofd walgend achteruit en keek daar zo vies bij dat het leek of zij zelf de klodders voelde.

'Als je een geweer had gehad, had je hem van zijn brommer geschoten, kan ik me zo voorstellen.'

'Nu je het zegt... Maar dan zou ik van het trillen misgeschoten hebben en een onschuldige voorbijganger hebben geraakt. Dus eigenlijk kom ik zo nog goed weg.'

Daarop stelde Eefje voor om, ter kalmering, bij wijze van uitzondering nog voor de lunch een koffie op een pootje te nemen. Voor de niet-kenners: dat is een Irish coffee.

Dat hielp.

Mevrouw Bastiaans deed bij de thee verslag van de friteusetest van de *Consumentengids*.

De Moulinex Pro Clean AMC 7 kreeg een dubbelplus (++) waar het ging om 'het plakken van kruimels aan de friet'. Zij vroeg zich af of de kruimels dan heel goed aan de friet plakten of juist niet. Trouwens, zij beschouwde zichzelf als een patatkenner maar bij kruimels aan de friet kon zij zich niet zo veel voorstellen. Om het nog wat belangwekkender te maken: het was een *Consumentengids* van vijf jaar oud en het is hier streng verboden te frituren. En daar zit je dan, min of meer noodgedwongen, naar te luisteren.

Dinsdag 15 oktober

Er hing een briefje op het mededelingenbord dat het jaarlijkse uitje van de bewonerscommissie niet kan doorgaan wegens interne meningsverschillen. In het voorjaar zullen er nieuwe verkiezingen plaatsvinden voor de commissie. Alle huidige leden stellen zich herkiesbaar.

Het betreft hier, niet toevallig, de vier grootste stijfkoppen van dit tehuis. Met een beetje geluk worden ze alle vier herkozen en is er volgend jaar weer geen uitje.

Ik ben een paar jaar geleden mee geweest. Een dagje naar Aken. Bij Eindhoven was er een demonstratie van matrassen, in Aken een Duitse variant van een tupperwareparty en terug bij Eindhoven verkocht een man in een doktersjas vitaminepreparaten waar je minstens honderd mee werd. Als je eerder doodging kon je je geld terugvragen.

Eén uurtje in Aken rondgescharreld, drie uur koffie en thee gedronken en zes uur in de bus gezeten voor € 22,50 per persoon. Een mevrouw, God heeft inmiddels haar ziel, had op die dag voor duizend euro aan spullen gekocht, waaronder een mooi incontinentiematras. Ze kon overal pinnen.

Op de terugweg nam mevrouw Schaap, die vindt dat ze een mooie stem heeft, de microfoon ter hand en teisterde de bus een uur lang met liedjes uit haar persoonlijke oude doos. Eerlijk is eerlijk, er werd door velen enthousiast meegezongen.

Woensdag 16 oktober

Eva komt! Het personeel wordt te duur en te schaars (hoeveel werkelozen waren er ook alweer?) en daarom gaat Eva in de toekomst de kopjes thee uitdelen. Eva is een robot van de TU Delft. Op het plaatje ziet ze eruit als een kruising tussen een fitnessapparaat en een ouderwetse personenweegschaal. Met een soort brievenbus als mond en twee vlekken die op ogen lijken, of eigenlijk meer op wenkbrauwen. Naast haar specialiteit, klein verzorgingswerk, kan zij ook emoties tonen, beweren de makers. Een blikkerige schaterlach? Echte tranen? Dat staat er verder niet bij.

Ik hoop wel dat ik al dood ben als alle verpleegsters vervangen worden door robots omdat ze goedkoper zijn. Mocht dat niet het geval zijn, dan draai ik wel hier en daar een schroefje los. Evert heeft toegezegd zo veel mogelijk robots per ongeluk met zijn rolstoel omver te zullen kegelen. Ik zie een mooi scenario voor een film.

Oude mensen produceren minder adrenaline en dopamine, stoffen die zorgen voor vlinders in de buik en hartkloppingen. Maar om je verliefd te voelen gaat het niet om de totale hoeveelheid hormonen die je lijf produceert maar om de relatieve toename. Die kan bij ouderen net zo groot zijn. Zegt de krant. Dus vandaar dat ik, met Eefje in de buurt, altijd een beetje ga schutteren en stotteren.

Donderdag 17 oktober

'Eigenlijk is alles wat een dokter hier doet palliatieve zorg, laten we daar niet moeilijk over doen,' was de bijdrage van Evert aan de discussie over de huisarts uit Tuitjenhorn die misschien iets te ruimhartig morfine had gespoten.

'In ieder geval staat Tuitjenhorn weer eens op de kaart,' zei Graeme.

De meningen over het handelen van de huisdokter waren verdeeld. Er wordt hier door velen nogal rechtlijnig christelijk gedacht over euthanasie. Maar men was het er wel over eens dat het geen pas gaf de barmhartige dokter (daar ga ik van uit tot het tegendeel is bewezen) midden in de nacht mee te nemen voor een urenlang verhoor. Veel haast kan er toch niet meer bij zijn geweest.

Door zulke gebeurtenissen zitten wij straks met doktoren die geen morfine meer durven te geven, ook al heb je nog zo veel pijn. Bang dat er door zijn spuit iemand overlijdt, en die kans is bij hoogbejaarden nou eenmaal statistisch groot. En een aspirientje helpt vaak niet meer.

Meneer Bakker, de grootste kankerpit van dit huis, is met zijn Canta door de wasstraat gegaan maar had vergeten zijn raampje dicht te draaien. Te laat drukte hij toch nog op het knopje om het raam te sluiten. Toen zat hij aan de verkeerde kant van het aquarium. We hebben onbedaarlijk gelachen toen de portier het vertelde. Die zag hem drijfnat binnenkomen.

Vrijdag 18 oktober

'Al die berichten over grote doorbraken op het gebied van de aanpak van alzheimer komen mijn neus uit!' zei Grietje. 'Mosterd na de maaltijd.'

Verder blijft ze er vrolijk onder en vertelt ze met zichtbaar plezier dat ze haar sloffen onder haar kussen en haar pyjama onder het bed had gelegd. En ze weet steeds vaker niet meer wat ze nou ook al weer ergens ging doen. 'Op de wc valt het nog wel mee. Als ik het daar ook niet meer weet is het tijd voor de overkant.'

Aanstaande maandag hebben we eindelijk weer een uitstapje met onze Oud-maar-niet-dood-club. Organisator van dienst: Edward. Hij probeert verwarring te zaaien met tegengestelde kledingadviezen en steeds wisselende vertrektijden. Hij is eigenlijk niet aan de beurt maar heeft deze datum geclaimd. De verwachtingen zijn hooggespannen.

Nog meer goed nieuws: onze kok, de meest zouteloze kok van Nederland, is ontslagen. Redenen zijn niet bekendgemaakt maar het gerucht gaat dat hij te veel kookte met wijn. Ernaast.

De bewonerscommissie heeft verzocht in zijn geheel zitting te mogen nemen in de sollicitatiecommissie. Een kansloos voorstel maar ze konden het niet eens worden over een afgevaardigde.

Zaterdag 19 oktober

Als de vs problemen hebben met hun overheidsfinanciën en de schatkist op slot moet van de Republikeinen dan hebben wij daar een gewogen oordeel over.

'Als Amerika failliet gaat hebben ze wel een bekwame deurwaarder nodig,' vond mevrouw Blokker.

'Als het zover komt hebben ze aan één bekwame deurwaarder misschien niet genoeg,' bromde Graeme en hij vervolgde pathetisch: 'We drijven in een gammel bootje op de waterval af en niemand die iets doet!' Graeme is een groot liefhebber van wijlen Ko van Dijk: acteren met grove penseelstreken. Daarna volgt meestal een vette foute knipoog naar Eefje of Grietje, of als die er niet zijn naar mij.

'Ja, het zijn ongewisse tijden. Het leven is een puzzel van vijfduizend stukjes maar er zit geen voorbeeldplaatje bij!' Ook niet slecht, al zeg ik het zelf.

In ieder geval hoeven we niet op al die zogenaamde deskundigen te rekenen. Die zijn vooral goed in achteraf voorspellen. Geen enkele Oostblokdeskundige riep ruim van tevoren dat de muur zou gaan vallen. Vrijwel geen econoom voorspelde de bankencrisis. Misschien is de mensheid te dom en te onberekenbaar om er fatsoenlijke voorspellingen op los te laten. Als dat zo is, schaf dan maar snel alle zogenaamde deskundigen af, die zendtijdvullers bij praatprogramma's.

Hoe dan ook, elke discussie aan onze koffie- of theetafel kan worden afgesloten met een waarheid als een koe: het zal onze tijd wel duren!

Dinsdag 22 oktober

Eefje heeft in de nacht van zaterdag op zondag, vermoedelijk in haar slaap, een ernstige beroerte gehad. Ze is bijna helemaal verlamd en kan niet praten.

De zuster heeft haar zondagmorgen gevonden en een ambulance gebeld. Die heeft haar met spoed naar het ziekenhuis gebracht. Daar ligt ze op de intensive care.

Zondag is haar dochter op bezoek geweest.

Maandagmiddag mocht ze heel even bezoek ontvangen van niet-familie. Met lood in mijn schoenen ben ik naar haar toe gegaan. Het was verschrikkelijk. Het enige wat ze kan is nauwelijks merkbaar ja knikken en nee schudden. Blijkens haar reactie op vragen lijkt het hoofd nog helder. Ze heeft veel pijn.

Ik heb haar hand vastgehouden tot ze in een onrustige slaap viel.

Toen moest ik weg van de zuster. Ik heb gevraagd of zij Eefje wilde zeggen dat ik de volgende dag weer zou komen. Dat is straks.

Donderdag 24 oktober

Er is vier dagen na Eefjes beroerte nauwelijks verbetering opgetreden. Zij kan enig geluid maken maar daarbij is nee nog niet van ja te onderscheiden. Ze is van de intensive care af en ligt nu op zaal.

Ze kan wel weer slikken zodat ze met een rietje kleine slokjes kan drinken, wat haar zichtbaar kracht kost.

Ze oogt vermagerd. En ze woog voor haar beroerte al nauwelijks vijftig kilo.

Als ik op visite kom slaapt ze bijna altijd. Als ze wakker wordt, lijkt ze blij me te zien. Haar ogen lichten even op maar na enkele seconden staan ze weer zo moe en droevig dat ik iedere keer tranen in mijn ogen krijg. Dan moet ik even wegkijken om haar niet nog meer verdriet te doen.

Meestal hou ik een kwartier of twintig minuten haar hand vast, tot ze weer in slaap valt. Praten hoeft niet.

We hebben gisteren een uurtje gebiljart maar zonder plezier.

'Zo heeft het geen zin,' merkte Evert op, 'als jullie alleen maar rondlopen met een grafgezicht blijf ik liever op mijn kamer. Dan heb ik aan mijn eigen chagrijnige kop wel genoeg.'

Hij heeft gelijk, ik heb sorry gezegd. Daarna ging het iets beter.

Vrijdag 25 oktober

Met de oprichting van ons gezelschap Oud-maar-niet-dood vond er een opflakkering van levensvreugde plaats. Het lijkt erop dat het een laatste stuiptrekking van het geluk is geweest.

Evert invalide, Grietje dementerend en Eefje een kasplantje. Dat kan een club met maar acht leden niet verwerken, ook al drink je nog zo vaak goede wijn samen.

Iedereen doet zo zijn best er voor elkaar te zijn, het is ontroerend. Daar put ik wat kracht uit.

Er gaan elke dag twee mensen naar het ziekenhuis, een 's morgens en een 's middags, en Grietje en Evert krijgen de nodige mantelzorg. Iedereen is iedereen voortdurend aan het opbeuren. Maar het is optimisme tegen beter weten in.

Ik probeer elke dag te schrijven. Dat zorgt voor enig houvast. Verder lees ik de krant, kijk een beetje tv, zit voor het raam, drink thee. Bejaarder kan het niet, ik weet het, maar ik weet niet meer waar ik energie vandaan moet halen voor iets anders.

Zaterdag 26 oktober

Ik heb altijd afgegeven op de bewoners die alleen maar zuchten en klagen. Nu komt het er voor mijzelf op aan. Hendrik Groen, bewijs jezelf en anderen een dienst en geef jezelf een flinke schop onder je kont.

Het eerste resultaat: ik heb Edward gevraagd of hij niet toch op korte termijn het uitje wil organiseren dat afgelopen maandag niet is doorgegaan. Hij dacht even na en zei dat hij iets zou regelen.

Dat was het eerste stapje op de weg omhoog.

Onze advocaat Victor laat schriftelijk weten dat de raad van bestuur heeft toegezegd alle door ons gevraagde informatie uiterlijk 1 juni 2014 te zullen verstrekken.

Stelwagen beseft dat ze niet veel last meer van ons zal hebben. Bij alles wat ze doet staat de tijd aan haar kant.

Ze informeerde op de gang belangstellend naar mijn vriendin. Ze had gehoord dat er niet veel vooruitgang in zat. Ze hoopte van harte dat Eefje zelfstandig zou kunnen blijven wonen maar zag het somber in.

'Haar kamer moet zeker snel ontruimd worden?' liet ik me ontvallen.

O, nee daar was nog geen sprake van, dat zou pas op zijn vroegst half november moeten gebeuren. Ik denk dat Stelwagen oprecht meeleeft met Eefje en met mij. Maar wel vanuit 'het organisatiebelang'.

Zondag 27 oktober

Ik heb gisteren 'overlegd' met Eefje en haar dochter Hanneke. Ik was erbij op nadrukkelijk verzoek van Hanneke, die zei dat haar moeder het graag zo wilde. Ik had haar dochter nog niet eerder ontmoet. Het is een schat, maar ze woont in Roermond en heeft drie kinderen, een man en een baan en is dus nogal gebonden.

Het ziekenhuis heeft meegedeeld dat Eefje is uitbehandeld en elders verder moet revalideren. Revalideren klinkt hoopgevend, maar volgens de dokter is de kans op voldoende herstel om zelfstandig te kunnen wonen zo goed als nihil.

We zaten aan haar bed. Hanneke stelde vragen. Eefje knikte ja of schudde nee.

De samenvatting kan kort zijn: ze wil niet naar een verpleegtehuis, ze wil rustig doodgaan. Ze heeft een verklaring geschreven dat ze, in een geval als dit, niet verder wil leven. Dat heeft ze Hanneke ook al verteld toen ze nog gezond was. Ze weet alleen niet waar die verklaring is.

Ik heb nog niet eerder ogen gezien die zo ongelukkig en wanhopig waren.

We hebben morgen een gesprek met de behandelend arts.

Ik heb mezelf beloofd elke dag tenminste ook iets positiefs of grappigs te melden.

Vanmorgen zaten zeventien bejaarden een uur lang in de kerk te mopperen dat de dominee te laat was. De wintertijd vergeten!

Maandag 28 oktober

De behandelend arts heeft ons aangehoord. We hebben verteld dat het leven voor Eefje een ondraaglijke last is geworden. Dat ze een verklaring heeft getekend waarin ze aangeeft niet verder te willen leven als ze volledig afhankelijk is van anderen.

De dokter vroeg of hij die verklaring mocht zien.

We moesten toegeven dat we die nog niet hadden gevonden.

'Ik wil u geen valse hoop geven, maar ook mét ondertekende verklaring zullen wij in dit ziekenhuis niets doen om het leven van mevrouw Brand te beëindigen. Ik raad u aan u te wenden tot haar huisarts.'

De voortdurende discussie onder bewoners over de huisarts uit Tuitjenhorn, die eerst een patiënt en daarna zichzelf euthanaseerde, krijgt zo een extra lading.

Van euthanasie naar Zwarte Piet is hier bij de thee een kleine stap. Piet mag zich hier verheugen in een grote schare trouwe fans. Het is elk jaar weer dolle pret als er een dame bij Piet op schoot wordt uitgenodigd. Sommigen vechten erom. We hebben elk jaar dezelfde Piet en Klaas. Onze Sint is eigenlijk dringend zelf toe aan een rollator maar met staf en steun van een sterke broeder haalde hij afgelopen jaar nét zijn versierde stoel. Zwarte Piet is in het dagelijks leven het hoofd van de schoonmaakdienst. De enige Piet met roze rubberhandschoenen aan en de pepernoten in een emmer. Uit piëteit met zijn collega's strooit hij niet. Bovendien kan bijna niemand hier meer bukken zonder om te vallen.

Dinsdag 29 oktober

Gisteren code rood, windkracht 10. Niemand de deur uit. Bij iedere storm komt onherroepelijk het oude verhaal boven van de eigenwijze mevrouw Gravenbeek die in 1987 in de sloot is gewaaid en jammerlijk verdronken.

'Ze hadden haar nog zo gewaarschuwd!'

Ik heb de scootmobiel maar een dagje laten staan. Vliegen is makkelijk, het probleem zit in het landen.

Gistermiddag verder gezocht naar de euthanasieverklaring van Eefje. Niets gevonden. Heel nauwgezet met haar dochter een stuk of tien mappen doorgewerkt waarin een heel leven opgeslagen lag. Ik voelde me ongemakkelijk bij allerlei persoonlijke papieren en brieven. Die gaf ik in eerste instantie aan Hanneke maar die had het er nog moeilijker mee dan ik. Toen heb ik zelf zo oppervlakkig mogelijk gekeken of er iets in stond over levensbeëindiging.

Na twee uur kon ik niet verder.

Ik ben naar Evert gegaan om uit te huilen. De bedoeling was figuurlijk maar er ontsnapten toch ook een paar echte tranen.

Evert schonk een twintig jaar oude whisky in, 'voor speciale gelegenheden', liet Surinaams eten brengen en daarna hebben we een oude dvd van Herman Finkers gekeken.

Toen ging het wel weer.

Woensdag 30 oktober

'Je wordt geboren, je gaat dood en de rest is vrijetijdsbesteding.' (James Joyce)

Ik moet ergens nog een beetje kracht vandaan halen om de dierbaarste vriendin die ik heb zo veel mogelijk bij te staan in haar ellende. Dat maakt van het leven een zinnige vrijetijdsbesteding.

In de praktijk bestaat de steun aan Eefje uit elke dag een half uurtje haar hand vasthouden en bedenken wat er nog te zeggen valt.

Ze gaat nauwelijks vooruit. Vrijdag verhuist ze naar de verpleegafdeling. We hebben nergens een verklaring kunnen vinden waarin ze aangeeft niet verder te willen leven als ze bijna niets meer kan.

De zieligste stormschadefoto vonden wij de omgewaaide snackbar op wielen 'Uitje d'r bij!!!' bij Lauwersoog.

Bij storm zitten we eindelijk eens eerste rang achter onze geraniums. Vanuit zijn leunstoel voor het raam van de vijfde etage had meneer Bakker zes omgewaaide bomen, twee ongelukken en drie bijna-ongelukken geteld. Topdag!

Bij de koffie hoorde ik de volgende redenering: door de euro werd alles twee keer zo duur dus als we de gulden herinvoeren wordt alles vanzelf weer twee keer zo goedkoop.

Zelf heb ik ook een eenvoudige oplossing: alle banken verplaatsen bij alle tegoeden de komma één plaatsje naar rechts. Dan is er feitelijk niets veranderd maar is iedereen wel tien keer zo rijk. Bestedingen trekken aan, economie groeit enorm, probleem opgelost.

Donderdag 31 oktober

Mevrouw Van Diemen overweegt, in navolging van Anneke Grönloh, een facelift.

'Waar moet de chirurg bij zo'n lift dan al die onderkinnen laten?' vroeg Evert met een uitgestreken gezicht.

'Misschien kan hij iemand anders daar nog een plezier mee doen,' zei Van Diemen. Ze is een beetje de weg kwijt en al aardig op weg naar de gesloten afdeling.

Een andere bewoner, meneer De Wijs, gaat voor de derde keer in korte tijd van bank veranderen. Hij was van de Postbank, via de ABN AMRO bij de Rabobank terechtgekomen en nu deugt deze bank ook niet. 'Weet iemand een bank waar ik mijn geld netjes kan stallen?' vroeg hij bij de koffie. Om hem heen alleen maar vragende gezichten. Iemand bood aan zijn geld zolang voor hem te bewaren. Onder de bank.

In goede aarde gevallen hier: testamenten van de Hema. 'Voor weinig!' Veel bewoners zijn bang voor notarissen, en gezien de prijzen die deze beroepsgroep rekent voor een paar velletjes papier niet ten onrechte, maar in de Hema hebben ze een groot vertrouwen. Twee bewoners, die toch bij de Hema moesten zijn voor een worst, wilden ook gelijk een testament aanschaffen. Dat dat via internet moest was een flinke teleurstelling.

Ik mis Eefje, die je zo prettig onopvallend over dooie punten heen kon helpen. Met één enkele opmerking van haar was je je ergernis over al het geklaag en geleuter kwijt. Kon je weer even tegen de soms huiveringwekkende wereldvreemdheid hier.

Vrijdag 1 november

Tijdens mijn leven is het aantal bewoners van de aarde gestegen van twee miljard naar zeven miljard. Meer dan verdrievoudigd in één mensenleven. Misschien is dit toch de meest ingrijpende verandering die er ooit heeft plaatsgevonden op de wereld. Belangrijker dan de industriële of de digitale revolutie.

Toen het aantal wereldbewoners ter sprake kwam bij de koffie vond mevrouw Brom 'het inderdaad nogal druk worden'.

'Nou ik merk er anders in de hoeveelheid bezoek niet veel van,' schamperde Evert.

'Dat is omdat u niet aardig bent,' antwoordde mevrouw Brom.

Dat beschouwde Evert als een compliment.

Als alle mensen in verhouding net zo veel ruimte als een batterijkip zouden hebben, zeg 150 x 150 centimeter, dan zouden ze alle zeven miljard makkelijk in de helft van Nederland passen.

Zo bezien kunnen er nog tientallen miljarden bij.

Vanmiddag komt Eefje thuis. Dat wil zeggen, dan gaat ze hier naar de verpleegafdeling.

Het gesprek van haar dochter met de huisarts heeft opgeleverd dat er van euthanasie geen sprake kan zijn. Zelfs al zouden we haar verklaring vinden dat ze niet verder wil leven als ze nog slechts vegeteert, dan nog zou hij niets voor haar kunnen doen. Hij wilde dat verder niet toelichten.

Zaterdag 2 november

Gisteren, eind van de middag, zaten we met vijf mensen van onze club rond haar bed. Het leek wel een reünie. Of misschien meer een opheffingsbijeenkomst. De zuster kwam zeggen dat er maar twee mensen tegelijk op bezoek mogen komen. 'Anders hebben de andere patiënten er misschien last van.'

Eefje deelt een kamer met een vastgebonden mevrouw van negentig die steeds met haar nagel tegen de buis van haar bed tikt, en met een mevrouw die uren achter elkaar mummelt. Het enige dat bij Eefje nog goed lijkt te werken is haar gehoor. Laat haar geest in godsnaam niet meer scherp zijn.

Drie oudjes op één kamer, geen enkele privacy, niets van zichzelf. Welzijn 2013 in een van de rijkste landen ter wereld.

Ik ben nog verstrooider dan anders. Ik heb drie keer achter elkaar mijn boterham te lang in de broodrooster laten zitten. Verbrand. Ik was met mijn hoofd elders. Ik had geluk: er was te weinig rook om het brandalarm af te laten gaan. Dat zou een enorme heisa hebben gegeven en dan was waarschijnlijk mijn illegale broodrooster in beslag genomen. Een boterham roosteren valt onder het verbod op bakken, braden en koken.

Zondag 3 november

Ik had een goed gesprek met Evert. We waren aan het schaken. Althans, ik verschoof stukken.

'Het is een soort zelfmoordschaak wat je speelt, Henk.'

'O?'

'Is het een vervanging voor wat je in het echte leven niet durft?' Evert heeft weinig aanleiding nodig om tot de kern van de zaak te komen.

Natuurlijk begon ik er een beetje wollig omheen te draaien maar dat heeft bij Evert weinig zin. Hij liet me even aanmodderen en daarna viel er een stilte. Toen kwam het advies.

'Henk, als je er geen zin meer in hebt, moet je er een eind aan maken. Geen gedoe met zelfdodingsconsulenten en huisartsen maar gewoon een stevig touw kopen. Zolang je nog op een stoel kunt klimmen en je er vanaf kunt laten vallen heb je niemand nodig. Als je dat niet durft, wat vaker voorkomt, moet je niet zeuren en maken wat er van te maken valt.'

Geen speld tussen te krijgen.

Ik sputterde nog tegen dat sommige mensen geen euthanasie plegen omdat ze de achterblijvers geen verdriet willen doen of met schuldgevoelens willen opschepen.

Nou, daar hoefde ik me, wat hem betreft, niet zo veel zorgen om te maken. Hij wilde eventueel wel helpen met het knopen van de strop. Niet dat hij me kwijt wilde, zeker niet, maar echte vrienden zijn er om je te helpen als het echt nodig is. Zonder eigenbelang.

'En ik zal je excuseren bij de overige clubleden, hoewel ik denk dat ze je wel zullen begrijpen. Iedereen zit tenslotte in hetzelfde zinkende schuitje. En nou schaken!'

Maandag 4 november

Graeme vertelde aan tafel dat hij steeds een raar klikje hoort als hij gebeld wordt. 'Ik heb het idee dat ik word afgeluisterd,' zei hij met een serieus gezicht. Een paar uur later bij de thee meldden zich al vijf andere bewoners die ook meenden bij het opnemen een vreemd klikje te horen.

'Ik snap nu pas hoe mevrouw Merkel zich moet voelen,' zei mevrouw Schenk zonder een spoor van ironie.

Graeme vertrouwde me later toe dat zijn telefoon al weken ongebruikt in een la ligt.

'Ik word nooit gebeld. Als ik telefoon krijg is het voor zuigelingenzorg. Die hebben bijna hetzelfde nummer.'

Rutte heeft scherp geprotesteerd bij de NSA: waarom Merkel en de paus wel afgeluisterd worden en hij niet?

Bakker, onze brombeer, wond zich op over de militairen die naar Mali worden gestuurd. 'Op elke commando vijf logistieke ondersteuners, wat een watjes! Stabiliseringsmissie, há! Ik ging naar Indonesië om op spleetogen te schieten en te laten zien wie de baas was.'

'En... zijn we er nog de baas?' vroeg mevrouw Tuhuteru en ze gaf met haar spleetoog een knipoog naar mij.

Wij hebben de laatste tijd niets meer gehoord over de ophanden zijnde verbouwing. Geen nieuws is hier vaak slecht nieuws. Ik mis Anja als mol bij de directie. Onze inmiddels gepensioneerde klokkenluider maakt het overigens uitstekend. Ze geniet van het leven. We drinken regelmatig een kopje koffie samen.

Over Eefje geen nieuws.

Dinsdag 5 november

Ik bedacht dat Eefje het misschien leuk zou vinden als ik haar zou voorlezen. Ze is zelf altijd een verwoed lezer geweest. Ik heb op haar kamer drie boeken gevonden die er nog ongelezen uitzagen. Dat was nog niet zo eenvoudig. Het afdelingshoofd wilde me niet binnenlaten in Eefjes kamer. Ik ben naar Stelwagen gestapt, heb de situatie uitgelegd en verzocht een paar boeken te mogen pakken. Dat was de juiste tactiek, ik kan voortaan zonder probleem de kamer van Eefje in. Ik kreeg zelfs een sleutel, wat volgens mij tegen de regels is.

En passant deelde onze directrice mee dat de kamer op 1 januari leeg opgeleverd moet worden, tenzij er aanzienlijk herstel zou optreden.

'Zo, u wordt nog soepel.'

'Als het nodig is, gebruik ik de ruimte die me gegeven is.'

Eefje knikte toen ik voorstelde voor te lezen. Ze kon kiezen uit *Jacoba* van Simone van der Vlugt, *De eenzaamheid van de priemgetallen* van Paolo Giordano of *Haar naam was Sarah* van Tatiana de Rosnay. Ze knikte bij de laatste. Ik hoop dat het geen al te somber boek is. Ik ben achteraf blij dat ze *Jacoba* niet heeft gekozen, over Jacoba van Beieren. De eerste zin van hoofdstuk 1 luidt: 'De dood is de kamer binnen komen zweven.' Dat zou een lastige start geweest zijn.

Ik heb in een half uur zeventien bladzijden voorgelezen. Het boek telt er 331. Dus er zijn voldoende woorden voor ongeveer twintig keer voorlezen.

Ik vroeg na het lezen of ze het prettig had gevonden. Ze knikte.

Woensdag 6 november

'Zo meisjes, ik heb de pilletjes vast in jullie koffie gedaan en dan zie ik jullie straks op mijn kamertje.' Evert zag het al helemaal voor zich. Hij hoopte van harte de introductie van de lustpil voor dames nog mee te mogen maken.

'Ouwe opschepper,' bromde Graeme.

'Ik heb veel in te halen,' zei Evert 'want ik ben dertig jaar getrouwd geweest met een hele lieve vrouw maar ze was zo koud als een diepvrieskist en zo droog als een beschuitje.'

'Van die pil krijgen de dames een snor,' waarschuwde Edward.

'Die hebben de meeste dames hier al,' relativeerde Evert dit probleem.

'Ja Evert, zo kan ie wel weer,' zei Grietje en wierp hem een vernietigende blik toe.

De Oud-maar-niet-dood-club was voor het eerst in weken weer eens bij elkaar en dat was goed. Er werd een wijntje gedronken en er waren bitterballen en de stemming was afwisselend ernstig en vrolijk. Ria en Antoine hebben ons voor aanstaande zondag uitgenodigd voor een diner in een restaurant van oude vrienden. Iedereen zal er zijn. Nou ja, op één na. Vanmiddag ga ik haar weer voorlezen. Ik weet niet of ik de moed heb te vertellen van ons etentje zondag.

Donderdag 7 november

In Noorwegen hebben ze een twaalf uur durend breiprogramma uitgezonden: van schaap naar trui. Ter promotie van 'slow tv'. Ik stel voor als Nederlandse tegenhanger twaalf uur lang het in- en uitstappen bij onze lift uit te zenden. Dát is pas langzame televisie. Vooral het drempeltje van een halve centimeter hoog zorgt voor enorme vertraging.

Er was één lift een dag buiten gebruik, wegens een storing, en er ontstond een meterslange file. In een rijtje moeten wachten haalt niet het beste in onze bewoners naar boven: voordringen, duwen, tegen enkels aanrijden en vloeken.

Bakker: 'Die kolere tyfuslift!' Niet bepaald de titel van een nieuw Nijntje-boek. Er werd geschokt en verontwaardigd gekeken, ge-ooohht en ge-tsssst.

Ik heb voor de derde keer voorgelezen bij Eefje. Het voelt goed, ondanks het feit dat de vrouw in het bed ernaast er steeds doorheen mompelt. Ik vroeg de verpleegster of ze wel eens stil is. 'Alleen als ze slaapt maar dan snurkt ze een beetje,' was het verontrustende antwoord.

Ik heb Eefje gevraagd of ze oordoppen wilde. Ze knikte van ja. Ik heb gezegd dat ik het zal regelen. Dat moet geen probleem zijn. Oren zijn tegenwoordig goede handel, want er zijn in korte tijd twee nieuwe winkels voor gehoorapparaten bij gekomen op het winkelcentrum. Die zullen vast ook oordoppen hebben.

Vrijdag 8 november

De financiële problemen in de uitgeverijwereld hebben onze aandacht. Dat wil zeggen: er is grote onrust ontstaan over de dreigende ondergang van de *Margriet* en de *Libelle*, twee hoekstenen van onze samenleving. Onrust, vooral bij de dames maar ook bij een enkele heer.

Mijn suggestie om bij het verdwijnen van deze kwaliteitsbladen over te gaan tot het herlezen van oude jaargangen, werd als beledigend ervaren.

'De meeste mensen hier hebben zo'n slecht geheugen dat ze het niet eens zouden merken,' viel Graeme mij bij, maar daarmee werd het van kwaad tot erger. Woeste blikken! We hebben ons eruit moeten redden door te verzekeren dat het een grapje was.

'Ik lees de *Margriet* zelf ook heel graag,' zei ik nog.

Ik vind het ronduit beledigend dat niemand doorhad dat dat wel echt een grapje was.

Ik onderschat het belang van bladen als *Libelle* en *Margriet* niet. Ze zijn voor veel bewoners het venster op de wereld. Kranten worden weinig gelezen, actualiteitenrubrieken zelden bekeken. De wereld van de bejaarde wordt met het stijgen der jaren kleiner en kleiner. Steeds minder vaak komen ze buiten de muren van het huis. Vrienden en bekenden gaan dood. Al tientallen jaren geen werk meer. Niets of niemand om voor te zorgen. Wat blijft is de *Margriet*. En veel tijd om alles en iedereen in de gaten te houden.

Zaterdag 9 november

Grietje vroeg zich af of het voor haar nog zin had om heel snel tweetalig te worden.

Waarschijnlijk keek ik een beetje vreemd, want ze zei erachteraan: 'Grapje hoor, maar ik las dat tweetalige mensen gemiddeld ruim vier jaar later dement worden. Dat zou toch mooi meegenomen zijn.'

'Nee, dat komt te laat. Het enige verschil zou zijn dat we je dan in twee talen niet meer snappen.'

Bedankt Evert, voor je positieve bijdrage.

Haar naam was Sarah, het boek dat ik Eefje aan het voorlezen ben, is loodzware kost. Ik voel geen happy end aankomen. Ik heb Eefje twee keer gevraagd of ze niet liever heeft dat ik een vrolijker boek voorlees maar ze schudde beide keren stellig van nee.

Het voorlezen geeft structuur aan mijn dagen. Meestal 's middags, een enkele keer 's ochtends, wandel ik naar de verpleegafdeling en lees ik een half uurtje voor. Daarna houd ik nog even haar hand vast. Vaak valt ze, na een kwartiertje of zo, in slaap.

Boven haar voeteneind hangt een klein schoolbordje dat Grietje voor haar bij Bart Smit gekocht heeft. Daarop schrijf ik iets aardigs en wanneer ik weer langskom. Daarna meestal even naar Evert toe voor een borrel. Ik moet hem nog bedanken voor de schop onder mijn kont die hij me vorige week heeft gegeven. Niet zeuren maar aanpakken. Ik zal twee grote bossen gladiolen voor hem kopen. Ik weet zeker dat hij daar geen vaas voor heeft.

Zondag 10 november

Daar stond Evert met vier kilo bloemen in zijn ene hand en twee krukken in de andere.

'Nou, ik ga er weer eens vandoor.'

'Niet weglopen, lapzwans!'

Ik maakte aanstalten de deur dicht te trekken.

'Henkie... asjeblieft...' klonk het hulpeloos.

Toen kon ik hem in zijn gezicht uitlachen en hem daarna redden.

Hij had inderdaad geen vaas. De twee enorme bossen gladiolen staan nu in twee vazen die hij na een bliksembezoek aan Eefje opeens in zijn rugzak had. Sinds hij een been kwijt is heeft hij een rugzak. Bij de verpleegafdeling staat een kast vol vazen maar er mogen geen bloemen op de kamers. Dat schijnt slecht te zijn voor iets. In ziekenhuizen zetten ze vroeger alle bloemen 's nachts op de gang.

We hebben daarna koffie gedronken. Hij was blij met de bloemen en zeer te spreken over het feit dat ik niet meer zeurde maar iets deed. 'Al is het maar voorlezen.' Ik ben zelf ook weer te spreken over mezelf.

Vanavond het etentje in het restaurant. Ik heb de hele dag gevast want dat wordt geen stamppotje snotandijvie. Als het niet minstens vijf gangen zijn eet ik als toetje mijn hoed op. Heer Hendrik gaat zich straks netjes in het pak steken.

Ik heb niet de moed op kunnen brengen Eefje te vertellen van ons clubuitje. Het leek me te pijnlijk.

Maandag 11 november

Ik ben gisteravond zeker een kilo aangekomen. Zeven gangen en zes verschillende dranken. Een persoonlijk record. Voor iemand die de eerste vijftig jaar van zijn leven nooit meer dan twee gangen en een glaasje water voorgezet kreeg, kunnen we spreken van vooruitgang.

Goed, er waren nogal wat liflafjes bij. Maar wel heel lekkere liflafjes. De uitleg van de ober duurde bij elk gerecht minstens twee minuten. Veel ingrediënten waar ik nog nooit van had gehoord. Vraag me dus niet wat ik heb gegeten.

Minstens zo belangrijk was het feit dat er niet overdreven chic en gewichtig werd gedaan. Je kon rustig een boer laten. Niet zo'n keiharde als Evert liet ontsnappen maar van een beschaafd boertje van tevredenheid keek niemand op.

We waren het roerend met elkaar eens: dit was het lekkerste eten van ons lange leven. Ria en Antoine, de organisatoren, glommen zoals ik ze niet eerder zag glimmen.

We hebben gedronken op Eefje, de afwezige oude prinses. Ze werd gemist, zonder dat de stemming er somber van werd.

Na de gepocheerde kwarteleitjes op een bedje van lamsoor (ik zeg maar wat) van gisteren ligt er nu een grote zak Sintermaartensnoep voor me. Ik neem mijn derde mini-marsje.

Er kwam bij Sint Maarten nooit een kind zingen aan onze kamerdeur, tot vorig jaar. Toen ontdekten een paar kinderen het voordeel van warme overdekte gangen. (Ik vermoed dat de portier even was ingedut.) Daar had niemand op gerekend. Overal werd naarstig gezocht naar koek en snoep. Er gingen hele dozen dure bonbons doorheen en een paar spaarpotjes met kleingeld.

Dit jaar zijn we beter voorbereid. Zul je zien dat er geen kind komt en we alles zelf op moeten eten.

Dinsdag 12 november

Ik ben bij *Beter Horen* geweest. Of ze ook aan slechter horen deden? Ik heb het probleem uitgelegd aan de verkoper: een zieke oude mevrouw die last heeft van het lawaai van andere patiënten. Het beste zou zijn, zei de meneer, om oordoppen op maat te laten maken, dat kwam op ongeveer negentig euro. Het geld is geen probleem maar het op maat maken leek me, in het geval van Eefje, lastig. Ik heb een paar goede standaard oordoppen gekocht en ze gepast bij Eefje. Dat was onverwacht intiem. Zit je toch met je vingers aan iemands oor te priegelen. Ik bibber nogal en het duurde even voor de dopjes min of meer op hun plaats zaten.

Even dacht ik dat ik haar hoorde lachen maar dat was wensdenken. Maar haar ogen lachten wel degelijk.

De zuster deed even later erg moeilijk. Het was niet de gewoonte patiënten oordopjes te geven. Ze moest het met haar leidinggevende overleggen. 'Nee, u kunt niet bij dat overleg aanwezig zijn.' Of ik ze er weer uit wilde halen.

Ik heb moeten kletsen als Brugman om ze in haar oren te laten, zolang haar medebewoners blijven tikken en mompelen en er geen visite voor haar is.

Eefje moest een paar keer knikken op vragen van de zuster om te bevestigen dat ze dat wilde.

Toen tot mevrouw Slothouwer doordrong dat die paar omgewaaide Nederlandse bomen van twee weken geleden toch echt minder erg waren dan de verwoesting op de Filipijnen heeft ze er de watersnoodramp van '53 bijgehaald om tegen de tyfoon op te kunnen bieden. Eigen rampen eerst, is haar devies.

Woensdag 13 november

'Zolang Zwarte Piet maar niet op Dino Bouterse lijkt hoeft hij niet groen of blauw te worden,' klonk het uit onverdachte hoek. Mevrouw Weltevreden is sinds kort onze enige zwarte bewoonster en een groot aanhanger van een mooie glimmende Zwarte Piet. Ze draagt zelf ook grote gouden oorbellen en stift haar lippen nog regelmatig rood.

Er werd ouderwets gekankerd bij de koffie: de fysiotherapeut gaat grotendeels uit de aanvullende verzekering. Mevrouw Van Vliet, die jaarlijks naar schatting honderd keer naar de fysiotherapeut gaat voor God weet wat voor ingebeelde kwalen allemaal, heeft uitgerekend dat ze vanaf volgend jaar vijfduizend euro per jaar zelf moet gaan betalen. 'Nou, dan ga ik mooi niet meer. Dat is me veel te duur.'

'En je pijntjes dan?' vroeg iemand.

Van Vliet negeerde de vraag. Het verhaal gaat dat ze soms niet meer wist voor welke kwaal ze bij de fysiotherapeut kwam. 'Doet u maar ergens iets,' heeft ze een keer gezegd.

Onze huisfysiotherapeut deed nooit moeilijk. Die schreef onbekommerd zijn rekeningen voor de verzekering. Hij gaat zware tijden tegemoet. Alleen al van mevrouw Van Vliet reed hij in een BMW.

Graeme vatte het als volgt samen: mensen gaan net zo lang naar de fysiotherapeut tot de kwaal vanzelf over is gegaan. Ja, ja, ja, natuurlijk zijn er ook veel ouderen die wel baat hebben bij allerlei behandelingen.

Donderdag 14 november

Vanochtend, in een helder moment, vroeg ik mij af of bedlegerige patiënten misschien behoefte hebben aan muziek. Het lichaam is aan het bed gekluisterd maar de oren kunnen nog reizen. Het is misschien een welkome afwisseling om af en toe een uurtje naar muziek te luisteren. Of naar de radio. Om het lijden een beetje draaglijker te maken. Ik zal het vanmiddag vragen aan Eefje. Ik weet dat ze een grote verzameling vooral klassieke cd's heeft waar ze vaak naar luisterde.

Gisteren op het einde van de middag nog een ritje door de mistige weilanden van Waterland gemaakt. Het is er zelden druk. Af en toe scheurt er een auto met tachtig over de kleine weggetjes maar daarna is het woord weer aan de koeien, de schapen en de vogels. Er kwam rust over me. Dat klinkt een beetje zijig maar ik kan er niets anders van maken. Ik werd zelfs iets te rustig, waardoor ik bijna in een slootje reed.

Een boer op een tractor keek verbaasd naar die verdwaalde bejaarde en stak zwijgend een hand op.

Langzaam werd het donker. Er viel een druilerig regentje maar dat deerde niet.

Het was de eerste keer dat ik met mijn licht aan reed.

Vrijdag 15 november

De analyse van de ramp op de Filipijnen van meneer Bakker: 'Nog een geluk dat ze daar zo arm zijn anders was de schade nog veel groter geweest.' De bewoners zijn meestal niet zo geïnteresseerd in het wereldnieuws maar voor natuurrampen maken ze graag een uitzondering. Het moet gek lopen wil niet ten minste één bejaarde opmerken dat de mens toch maar nietig is bij zo veel natuurgeweld.

Er wordt veel gebeden voor de slachtoffers maar dat heeft nog niet direct tot resultaten geleid. Bidden vervangt bij sommigen het storten van een bijdrage op giro 555. In plaats van de portemonnee te trekken leggen ze het liever in handen van de grote regelaar boven.

Een kleine domper: de verpleegafdeling is niet voornemens oordoppen en muziek op te nemen in het basispakket. Geen tijd, te hoge werkdruk. Geen zin werd niet met zo veel woorden gezegd maar speelde wel mee.

Overigens is er ook geen veto uitgesproken over koptelefoon en oordoppen. Als familie of vrienden hierin willen voorzien en de andere patiënten er geen last van hebben dan zal het, bij wijze van experiment, worden toegestaan. De mitsen en maren in deze formulering zijn van mevrouw Duchamps, hoofd verpleging, een klein pinnig dametje. Ze weet alles goed, beter, best. Een Française die beter in Frankrijk had kunnen blijven. Arrogant en onsympathiek maar wel met een schattig Frans accent.

Zaterdag 16 november

Evert heeft een verdacht zwart stukje ontdekt op zijn enige overgebleven grote teen. 'Ik hoop niet dat er weer een stuk af moet, want dit is mijn laatste voet,' zei hij als grap. Ik hoorde een iets te schorre stem en zag een druppeltje zweet. Hij liet het me zien. Ik heb toen met een pannensponsje zijn teen schoongemaakt. Roomblank daarna. Ik heb hem niet eerder zo opgelucht gezien. Hij nam meteen een whisky want hij had van de zenuwen al twee dagen niet gedronken en dat was hem de laatste twintig jaar niet meer overkomen. Ik heb ontzettend gelachen. Het duurde even maar toen moest Evert zelf ook lachen.

Ik heb een iPod gekocht. Ik had eerlijk gezegd nog nooit zo'n ding in mijn handen gehad maar een stagiaire van mijn afdeling had precies gezegd wat ik moest kopen. Zij gaat er vanavond voor mij een paar cd's op zetten die ik uit Eefjes kamer heb gehaald. Een schat van een meisje, Meta heet ze en ze komt uit Badhoevedorp. Ze vindt het leuk om me te helpen.

Gaat het ooit nog goed komen met de mensenrechten in de wereld? Sinds ik een klein berichtje in de krant las ben ik een stuk optimistischer. Rusland, Cuba, China en Saoedi-Arabië zijn namelijk gekozen in de Mensenrechtenraad van de Verenigde Naties. Zij brengen stuk voor stuk een schat aan ervaring mee in het schenden van mensenrechten.

Zondag 17 november

Meta heeft vanmorgen de iPod teruggebracht. Er staan nu negen klassieke cd's op.

'Vond je het mooie muziek?' vroeg ik.

'Niet echt,' zei ze na enig aarzelen. Niet echt betekent echt niet.

'Jammer voor je.'

'Om het op te nemen hoef je er niet zelf de hele tijd naar te luisteren, hoor,' zei ze om me te troosten.

Beethoven vond ze nog wel aardig. Of die nog leefde?

Meta heeft zelf geen opa meer. Een is er dood en de ander is bij een familieruzie in het kamp van de tegenpartij terechtgekomen. Die ziet ze nooit meer. Ze vindt mij wel een aardige vervang-opa. Ik wil best af en toe een middagje haar opa zijn. Helaas voor korte tijd want haar stage zit er bijna op en dan gaat ze terug naar Badhoevedorp.

Ik ben meteen naar Eefje gegaan. Ik had de iPod ingepakt in mooi papier en hem zelf ook weer voor haar ogen uitgepakt. Voorzichtig zette ik haar de koptelefoon op en liet het begin van een symfonie van Mozart horen.

Ze was er erg blij mee.

Ik heb toegezegd 's morgens een half uur haar dj te zijn en 's middags een half uur voor te lezen. En als ik niet kom, zorg ik voor een vervanger.

Een half uur is genoeg. Dan valt ze meestal in slaap. Ook vanmorgen. Ik heb langzaam de volumeknop naar nul gedraaid en voorzichtig de koptelefoon afgedaan. Op het schoolbordje boven haar voeten heb ik geschreven: 'Je sliep zo mooi, ik heb je maar niet wakker gemaakt. Tot vanmiddag.'

Maandag 18 november

'Wist ik toch opeens niet meer hoe ik mijn televisie van de videostand af moest krijgen! Zat ik een beetje naar die knopjes van de afstandsbediening te kijken. Geen benul meer hoe het zat. Toen heb ik de radio maar aangezet.'

Ik heb Grietje op het hart gedrukt de volgende keer even te bellen als er iets is.

Ze gaat achteruit. Vindt ze zelf ook. Ik ga elke dag even langs voor een praatje en om te kijken of alles goed gaat.

Ik heb in korte tijd een goed lopende praktijk als mantelzorger opgebouwd. Daardoor is er weinig tijd voor alle koffie- en theekransjes met hun deprimerende klaagpraat. Des te beter. Ik moet er wel voor zorgen de gezonde sector van de club, Graeme, Edward, Ria en Antoine, niet te verwaarlozen.

Onze sympathieke advocaat belde om me op de hoogte te stellen van de stand van zaken. Ik heb hem meegedeeld dat we motivatieproblemen hebben in onze strijd tegen de directie om openheid. Hij begreep het toen ik vertelde in welke vegetatieve staat mijn belangrijkste strijdmakker zich bevindt.

Hij vond het erg jammer en vroeg of hij uit onze naam door mocht gaan.

'Zeker, mag dat. En als ik de tijd en energie kan vinden zal ik helpen.'

'Dat zal Eefje waarderen. Vertel het haar maar.'

Dinsdag 19 november

Graeme vertelde dat het vandaag precies zeventig jaar geleden is dat hij als jongetje van twaalf zijn hondje kwijtraakte. Hij liet hem uit in het park, toen vier Duitse politieagenten zomaar zijn hond afpakten. De datum was met een roestige spijker in zijn geheugen gegrift. Hij had zich nog nooit zo machteloos gevoeld. Later hoorde hij dat opgepakte honden werden ingezet als mijnenveger.

Mijn omvangrijke taak als mantelzorger is een anker in mijn dagelijks leven. Het geeft rust en een gevoel van ertoe doen. Mijn drie patiënten, Evert, Grietje en Eefje, zijn dankbare klanten. Wat het voorlezen betreft weet ik niet of *Haar naam was Sarah* een gelukkige keuze is. Ik word niet vrolijk van dat boek en ik vind het ook niet zo goed geschreven. Maar Eefje vindt het mooi. Ook is ze zeer tevreden over haar privéziekenomroep.

Ik raapte de moed bij elkaar en vroeg of ze nog steeds dood wilde. Ja, ze wil nog wel dood, maar minder graag. Dat maakte ik op uit haar hoofdbewegingen als antwoord op mijn vragen.

Goed nieuws voor de meeste bewoners: de verbouwing is een jaar uitgesteld. Diverse dames vroegen zich af of ze alle verzamelde verhuisdozen nog een jaar lang in hun kleine kamertje zouden laten staan of ze een voor een weer terug zouden brengen naar Albert Heijn. Moeilijk, moeilijk. Daarna kwam het gesprek op vleesbomen. Ik hou erg van bomen maar toen ben ik een ommetje gaan maken.

Woensdag 20 november

Ik heb met Grietje een bezoek aan de gesloten afdeling voor dementerenden gebracht. Het was eenvoudig binnenkomen. We liepen gewoon mee met een zuster en zeiden dat we de schoonzus van Grietje op gingen zoeken. We hadden van tevoren de naam van een willekeurige patiënt opgezocht maar dat bleek niet nodig. Niemand vroeg iets. We wandelden door verschillende zaaltjes en zagen hier en daar een oude bekende. We hoefden niet bang te zijn voor herkenning.

Het was etenstijd. Een zuster voerde een klein vrouwtje met een slabbetje voor. 'Toet, toet, daar komt een vrachtauto aan... en... hap!' Nu heet het dementeren maar vroeger zei men dat je 'kinds' werd.

Een andere mevrouw zat op een stoel en vroeg me of ik haar kijkdoos wilde zien. Meteen deed ze haar benen uit elkaar. Ik geef geen beschrijving. Sommige oudjes keken apathisch voor zich uit maar er werd ook vriendelijk naar ons geknikt en gelachen. Grietje heeft de benijdenswaardige instelling de zaken te nemen zoals ze komen.

'Hier zit ik dus over een jaartje of zo,' zei ze 'en ik hoop maar dat ik een beetje plezier heb tegen die tijd. Ik wil trouwens niet dat je me komt opzoeken, Henk, tenzij ik er nadrukkelijk om vraag. Is dat afgesproken?'

Ja, dat was afgesproken.

Donderdag 21 november

Bij zorginstelling 'De Hooghe Clock' in Den Bosch moesten sommige bewoners voor het toiletpapier betalen. Dat was in ieder geval twee jaar geleden het geval. De verontwaardiging was destijds groot. Nu ging het gerucht dat er voor onze instelling aan een soortgelijke bezuinigingsmaatregel werd gedacht. Het lijkt me voor hier geen goed idee. Sommige bewoners zijn zo zuinig dat ze, als ze zelf het toiletpapier moeten betalen, het afvegen maar liever achterwegen laten, of het er onder de douche wel af krabben. Tenminste, als niet ook voor het douchen betaald hoeft te worden.

Het ruikt hier toch al niet zo fris. Ik heb soms de indruk dat het wc-papier al op rantsoen is.

Wat mij in het krantenbericht destijds fascineerde was dat 'sommige' bewoners moesten betalen voor hun papier. Waarom anderen niet? Kreeg je misschien een afgepast aantal gratis vellen en moest je, als je die opgeveegd had, voor extra papier betalen?

Het is wel een beetje een vies praatje. Terwijl ik toch eigenlijk een keurige heer ben. Onopvallend keurig, zo zou ik mijzelf willen omschrijven. Niet groot, niet klein, niet dik, niet dun. Grijze of blauwe pantalon, nette spencer. Veel rimpels en een páár grijze haren die de kapper voor €16,- in minder dan tien minuten knipt. En van die tien minuten bestaat nog zeker de helft uit tijdrekken. Nog even en ik betaal meer dan een euro per haar.

Vrijdag 22 november

De kamer van Eefje moet toch uiterlijk 1 december ontruimd zijn. De directrice was voorbarig geweest met haar eerdere toezegging van 1 januari. Ze had ons graag wat meer tijd gegeven maar bij nader inzien stonden de reglementen dat niet toe.

'U bedoelt die reglementen die niet ingezien mogen worden?'

Ja, die bedoelde ze. Ik zag iets van schaamte over haar gezicht glijden.

Ik was met de dochter van Eefje, Hanneke, bij Stelwagen ontboden om 'de verdere gang van zaken te bespreken', maar veel te bespreken viel er dus niet. Hanneke vroeg me of ik mee wilde gaan naar haar moeder om het te vertellen.

Dat wilde ik niet maar ik vond dat ik moest.

We zijn maar meteen gegaan. Eefje leek niet verrast dat haar kamer leeggemaakt moest worden. Ze heeft een klein beetje vooruitgang geboekt. Ze kan iets zeggen dat op 'ja' lijkt of in ieder geval van 'nee' te onderscheiden is. Ze kan haar rechterhand en rechterbeen enigszins bewegen en ze kan iets makkelijker slikken.

We zullen, in overleg met haar, een klein deel van haar spullen opslaan en wat persoonlijke zaken bij haar bed zetten. Ze heeft bij haar bed een eigen kast, een stoel en een tafeltje. Het persoonlijke bezit is op de verpleegafdeling tot een minimum geslonken. Monty Python zei het al: je wordt geboren met niets. Je gaat dood met niets. Dus wat heb je verloren? Niets!

Ik heb Eefje daarna nog een half uur muziek laten horen, dat brengt rust en ontspanning. Ik ben al behoorlijk handig met de iPod. Ik heb er voor mezelf ook een gekocht. (Iemand heeft me hip genoemd.) Ik kan er alleen zelf niks op zetten.

Zaterdag 23 november

De portier heeft een blauwe en een groene Zwarte Piet de toegang tot het huis ontzegd. Alleen een zwarte Zwarte Piet mocht doorlopen, maar die kreeg weer een strooiverbod van het hoofd huishoudelijke dienst om te voorkomen dat de pepernoten fijngetrapt werden in de vaste vloerbedekking.

Het gerucht gaat dat de blauwe en de groene Piet aangifte hebben gedaan van discriminatie. De directie heeft een verklaring uit laten gaan dat de portier op eigen gezag handelde. Als de dood voor een rel. Waar die Pieten vandaan kwamen weet niemand.

Om Evert ter wille te zijn heb ik gisteren weer meegedaan met het klaverjastoernooi. Niemand wil met hem spelen. Ook liever niet tegen hem. Sommige oudjes hebben een ongezonde weerzin tegen mijn vriend ontwikkeld en dat verdient hij niet, hoewel hij erg irritant kan zijn.

In tegenstelling tot mijn gewoonte om losjes wat kaarten bij te gooien heb ik echt mijn best gedaan en dat resulteerde in een prachtige derde prijs: twee chocoladeletters.

Het klaverjasniveau is laag. Er wordt voortdurend verzaakt en geblunderd dus zelfs met matige kaarten heb je een redelijke kans op een goed resultaat.

'Ik hou toch niet van chocola, tenminste niet van die,' was de reactie van de tot op het bot verzuurde meneer Pot.

'Nou, ik wel, maar ik schenk mijn prijs aan de sympathiekste speler van het toernooi, mevrouw Geertje, die bovendien wel wat calorieën kan gebruiken,' zei Evert en gaf zijn letter aan het magere musje Geertje, die laatste was geworden en nu helemaal straalde. Evert mag geen chocola.

Zondag 24 november

Het is een raadsel wie die drie Pieten op ons dak heeft gestuurd.

De groene en de blauwe mochten zoals gezegd niet naar binnen van de portier en de zwarte is na drie minuten weer vertrokken en heeft alleen onverstaanbare klanken uitgestoten. Er circuleren verschillende complottheorieën.

1. Het zouden inbrekers in vermomming zijn geweest. ('Ik hoorde ijzeren voorwerpen in de zak rammelen.')

2. Een concurrerend bejaardenhuis zou ons een hak hebben willen zetten. ('Die ene Piet leek sprekend op een Surinaamse verpleger uit huis X.')

3. Het was een verrassing van onze eigen bewonerscommissie en die doet nu of hun neus bloedt omdat het op een zeperd is uitgedraaid. ('Ik heb hem zelf *verrassing* horen zeggen.')

Nooit hebben de bewoners hier ook maar een spatje fantasie, behalve als het om verdachtmakingen gaat.

Ria en Antoine vinden het een eer de planten van Eefje te mogen adopteren. Ze zijn bij haar langs geweest om te zeggen dat ze bij hen in goede handen zijn.

Bij mij op de kamer is geen groen blaadje te vinden. Ik hou nog geen sanseveria in leven. Bolletjes, die doen het goed. Bloeien en daarna, hup, de vuilnisbak in. Alleen bij Evert maken planten en bollen nog minder kans. Zijn hond Mo eet alles op wat groeit en bloeit. En kotst het daarna weer uit.

Maandag 25 november

Ik kwam op de gang de aardige maatschappelijk werkster tegen die me ooit op mijn dak is gestuurd om te informeren naar mijn plannen voor zelfdoding. Ze vroeg of ik het leven nog een beetje zonnig inzag.

'Nou, eigenlijk betrekt de lucht nogal richting egaal grijs,' zei ik.

'En achter de wolken?'

Ik heb naar waarheid geantwoord dat ik niet veel zon meer verwachtte en dat ik, als ik helemaal genoeg had van dit weer, contact met haar zou opnemen alvorens tot zelfdoding over te gaan.

Ik heb met Hanneke gisteren in een paar uur de spullen van Eefje uitgezocht. Aan de rechterkant van de kamer staat alles wat mee kan met de kringloopwinkel. Links staan een paar spullen die Hanneke gaat proberen te verkopen op Marktplaats. In het midden van de kamer twee dozen met kleine persoonlijke zaken: foto's, schilderijtjes, een paar beeldjes, sieraden, boeken en cd's. Een heel leven in nog maar twee dozen. Er hoeft geen verhuiswagen te komen, het kan op het koffiekarretje.

Vrijdag komt een vrachtautootje van de kringloopwinkel alles wat er dan nog staat weghalen.

De directrice heeft, bij wijze van gebaar, gezegd dat het huis de kosten van het verwijderen van schroeven en haken voor haar rekening neemt. 'Wat een vorstelijk aanbod,' kon ik niet nalaten te zeggen.

Er is nog steeds geen euthanasieverklaring gevonden. We hebben die hoop nu opgegeven.

Dinsdag 26 november

'Met een beetje geluk geloof ik volgend jaar weer in Sinterklaas!' zei Grietje vrolijk.

'Ja, nog even flink doordementeren, dan haal je het wel,' moedigde Evert haar aan.

Ze vond het een leuk vooruitzicht weer goedgelovig haar schoen te kunnen zetten. 'Misschien doet Sinterklaas er wel een steunzool in!'

'Van marsepein.'

Anja is gisteren bij me op visite geweest. Ze leeft helemaal op sinds ze met vervroegd pensioen is gestuurd. Ze betreurt wel dat ze niet de tijd en gelegenheid heeft gekregen om alle stukken naar buiten te smokkelen die het bestuur als 'vertrouwelijk' onder haar enorme pet wilde houden. 'Als spion ben ik mislukt.'

'Maar als mens een succes.'

'Dat is lief van je Hendrik.'

Daarna zijn we naar Museum Noord geweest, zij op haar elektrische fiets en ik met mijn scootmobiel. Ik kon haar maar net bijhouden. Museum Noord is het enige museum dat Amsterdam-Noord rijk is. Het was gesloten op maandag.

Woensdag 27 november

Een voordeel van hier wonen is dat de kans klein is dat je tien jaar dood op je kamer ligt. Daar waren de bewoners het over eens. 'Dat is meer een voordeel voor de levenden. Dat het niet zo gaat stinken. Voor de dode maakt het geen bal meer uit,' bracht meneer Krauwel er tegenin. Meneer Krauwel is onze nieuwste aanwinst: negatief tot achter de komma en klagen over alles. Samen met meneer Bakker vormt hij het duo Steen-en-Been.

De dames vinden Krauwel knap vanwege zijn golvende grijze haar.

Elke nieuwe heer wordt hier met ingehouden gejuich ontvangen vanwege het grote damesoverschot. Het is gênant om te zien hoe sommige vrouwen proberen de aandacht van een nieuwe man te trekken. Zij stiften hun dunne lippen, herschikken hun verlepte borsten, verspreiden wolken opdringerig parfum en gaan te hard praten en te vaak lachen.

De dame die erin slaagt Krauwel aan de haak te slaan zal het bezuren. Zij krijgt een hyena als maatje.

Ik ben een beetje grieperig. Dat kan ik nu niet gebruiken. De mantelzorger moet op de been blijven.

Ik moet toevallig overmorgen naar de geriater dus dan kan die dat hardnekkige hoestje meteen even meenemen.

Donderdag 28 november

Ik heb gedroomd dat ik bij Eefje een kussen op haar hoofd legde en er daarna op ging zitten. Zwetend en helemaal in de war werd ik wakker. Pas na een half uur en twee koppen thee was ik weer rustig.

Als ik aan haar bed zat en haar verdriet en pijn zag, heb ik haar wel eens een zachte dood toegewenst. Maar dat met eigen handen bewerkstelligen zou ik nooit kunnen. De gedachte alleen al maakt me misselijk.

Het eerste voorleesboek is uit. Gelukkig. Ik ga verder met, hopelijk, iets luchtigers: *De eenzaamheid van de priemgetallen*. Uit de titel valt niet veel op te maken. Eefje koos voor dit boek uit de twee overgebleven titelkandidaten.

Ik heb de indruk dat het er niet zo veel toe doet wat ik voorlees, als ik maar voorlees. Ik zie mezelf als een rustgevend kabbelend beekje.

Het maakt ook niet zo veel uit welke muziek ik draai bij het dagelijkse muziekhalfuurtje, al waag ik het niet om voor de grap heavy metal op te zetten of zo'n rapper met Engelse rijmpjes met veel fucking hier en fucking daar. Met het supertrio Bach, Mozart en Beethoven zit ik als dj altijd goed. Ze valt er meestal rustig bij in slaap.

Vrijdag 29 november

Ik heb net met mijn eerste luier door de Albert Heijn gelopen. Hij loopt lekker.

Die hindernis is dus genomen. Heeft er ook mee te maken dat er een nieuwe bewoonster is die met regelmaat rondloopt met een grote natte plek in haar jurk. Daar wordt ze dan meestal discreet op gewezen maar wel zo hard dat iedereen het kan horen.

'O, heb ik weer gelekt?' zegt ze onthutst en verrast, alsof het niet een paar keer per week voorkomt.

Om het er nog even in te wrijven meldt er dan altijd wel iemand dat haar stoel ook zeiknat is. Dat woord is in ieder geval goed gekozen.

Ik wil ten koste van alles voorkomen dat iemand me op een natte plek in mijn broek gaat wijzen. Het proefpakketje incontinentieluiers (mini) dat ik vanmorgen van de geriater heb gekregen ben ik dus maar meteen gaan uitproberen.

Verder heeft het bezoek aan de dokter niets opgeleverd. Geen nieuwe kwalen ('Stilstand is vooruitgang,' zei de dokter tevreden) en ook geen nieuwe hoop voor Eefje.

'Die mevrouw heeft vooraf niet te kennen gegeven dat ze niet in een verpleeghuis wil, althans zo'n verklaring is niet te vinden, en ze kan zich nu niet duidelijk uiten. Euthanasie is dan niet aan de orde. Daar gaat geen arts zich aan wagen.'

Zaterdag 30 november

Zestig jaar bij elkaar, Bernard en Georgette Cazes, en hand in hand uit het leven gestapt. Mooi!

Ze hadden een luxe Parijs' hotel uitgezocht als plaats van laatste handeling. Jammer dat ze hun toevlucht moesten nemen tot plastic zakken over hun hoofd. Om snel gevonden te worden hadden ze ontbijt op bed besteld. Arm kamermeisje.

Iets leukers: gisteravond met Ria en Antoine uit eten geweest in een klein Indonesisch restaurantje. Heerlijk gegeten, alleen wel een keer de kroepoek uit het schaaltje gehoest. Daar deed niemand moeilijk over.

Het gesprek ging dit keer niet voornamelijk over eten: ze willen komend voorjaar een wijnreisje maken, en vroegen of ik mee wilde. Zij keken heel teleurgesteld toen ik eerst nogal bedenkelijk keek maar ik had 'Rijnreisje' verstaan. Met een paar honderd bejaarden op een boot waar je niet af kunt, lijkt me een hel.

Toen het misverstand uit de wereld was geholpen, vertelde ik dat ik met hetzelfde idee rondliep. 'Dus laten we de krachten bundelen.' Ik heb wel enige reserve bij het idee Evert in zijn rolstoel van chateau naar chateau te duwen. Zeker als hij te veel wijn gedronken heeft valt hij er nog wel eens spontaan uit.

Misschien kunnen we Stelwagen vragen voor zijn hond te zorgen.

Zondag 1 december

Nog één maand te gaan en dan is het jaar vol en het dagboek uit. Ik heb gisteren een paar flinke stukken herlezen en, mijn excuses, het gaat wel vaak over ellende. Terwijl een van de redenen om te gaan schrijven was om van leer te trekken tegen dat eeuwige gesomber hier.

Maar het is niet anders: ik maak dagelijks de gang naar geamputeerde Evert, dementerende Grietje en vegeterende Eefje.

Onze korte tijd florerende club Oud-maar-niet-dood heeft het zwaar. De teloorgang werd door meneer Pot van het volgende commentaar voorzien: 'Dat krijg je ervan. Wij waren niet goed genoeg. Laat ze nou ook maar in hun ellende stikken.'

'Hebben ze je ooit iets aangedaan? Heb je last van ze gehad?' vroeg mevrouw Aupers verbaasd.

Er zijn gelukkig ook veel bewoners en personeelsleden die meeleven met de misère van onze club.

Of ik zin had om een stukje te gaan rijden? Meneer Hoogdalen, van de nooit opgerichte scootmobielclub 'De Antilopen', kwam bij al mijn zwaarmoedigheid als geroepen. Jazeker! Hij in zijn gepimpte scoot-de-luxe, ik in mijn degelijke Élégance.

Hij wist een mooi rondje. Ik hoefde alleen maar achter Hoogdalen 'zeg maar Bert' aan te rijden. Na een uurtje legden we aan in een café voor een kop soep. Bert is een man van weinig woorden. En van hele zinnen houdt hij al helemaal niet.

'Mooi tochtje,' over de tocht.

'Lekkere soep,' over de soep.

'Zullen we?' bij vertrek.

En bij het afscheid: 'Sterkte. En eh... laat ze maar lullen.'

Mijn hoofd is aangenaam leeggewaaid.

Maandag 2 december

Ik krijg niet vaak post maar als ik post krijg is dat regelmatig een brief waarin staat dat ik een cheque van € 8.990,– onmiddellijk moet innen. Bijgesloten een cheque-aanvraagzegel. En, als bijkomende voorwaarde, moet ik zes paar peperdure thermo-inlegzolen bestellen.

De suggestie wordt gewekt dat ik dat geld al heb gewonnen. Alleen heel precies lezen leert dat je een káns maakt op dat geld. Alles staat 'onder toezicht van een neutraal persoon', dus dat zit wel goed.

Zo langs mijn neus weg heb ik wel eens geïnformeerd wie hier allemaal zulke prijzenpost ontvangen. Dat zijn er heel wat. Tal van bewoners hebben de verleiding niet kunnen weerstaan met als resultaat: geen prijs gewonnen maar wel voor veel geld een paardenkastanje aderkuur, bamboe gezondheidssokken of actieve rapunzelbalsem gekocht. Ik verzin deze producten niet! Ze zijn op menige kamer te vinden, goed verstopt onder in een kast.

De meeste kopers willen er liever niet over praten. Een enkeling schreeuwt van de daken dat hij opgelicht is.

Bejaarden zijn dankbare slachtoffers.

Ik zeg dit soort post niet op om de vijand op kosten te jagen.

Dinsdag 3 december

Ik moest gisteren naar de sinterklaasmiddag. Evert had zichzelf een paar uurtjes klieren beloofd en ik voelde me geroepen hem tegen zichzelf in bescherming te nemen. Dat viel niet mee.

Eerst zong hij veel te hard en heel vals met alle sinterklaasliedjes mee en keek iedereen verstoord zijn kant op. Daarna drong hij er keer op keer bij Sinterklaas op aan om mevrouw Van Til op schoot te nemen, wat de Sint terecht bleef weigeren. Van Til is over de honderd. Kilo!

Na een half uur had mijn vriend al vier grote mokken warme chocomel op die hij een op een aanlengde met meegebrachte rum en waar hij vervolgens grote stukken banketletter in sopte.

Het zou zeker op een rel uitgelopen zijn als niet mevrouw Zonnevanck de aandacht had afgeleid door over de zak van Zwarte Piet te struikelen en een arm te breken.

Het duurde een half uur voor mevrouw Zonnevanck per ambulance was afgevoerd en de gemoederen weer tot bedaren waren gekomen. Inmiddels was Evert, na zes chocomel, ingedut in zijn rolstoel en heb ik hem naar zijn aanleunwoning gerold. Daar heb ik hem met stoel en al klemgezet tussen kast en bed, zodat hij er niet uit kon vallen, en ben weggegaan. Er zijn grenzen aan de mantelzorg.

Het sinterklaasfeest in de conversatiezaal is nooit meer lekker op gang gekomen. De vraag of Zwarte Piet wel of niet aansprakelijk gesteld moest worden voor het laten slingeren van zijn zak bedierf de feestvreugde nogal.

Woensdag 4 december

Er woont jammer genoeg geen enkele Chinees in ons zorgcentrum, anders zou Evert er, als Gordon in de overtreffende trap, zeker een paar foute grappen tegenaan gegooid hebben om de boel op scherp te zetten. Er valt hier weinig te discrimineren want de buitenlandse mensen die hier wonen zijn allemaal zo lief dat niemand ook maar één foute opmerking durft te maken.

Een land met als grootste probleem grappen over Chinezen en ophef over zwarte Zwarte Pieten is er niet half zo slecht aan toe als hier vaak wordt beweerd.

Ben ik beledigd als een bruin, geel of zwart mens spreekt over bleekscheten, kaaskoppen of krentenkakkers? Nee. Zou ik beledigd zijn als de Sint zwart was en alle Pieten domme witte hulpjes met dunne lippen en een overdreven Amsterdams accent? Nee. Komt dat doordat mijn overgrootopa nooit slaaf is geweest maar fabrieksarbeider voor zestig uur in de week voor een hongerloon? Nee.

Ik ga zelf een beetje voor Sinterklaas spelen en heb cadeautjes voor mijn vrienden gekocht. Te weten: een luchtje voor Eefje, handschoenen voor Evert, een boek over champagne voor Ria en Antoine, een scheurkalender voor Grietje, een instructievideo voor biljarters voor Edward en een uitklapkerststal voor Graeme.

Voor mezelf heb ik een trui gekocht. De verkoopster vond dat ik die qua hipheid nog goed kon hebben.

Vanavond pak ik alles in engeltjespapier en morgen ga ik de deuren langs om goed te doen.

Donderdag 5 december

De vriendelijke kassière van Albert Heijn wist zich geen raad met fooi.

'Dat is dan € 24,10.'

'Doet u maar vijfentwintig,' had Graeme gezegd en een briefje van vijftig gegeven.

Nee sorry, dat kon niet. Dan klopte haar kas niet vanavond.

Graeme heeft geduldig uitgelegd dat ze naast de kassa een fooienpot neer moest zetten. Hij had erg genoten van zijn spontaan opgekomen grap. De chagrijnige meneer achter hem niet. 'Kan het wat sneller?'

Evert kwam onmiddellijk met een variant: afdingen.

'Dat is dan € 24,10.'

'Ik geef er achttien euro voor.'

'Huh?'

'Nou vooruit, twintig dan, maar verder ga ik echt niet.'

'Meneer, u moet € 24,10 betalen.'

'Nee, dat is me te duur. Laat u dan maar.' En vervolgens alles

op de band laten liggen en weglopen. Evert gaat het morgen uitproberen. Hij hoopt op navolging.

De eerste sneeuw komt eraan, zegt de weerman. Ik hou niet van
de late herfst en winter. Ik zou het liefst een winterslaap houden
en pas begin maart weer wakker worden. Jammer dat ik zo slecht
slaap. Ik heb al moeite met zes uur achter elkaar. Ik zou een waardeloze beer zijn.

Het wordt eigenlijk te koud voor tochtjes met de scootmobiel.
Je zit stil en moet je daarom zo dik aankleden dat je nauwelijks kunt
bewegen. Maar ja, drie maanden in een stoel voor het raam zitten
wachten op de eerste krokussen is ook geen opwekkend alternatief.

Vrijdag 6 december

Nelson Mandela is dood. Een van mijn laatste helden. De man die
nooit van zijn voetstuk is gevallen. Alle wereldleiders zullen hun
diep respect voor Mandela betuigen maar slechts weinigen hebben
iets van hem geleerd.

Mijn vrienden waren gisteren aangenaam verrast en blij met hun
cadeautjes. Ik heb enige moeite moeten doen om duidelijk te maken dat het niet de bedoeling was iets terug te krijgen. We leven
al te veel in een voor-wat-hoort-wat-wereld.

Eefje heb ik verteld dat ik een cadeautje voor haar had en het
daarna voor haar ogen uitgepakt en laten ruiken. Op hetzelfde moment realiseerde ik me dat ik niet wist of ze nog wel kon ruiken.
Maar ze knikte toen ik vroeg of ze het lekker vond. Ik heb een
beetje parfum in haar nek en op haar pols gedaan en uitgewreven.
Het was een intiem moment en ik ben niet zo goed in intieme momenten. Daar word ik erg onhandig van. De meeste parfum ging
er dan ook naast.

Gelukkig kon ik aansluitend meteen gaan voorlezen uit *De een-*

zaamheid van de priemgetallen. Ik heb al drie keer gevraagd of ze het niet een te somber boek vindt. Het antwoord was steeds nee. Na een half uur sliep ze als een roos.

Daarna beneden snert gegeten. Ik vond het heerlijk maar er kwamen ongevraagd wel tien verhalen over moeders en oma's die vroeger véél lekkerder snert maakten. Vroeger, altijd maar vroeger. Leef eens een beetje vandaag, mummies!

Zaterdag 7 december

Het al dan niet afschieten van ganzen roept emoties op.

'Een gans weet nu totaal niet waar hij aan toe is en waar hij wel en niet neergeschoten mag worden,' zei ons eigen ganzenvrouwtje. Ze koopt drie keer in de week een halfje wit (ganzen lusten volgens haar geen bruin), eet zelf twee sneetjes op, vriest twee sneetjes in voor de volgende dag en brengt de overgebleven zeven sneetjes al tien jaar naar de ganzen die iets verderop al tien jaar een veldje volschijten.

'Als elke provincie zijn eigen ganzenplan mag trekken leidt dat tot grote rechtsongelijkheid voor de ganzen,' vond onze ganzenhoedster. Na de beledigde Chinees, de bedreigde Zwarte Piet nu ook nog de vogelvrije gans. Hoeveel megaproblemen kan dit land aan?

In een kort briefje van het bestuur is de bewoners meegedeeld dat nu officieel besloten is dat in september een begin zal worden gemaakt met de grondige renovatie van dit gebouw. Over de eerder toegezegde inspraak van de bewoners geen woord. Wat er precies gaat gebeuren stond ook niet in de brief. Je kunt de mensen niet zenuwachtiger krijgen.

'Ik hoop dat ik voor die tijd dood ben,' zei mevrouw Vergeer en ze meende het nog ook.

'Je moet ouwe planten niet meer verpotten,' zei meneer Apotheker wel vijf keer. Wat kan die man zeuren en klagen. Als ze hém gaan verpotten dan graag met zijn kop in de aarde.

Zondag 8 december

Ik had het voorleesboek op mijn kamer laten liggen en vroeg Eefje, min of meer voor de grap, of ik voor de verandering uit de krant zou voorlezen. Ze knikte zoals ze altijd knikt.

Misschien gaat er veel minder in haar hoofd om dan ik veronderstel. Wie weet is ze kalm en rustig in een roes van medicijnen. Misschien ook schreeuwt ze onhoorbaar. Geen idee.

Ik lees voor, ik laat haar muziek horen en heb het vermoeden dat ze het waardeert. Het kan in ieder geval geen kwaad en ik voel me er prettig bij.

Over de krant gesproken.

'Kun je me even de krant aangeven?' vroeg meneer Bakker vorige week in de conversatieruimte. Evert rommelde wat in de krantenbak en gaf hem een krant van een week oud. Niets gemerkt! Toen Evert na een half uur vroeg of het nieuws hem niet een beetje bekend voorkwam, werd Bakker boos. Niet op zichzelf, wat me redelijk had geleken, maar op Evert. Daar deed hij mijn vriend een groot plezier mee. Wij zien graag een boze Bakker.

Maandag 9 december

Ik heb samen met Grietje de site *Alzheimer Experience* bekeken, een interactieve site waar in korte filmpjes het verloop wordt geschetst van de ziekte van Alzheimer bij een oude mevrouw en een oude meneer. Je kunt naar keuze schakelen tussen de beleving van de patiënt en die van de mantelzorger. Op elk moment kun je een dokter in een geruststellende witte jas aanklikken voor deskundig commentaar.

Ik kreeg het er Spaans benauwd van om samen met Grietje die filmpjes te bekijken, maar Grietje zelf was ontspannen. Geïnteresseerd zat ze te kijken hoe ze er over een half jaar of een jaar aan toe zou zijn.

Het laatste filmpje ging over de begrafenis.

Ik wist niet wat ik moest zeggen.

'Kom op, Henk, niet zo somber. Je moet maar denken: als zij het niet erg vindt, wat zal ik me er dan druk over maken.' En ze vervolgde: 'Alzheimer is trouwens heel hip. Je kunt geen tijdschrift openslaan of alzheimer komt om de hoek kijken. Adelheid Roossen maakte een toneelstuk over haar demente moeder, Jan Pronk praatte over zijn demente moeder op YouTube, Maria van der Hoeven vertelde over haar aftakelende man in *de Volkskrant*. Als je geen demente naaste hebt hoor je er gewoon niet echt bij. Je mag blij zijn dat je mij hebt!'

Toen heb ik voor haar geapplaudisseerd.

Vanavond neemt ze me mee uit eten.

Dinsdag 10 december

Oud zeer blijkt al te bestaan als boektitel. Het is een boek van Ellen Pasman over de zaak van Willem Oltmans versus de Staat der Nederlanden. Mocht mijn dagboek ooit een boek worden dan kan het geen *Oud zeer* heten.

Ik heb de volgende alternatieven bedacht:
1. Het afvoerputje
2. Op is op
3. Over en sluiten

4. Niet je van het
5. Bejaardenhuis De Laatste Loodjes
6. Rooksignalen in een orkaan (klinkt aardig maar slaat nergens op)
7. Vliegen op de kaviaar (idem)

Gisteren uit eten geweest met Grietje in Stork, een hip visrestaurant aan het IJ. Ik moet nog even wennen aan oude fabriekshallen als plek om te dineren, maar het eten was goed en de mensen waren aardig.

Heen met het busje en terug met de taxi. Grietje stond erop alles te betalen.

'Ik moet er nog zevenduizend euro doorheen jagen voor ik niet meer weet wat geld is.'

Grietje is in een paar maanden tijd veel opener en directer geworden. Alsof alzheimer op haar een bevrijdende uitwerking heeft. Ze hoopt in het late voorjaar nog met ons wijnreisje mee te kunnen, zonder ons al te zeer tot last te zijn. Zo op het eerste gezicht heeft ze nog alles onder controle maar als je goed oplet zie je het verval. Het kostte haar bijvoorbeeld moeite de weg terug te vinden van de wc naar ons tafeltje. En ze stapte in de taxi op de plaats van de bestuurder, die naast zijn wagen stond te roken. Die dacht dat hij in de maling werd genomen.

Woensdag 11 december

Eefje kwijnt langzaam weg. Ze vermagert meer en meer en slaapt bijna de hele dag. Af en toe is ze een kwartiertje wakker. Ik lees haar nog steeds voor en laat haar naar muziek luisteren, maar de goedkeurende knikjes met haar hoofd worden kleiner en kleiner. Ze lijkt zich langzaam weg te laten zakken in de dood.

Ik zit naast haar en hou haar hand vast. Soms streel ik haar oude wangen. Een enkele keer kijkt ze me aan alsof ze iets herkent.

De dokter zegt dat het nog een week kan duren of een maand, misschien twee maanden.

In een vlaag van opstandigheid heb ik, tegen de regels in, een echte kerstboom op mijn kamer gezet. Ook al is mijn kerstboom maar vijftig centimeter hoog, inclusief piek, het mag niet vanwege het brandgevaar. Ik heb hem in een vuilniszak voor op de scootmobiel naar binnen gesmokkeld.

Ik ben benieuwd of ik verraden word, en zo ja, door wie.

Donderdag 12 december

Vanmorgen sprak mevrouw Tan mij aan in de conversatiezaal. 'Zijn dit de goede pillen?' en ze liet me een doosje zien. Ik zei dat ik niets van pillen af wist.

'Ik ook niet,' zei ze, 'maar mijn andere pillen zijn op en deze hebben dezelfde kleur.'

Ik heb een zuster erbij geroepen, wat me op boze blikken van mevrouw Tan kwam te staan.

Om ruzies te voorkomen wordt van hogerhand wekelijks een tv-schema opgesteld, waarin staat welke zender er op welke dag beneden opgezet zal worden. Voetbal krijgt daarbij een voorkeursbehandeling. Bij wedstrijden van Oranje en Ajax is een flink aantal bewoners voor de buis te vinden. Lang niet alleen liefhebbers; er zijn mensen die altijd beneden tv-kijken, ongeacht wat er opstaat, dus zijn er ook kijkers die echt niets van voetbal af weten.

Mevrouw Sluys telt bijvoorbeeld alleen maar hardop hoe vaak een voetballer op de grond spuugt.

'Wat spugen ze toch vaak,' zegt ze elke keer weer, vol onbegrip.

'Ja, bij biljarten is dat een stuk minder,' zei Evert.

Vrijdag 13 december

Vrijdag de dertiende, een mooie dag om een staatslot kopen. Er moet altijd iets overblijven om op te hopen. Als ik de jackpot win, koop ik een klein privébejaardenhuis voor mijzelf en mijn vrienden. Er zal geen directie, portier of raad van toezicht zijn. Geen human resource manager, accountant of hoofd huishoudelijke dienst. Geen regels, statuten en reglementen. Dat alles scheelt bakken geld en een hoop gezeur. Er is wel plaats voor gezond verstand, vriendelijk personeel en een goede kok op afroep, voor als we geen zin hebben om zelf te koken in onze mooie keuken. Een huis met ruime, lichte kamers waar je een poes of hond of kerstboom mag houden als je dat zo nodig wilt.

Simpel toch eigenlijk.

Blijf dromen, Hendrik.

Vandaag bij de post een expresbrief met niet-overdraagbare originele documenten en een veiligheidsenveloppe om mijn cheque van € 7450,- te innen en mijn bestelling papayacapsules te plaatsen.

Zaterdag 14 december

In het aquarium op de vierde verdieping zijn alle vissen dood aangetroffen. Er zijn deze keer geen sporen van koek gevonden. Voor de zekerheid ben ik bij Evert langsgegaan om te vragen of hij misschien voor de verandering gootsteenontstopper in het water heeft gegooid, maar hij bezwoer me van niks te weten.

Het kan gewoon een of andere vissenziekte zijn geweest, al gelooft niemand dat zomaar na de vorige twee aquariumaanslagen.

'De directie stelt een diepgaand onderzoek in en wacht op het rapport van de dierenarts,' is meegedeeld. Autopsie op een neontetra lijkt me nog niet zo eenvoudig.

De politie is er deze keer buiten gelaten. Dat duidt op lerend vermogen bij de directrice.

Er is een uitnodiging op de mat gevallen voor een kerstdiner ten huize van Evert, georganiseerd door Ria en Antoine. Voor alle leden van de club minus Eefje. Het wordt een beetje proppen in de kleine aanleunwoning van Evert, en Mo moet buiten worden gezet om te voorkomen dat zijn scheten de eetlust bederven, maar het is een aangenaam vooruitzicht. Het huis van Evert is uitverkoren omdat daar gekookt mag worden. Het feest zal plaatsvinden op eerste kerstdag en valt, niet geheel toevallig, samen met het kerstdiner van het huis. Zo heeft iedereen een goed excuus om daar niet te zijn.

Zondag 15 december

Onze aangekondigde afwezigheid bij het officiële kerstdiner wordt ons niet in dank afgenomen. De kok kwam gisteravond, tijdens het toetje, ten overstaan van de medebewoners bij ons informeren of zijn kookkunst ons te min was. Ik was een beetje verbouwereerd.
'Hoezo?'
'Nou, omdat u er de voorkeur aan geeft niet mee te eten.'
'Wij hebben een diner *en petit comité*,' zei Antoine.
'An petiet kommietee?'
'In klein gezelschap.'
'Wat is er mis met ons gezelschap?' tetterde meneer Bakker er meteen doorheen.
'Niets.'
'Nou dan?'
De kok vat alles nogal persoonlijk op. Als iemand een aardappel laat staan, komt hij hem het liefst persoonlijk nog bij de dader door de strot prakken. Hij heeft veel beroepseer maar kan alleen niet zo

goed koken, wat voor een kok een nadeel is. Misschien had ik dat in mijn streven naar openhartigheid moeten zeggen, maar daar leek het me geen geschikt moment voor. Dan had ik een mes tussen mijn ribben kunnen krijgen. En, om met Karel van het Reve te spreken: 'Ik heb er een verschrikkelijke hekel aan doodgestoken te worden.' De omgeving was al vijandig genoeg. Om ons heen werd druk gemopperd over het feit dat ze niet gezellig werden gevonden. Het leek me ook niet gepast om op dat moment over hun gebrek aan zelfkennis te beginnen.

Maandag 16 december

De mensen keken me meewarig aan: ach die ouwe man in zijn karretje in de stromende regen. Maar ik had er best plezier in. Ik had een flinke bui afgewacht om mijn nieuwe Hema-regenpak uit te proberen. Het is niet zo waterdicht als de verpakking belooft, want bij de naden lekte het een beetje door. Maar goed, niet piepen maar rijden.

Na een uurtje draaide ik kletsnat weer de hal in. De portier keek woest omdat ik een spoor van modder naliet en hij die hal schoon moet houden. Ik knikte extra vriendelijk.

Je moet in deze weersomstandigheden niet vergeten met een opgeladen accu op pad te gaan. Als je onderweg stilvalt en er daagt niet snel hulp dan ga je dood van de kou. Op zondagmiddagen in december is er op veel plaatsen in Noord geen kip op straat. En als er wel een kip is moet ik nog zien dat hij stopt voor een zwaaiende bejaarde op een scootmobiel en niet alleen terug zwaait. Voor de zekerheid neem ik ook altijd de telefoon mee. Ik weet eigenlijk niet of de Wegenwacht komt voor bromstoelen.

Na mijn natte ritje ben ik bij Evert langsgegaan voor een cognacje. Het werden er drie. Daarna de pizzakoerier laten komen met een pizza quattro stagioni die nogal lang in zijn kartonnen doos had gezeten. Zelfs Mo vond hem aan de taaie kant.

Thuis had ik nog net genoeg energie over om voor de tv in slaap te vallen.

Dinsdag 17 december

'U kunt beter stoppen met voorlezen. Ik geloof niet dat mevrouw Brand u nog hoort.'

Eefje heeft nog maar zelden haar ogen open en reageert nauwelijks meer, dus misschien heeft de zuster gelijk. Maar gevoelsmatig, denk ik, zou het kunnen dat ze uit de stem naast haar bed een vage troost put. Dat het voorlezen haar rust geeft. En als ik er toch elke dag twee keer een half uurtje zit, kan ik net zo goed een boek voorlezen en muziek laten horen. Als het haar geen rust en troost brengt, dan mij toch in ieder geval een beetje. Je kunt niet voorlezen en tobben tegelijk.

Daarbij ben ik net in een nieuw boek begonnen: *Je geld of je leven*. Over vijf bejaarden uit een verzorgingshuis die een overval plegen. Het lijkt me een aardig boek met herkenbare hoofdpersonen.

Oud is in. Tenminste er zijn films, boeken, documentaires en krantenartikelen over oude mensen te over. In ons dagelijks leven merken we niet veel van die extra aandacht, integendeel. Er is minder geld en minder zorg dan een paar jaar geleden.

De komende generatie ouderen begint zich een beetje zorgen te maken nu ze hun vaders en moeders zien vereenzamen of al hebben begraven. De rijke en machtige zestigers van nu gaan straks echt niet meer in een huis als dit zitten verpieteren.

Woensdag 18 december

Meneer Tolhuizen was met het busje naar zijn zoon in Geuzenveld gereisd. Voor iemand van drieënnegentig een hele onderneming. Op de terugweg was hij door de attente chauffeur vriendelijk het busje in geholpen. Hij moest achterin in het hoekje zitten omdat er al zes bejaarden op de voorste banken zaten.

Het werd een lange reis, via de Bijlmer en Amsterdam-Zuid en meneer Tolhuizen werd een beetje rozig doordat de chauffeur, als service aan de oudjes, de kachel op drieëntwintig had gezet. Op zeker moment moet hij even ingedommeld zijn.

Toen hij weer wakker werd, lag hij een beetje onderuitgezakt in zijn hoekje. Het duurde even voor hij wist waar hij was. Het was stil en donker. De motor liep niet en hij was alleen. Het busje stond in een stil straatje in Koog aan de Zaan en alle deuren waren op slot.

De chauffeur had nog wel even over zijn schouder gekeken maar Tolhuizen had in zijn dooie hoek gelegen.

Het duurde een half uur voor Tolhuizen de aandacht van een voorbijganger had getrokken en daarna nog een kwartier voor de gewaarschuwde politie doodkalm kwam aangereden. Ze hadden wel binnen dertig seconden zonder schade de auto open.

Twintig minuten later kwam de opgespoorde chauffeur, helemaal overstuur, op zijn sloffen aangehold. De hele weg terug naar huis heeft hij aan een stuk door excuses gemaakt.

'Ik kreeg gewoon medelijden met hem,' zei Tolhuizen, die nog nooit zo in het middelpunt van de belangstelling had gestaan.

Donderdag 19 december

Mevrouw Trock ('Ik vind van me eigen dat ik best wel goed Nederlands ken') had 37 fouten in *Het groot dictee der Nederlandse taal*.

Dat wil zeggen: in de eerste zin. Toen moest ze opeens heel nodig naar de wc. Ze wilde haar papier meenemen maar daar stak Graeme een stokje voor. 'Ik bewaar het wel even voor u.' De vier andere deelnemers waren al gestopt meteen nadat het dictee voor de eerste keer was voorgelezen.

Ik ben zelf te laf om mee te doen.

Meneer Tolhuizen is gebeld door de woordvoerder van Connexxion met de als troostend bedoelde mededeling dat de chauffeur die hem over het hoofd had gezien, op staande voet is ontslagen.

Tolhuizen heeft onmiddellijk gezegd dat hij zich expres had verstopt en pas daarna in slaap was gevallen. Hij wilde daarna ook de chauffeur bellen, maar Connexxion weigerde naam of telefoonnummer te geven.

'Het was een aardige man. Hij kon alleen niet zo goed tellen, maar daarom ga je iemand toch niet ontslaan!'

Uiteindelijk heeft hij toch het telefoonnummer achterhaald en de chauffeur gebeld om hem te zeggen dat hij bereid is onder ede te verklaren dat hij zich verborgen had gehouden.

'Mensen staan altijd meteen klaar met hun meninkjes, maar soms is iets alleen maar een ongelukkige samenloop van omstandigheden.'

Petje af voor Tolhuizen.

Vrijdag 20 december

Eefje glijdt langzaam en zacht de dood in. Ze opent haar ogen niet meer. Er is geen ander teken van leven dan haar ademhaling. Ik ben gestopt met voorlezen. Dagelijks ga ik even langs om gedag te zeggen en haar hand vast te houden.

We hebben zo weinig tijd samen gehad.

Ik heb haar nooit gezegd dat ik gek op haar ben.

Zaterdag 21 december

'Als er íémand hier tegen diarree is, dan ben ik het wel,' zei meneer Bakker. 'Ik ben zo'n beetje drie keer in de week aan de dunne. Maar een keer een actie voor mij, ho maar.'

Sommige bewoners vonden de actie van Serious Request tegen diarree maar onzin.

'Je kan toch gewoon een vrachtwagen Norit die kant op sturen. Dat hoeft toch geen tien miljoen te kosten?' vond mevrouw Pot, die zelf per jaar voor minstens duizend euro pillen slikt.

Ik was vandaag bij Grietje op visite. Ze had een mooie kerststal staan, maar het viel me op dat het kindje Jezus onder de vliegjes zat.

'Ja, dat was mij ook al opgevallen,' zei ze.

Het spoor van fruitvliegjes voerde naar twee rotte bananen die ze achter in de kerststal had gelegd.

'Die was ik al een tijdje kwijt!'

Ze had er lang naar gezocht, omdat ze afgevinkt stonden op haar boodschappenlijst, maar had uiteindelijk de hoop opgegeven ze nog eetbaar terug te vinden. We hebben erom gelachen en ze heeft de rommel opgeruimd. Hopelijk gaan de vliegjes vanzelf weg. Nu weet Jezus ook hoe het voelt om een arm Afrikaans negerbaby'tje te zijn.

Grietje gaat heel langzaam en vrijwel onmerkbaar achteruit. Maar: 'Elke mooie dag is er een,' zegt ze.

Zondag 22 december

De voorbereidingen voor het diner met de Oud-maar-niet-dood-club op eerste kerstdag zijn gestart. Tweede kerstdag schuiven we aan bij de andere bewoners, beneden in de eetzaal. Dat kostte nog enige moeite.

'Ik ging ervan uit dat u tweede kerstdag dus ook wel niet zou komen,' zei de kok met mijn aanmeldingsformulier in de hand.

'Waarop baseert u dat "dus"?' vroeg ik.

Over dat 'dus' moest hij enige tijd nadenken. 'Hoe bedoelt u?'

'Nou u zegt dat u dacht dat we "dus" ook tweede kerstdag wel niet zouden komen.'

'O, dat dus.'

'Ja, en dus?'

Hij snapte er niets meer van. 'U komt dus toch?'

Voor eerste kerstdag ben ik, als schrijver van de menukaarten, de enige die weet wat we allemaal gaan eten.

Ik verheug mij op mijn eerste gevulde kalkoen. Hét kerstgerecht uit boeken en films, maar ik heb nog nooit zo'n reuzenkip binnengedragen zien worden. Met Ria en Antoine als koks weet je dat deze kalkoen niet voor niets is gestorven.

Opvallend is ook de comeback van het gourmetten. Daar moest je een paar jaar geleden toch echt niet meer mee aankomen, maar nu liggen de supermarkten al weken vol met gourmetpakketten. (Zouden die niet bederven?)

Twee jaar geleden hebben we hier ook één keer gegourmet. De schade: diverse brandwonden, meerdere jurken en pakken naar de stomerij, een verschroeide pruik, zwartgeblakerd vlees en twee ontplofte personeelsleden. Een ravage!

Maandag 23 december

Of de duivel ermee speelt: onze dikste bewoonster, die als geen ander van eten, nee, van naar binnen proppen houdt, is twee dagen voor het culinaire hoogtepunt van het jaar overleden. Ze woog honderdzestig kilo, wat voor haar 1 meter 45 aan de zware kant was. Veel kon ze er niet aan doen, want ze leed aan het syndroom van Prader Willi. Ze is er nog verbazingwekkend oud mee geworden: achtenzeventig.

Ze zat al bijna tien jaar permanent in haar op maat gemaakte rolstoel en was slechts bezig met één ding: eten. Verder viel er niet veel menselijks meer aan haar te ontdekken. Niemand had nog contact met haar.

Het moet voor de verplegers hier een hele klus zijn geweest om die enorme vetbal met al haar rimpels en plooien al die jaren een beetje schoon te houden.

Voor deze klant moet de begrafenisondernemer een kist in de vorm van een kubus laten timmeren.

Vergeef me dat ik deze zaak wat cru onder de aandacht breng maar ik kan de werkelijkheid niet mooier maken dan zij is: treurig, hard en lachwekkend tegelijk.

Ik kreeg onverwacht visite van het hoofd huishoudelijke dienst. Ze had vernomen dat ik tegen de regels in toch een echte kerstboom had staan. Ze zou het dit jaar door de vingers zien. Nou, nou, wat een souplesse!

Ze wilde niet vertellen van wie ze het had 'vernomen'.

Dinsdag 24 december

Ik vast vandaag een beetje zodat ik morgen een gezonde trek heb.

Mijn mooiste pak lig al klaar naast een vers gestreken overhemd en het gouden strikje dat ik lang geleden in een feestwinkel heb gekocht. De schoenen zijn gepoetst.

Ik mag er nog best zijn voor mijn leeftijd. IJdelheid kent geen tijd.

Alle menukaarten moeten opnieuw worden geschreven vanwege enkele storende fouten in de Franse namen van de gerechten. Antoine maakte me daar fijntjes op attent. Ik moet ook nog wat aan

mijn tafelrede schaven. Druk, druk, druk. Mijn tochtje met de
scootmobiel schiet erbij in.

Ik heb gisteren eens rondgevraagd bij de thee en er zijn bewoners
die voor het laatst in oktober buiten zijn geweest. Het grootste
deel van de herfst en de hele winter blijven ze binnen, tenzij er een
dringende reden is het huis te verlaten. En dan beperkt het buiten
zijn zich meestal tot de stukjes van en naar het busje of de auto van
zoon of dochter.

Ik mag me graag af en toe nat laten regenen en mijn paar haren
helemaal door de war laten waaien. Gelegenheid daartoe te over
de laatste weken. Van de ook dit jaar weer voorspelde strenge winter nog geen spoor.

Woensdag 25 december

Ik ben vanochtend bij Eefje langs geweest om haar een prettig
kerstfeest te wensen. Toen ik aan haar bed stond besefte ik dat er
niet veel te wensen viel. Misschien een goede reis.

Ze lag er zo rustig bij, mager en wit en toch waardig en mooi.

De zuster zei dat het waarschijnlijk niet lang meer zou duren.

Daarna moest ik even naar Evert voor wat afleiding. Die zei,
voor ik een woord had gezegd: 'Je mooie oude vriendin hè? Ze kan
bijna gaan uitrusten. Gun het haar.'

Toen schonk hij een kopje koffie in, serveerde er een kransje bij
en keek op de klok. Het was tien voor half twaalf.

'Dat komt mooi uit,' zei hij. 'Ik drink op feestdagen pas als de
twaalf in de klok is.' En hij schonk ons beiden een klein cognacje
in van kerstkwaliteit.

'Proost, allerbeste vriend.'

Daarna ben ik teruggegaan naar mijn kamer om het even van
mij af te schrijven. Straks probeer ik nog even een klein dutje te

doen, daarna omkleden en de haren strak in het gelid kammen en om vier uur word ik weer bij Evert verwacht voor ons kerstdiner. Ik verheug mij erop.

Donderdag 26 december

Het kerstdiner was ontroerend. Ria en Antoine die in het donker de kamer binnen schuifelden met een enorme kalkoen met drie sterretjes in zijn gat. Evert bij wie een groot stuk tiramisu op zijn schoot viel bij het uitserveren. En, al zeg ik het zelf, mijn tafelrede was ook niet onaardig. Hij ging over vriendschap als basis om het leven aangenaam te houden. Misschien een beetje sentimenteel (Antoine pinkte een traantje weg) maar wel uit het hart. We hebben een toost uitgebracht op Eefje, 'de stille kracht achter onze club, die nu wel erg stil is'. Daarna dronken we op onze vriendschap, tot de dood ons scheidt. Wat voor ons geen al te gewaagde voorspelling is.

Na afloop was er een staande ovatie voor de koks.

Het volgende kerstdiner is straks om 13.00 uur, met alle bewoners die niet door hun kinderen opgehaald zijn. De aanvangstijd leverde nog een hoop gezucht op van mensen die niet graag van hun ijzeren schema's afwijken, zelfs niet bij de geboorte van hun heiland.

'Ik heb eigenlijk 's middags niet zo'n trek in warm eten', of een variant daarop, zullen we zeker een paar keer horen.

Ik ga over een uurtje naar beneden met het vaste voornemen mij niet te ergeren. Aan niemand.

Vrijdag 27 december

Kerstdiner twee viel niet tegen. Er was door de staf een tafelschikking gemaakt nadat er vorig jaar ruzie was uitgebroken over wie waar moest zitten. Een aantal bewoners had toen 's ochtends al een stoel gereserveerd door er hun handbagage op achter te laten. Er werden nog net geen kruizen met 'BEZET' geplakt.

Ik trof Evert aan als buurman. Waarschijnlijk durfden ze niemand anders naast hem te zetten. Verder zaten Grietje en Edward aan onze tafel en de zusjes Eversen, die alles altijd heerlijk, gezellig, geweldig en fantastisch vinden, dus daar kun je je geen buil aan vallen.

De kok had zichzelf overtroffen en geen varkenshaasje met roomsaus gemaakt maar wildragout met rijst. Een gewaagde onderneming. Om niet al te veel te choqueren was er vooraf garnalencocktail en als toetje dame blanche.

Het was lekker en gezellig.

Zelfs het openingswoord van mevrouw Stelwagen was goed, namelijk heel kort. Als je geen begenadigd spreker bent is er maar één belangrijke regel: hou het kort.

Vooral op begrafenissen wordt dat nogal eens vergeten. 'Ik herinner mij nog goed dat ik Pietje voor de eerste keer ontmoette op de vergadering van postduivenvereniging De vliegende rat en hij tegen mij zei: "Jan, wil jij niet..."' Als iemand zo begint wordt het niets meer en gaat het vooral over de spreker zelf.

Zaterdag 28 december

Op voorstel van Edward wordt de jaarwisseling met twee uur vervroegd omdat hij twaalf uur niet meer haalt zonder in slaap te vallen. Niemand vond het een probleem. Wanneer een nieuw jaar begint is een kwestie van afspraak. We zetten de klok gewoon twee uur voor. We vieren oud en nieuw bij Ria en Antoine.

Bejaarden zijn rond de jaarwisseling net honden: ze durven vanwege het vuurwerk nauwelijks de straat op. Niet geheel ten onrechte. Er lopen in de buurt een stuk of wat schoffies rond die honden en oudjes als voornaamste doelwit hebben gekozen. Zo gooiden ze een behoorlijk groot rotje onder een Canta die na de ontploffing van de weg raakte en tegen een hekje tot stilstand kwam. De bestuurder durft de rest van zijn leven in december niet meer de straat op. Gelukkig was er alleen blikschade. De dappere daders zijn onmiddellijk gevlucht.

De politie reageerde kordaat: ze reed een extra rondje door de wijk. Dat zal de daders leren.

Hoewel het geen bewoner van ons huis betrof was de verontwaardiging groot.

De krant had een lijst met bekende Nederlanders die in 2013 zijn overleden. Ik had er toch nog een paar gemist.

Doden zijn altijd een dankbaar onderwerp bij oude mensen. Misschien om te benadrukken dat ze zelf nog leven.

Zondag 29 december

Eefje is dood.

Om 11 uur heb ik haar een kusje op het gerimpelde voorhoofd gegeven en gezegd 'tot morgen'.

Een uur later is ze rustig ingeslapen.

Ik ben net nog even gaan kijken. Ze zag er nog zo mooi uit.

Ik wil graag blij zijn voor haar, maar ik ben er nog te verdrietig voor.

We beginnen 2014 met een begrafenis. Ongelukkig Nieuwjaar.

Maandag 30 december

Het oud-en-nieuw-feest van ons clubje gaat door, al zal het een stuk minder feestelijk worden. De festiviteiten van het huis voor alle bewoners gaan altijd door. De directie kan zich, met al die hoogbejaarden, niet veroorloven bij elk overlijden alle vrolijke activiteiten te staken. Er zou nog maar weinig doorgaan.

Ria en Antoine stonden oliebollen te bakken toen ze hoorden dat Eefje was overleden. Die bollen vonden ze ongepast en besloten ze naar het Leger des Heils te brengen. Later kregen ze daar spijt van en hebben ze voor morgenavond weer nieuwe gebakken.

'Het was het beste voor haar.'

Je kunt het honderd keer zeggen maar het maakt het verdriet er niet veel minder om.

We hebben rode rozen voor Eefje besteld. Donderdagmiddag is de begrafenis. Ik hoop dat de zon schijnt.

Eefje was een avondmens en had het liefst 's avonds begraven willen worden, met lampionnen en fakkels. Dat schijnt niet te kunnen.

Na afloop komen we bij Evert bij elkaar voor witte wijn en bitterballen. Eefje had een hekel aan cake, tenminste bij begrafenissen. En vermoedelijk ook in een aquarium. Ik heb haar het verhaal van de cake in het aquarium nooit durven vertellen.

Dinsdag 31 december

Dit is de laatste keer dat ik in mijn dagboek schrijf. Vreemd idee. Het is een deel van het dagelijks leven geworden, zoals avondeten. Soms verheug je je erop, soms heb je geen trek, maar je slaat het niet zomaar over.

Ik ga tijd overhouden, zonder Eefje en zonder dagboek. Misschien moet ik maar een roman gaan schrijven.

Het had een goed jaar kunnen zijn en voor een deel was het dat ook. Maar wat het laatst komt drukt het zwaarst op het eindoordeel. Ik ontmoette iemand die ik graag een halve eeuw geleden was tegengekomen. Nu moest ik het doen met acht mooie maanden en twee treurige. Ik zou dankbaar moeten zijn voor elke gelukkige dag, zoals Grietje dat kan, en ik probeer het uit alle macht, maar die macht is soms niet sterk genoeg.

Het nieuwe jaar gaat me niet meer ontlopen. Op naar de lente! En daarna: op naar ons wijnreisje. Met angst en beven of we het zullen halen. Het beven gaat vanzelf. De Oud-maar-niet-dood-club moet zijn naam wel waar blijven maken, anders is het een club van niks.

En na het reisje moet ik weer nieuwe plannen maken. Zolang er plannen zijn is er leven.

Vanmiddag ga ik een nieuwe agenda kopen. En een nieuw aantekenboekje.

Genoten van
Pogingen iets van het leven te maken?

**Lees hier een fragment van het nieuwe
geheime dagboek van Hendrik Groen.**

Nu verkrijgbaar bij uw boekhandel!

Woensdag 31 december 2014

Volgens de statistieken heeft een man van vijfentachtig op deze laatste dag van het jaar ongeveer tachtig procent kans om 31 december 2015 te halen. Ik vaar op gegevens van het *Nationaal Kompas Volksgezondheid.*

Ik ga mijn best doen, maar dus niet zeuren als het dagboek, waar ik morgen mee begin, het eind van het jaar niet haalt. Een kans van 1 op 5.

Donderdag 1 januari 2015

Evert stak zijn rotjes vroeger bij voorkeur af in hondendrollen of, nog mooier, paardendrollen, maar die zag je niet zo vaak. Hij betreurt erg dat de bommetjes vroeger zo veel kleiner waren dan nu.

'Het is dat ik in mijn rolstoel een grote kans heb mezelf de lucht in te schieten, maar anders zou ik graag een paar strijkers aansteken in de hal.' Dat was zijn bijdrage aan de al dagen durende discussie over vuurwerk.

Ondanks een petitie van de bewoners had onze directrice, mevrouw Stelwagen, geen poging gedaan een vuurwerkvrije zone rond ons bejaardenhuis ingesteld te krijgen. Volgens een korte verklaring op het mededelingenbord vond zij dat op dit moment 'niet opportuun'. Daar zat wat in, vonden sommige bewoners, vooral mensen die niet wisten wat opportuun betekende. Anderen dachten dat Stelwagen liever geen blauwtje wilde lopen bij de gemeente.

Onze Oud-maar-niet-dood-club heeft oud & nieuw gevierd in de aanleunwoning van Evert, waar gebakken en gekookt mag worden, een activiteit die niet is toegestaan in de kamers van het bejaardenhuis. Met ex-topkoks Antoine en Ria in de gelederen mag je geen gelegenheid tot kokkerellen voorbij laten gaan.

Om kwart voor twaalf zijn we gezamenlijk afgereisd naar de kamer van Graeme, ons hoogst wonende clublid op de vijfde etage. Op zijn balkon hebben we het vuurwerk bewonderd en heeft Evert, namens ons allemaal, één illegale vuurpijl afgestoken, als gebaar van opstandigheid naar de directie. Hij was erg mooi.

We zijn benieuwd door wie we verraden worden.

Edward heeft spontaan aangeboden op het matje van de directrice te verschijnen, mocht het zo ver komen. Hij heeft toegezegd dan nog onverstaanbaarder te praten dan hij altijd al doet en schriftelijk verslag te doen op de volgende vergadering van Omanido.

Kortom: de stemming zat er goed in.

Om twee uur lag ik in bed. Het is een paar decennia geleden dat ik het zo laat heb gemaakt. Bravo Hendrik.

Vrijdag 2 januari

Er zat het afgelopen jaar een gat in elke dag. Heel het jaar 2013 schreef ik dagelijks trouw in mijn dagboek. Dat ene (of anderhalf) uur schrijven gaf mij een gevoel van nut en noodzaak. Misschien is het ontbreken van verplichtingen wel het belangrijkste kenmerk van het leven in een bejaardenhuis. Alles wordt voor je geregeld. Nadenken is niet nodig. Je kunt het leven als vla naar binnen lepelen, alle klontjes zijn eruit. Hap, slik, weg.

Er zijn genoeg bewoners die tevreden zijn met deze permanente all-inclusive vakantie, maar voor mij, en een aantal van mijn vrienden, draagt de ledigheid van het bestaan in het verzorgingshuis niet bij aan het dagelijks geluk.

Ik heb besloten om in 2015 opnieuw een dagboek bij te houden. Enerzijds om een dagelijkse verplichting te hebben en anderzijds omdat het mij dwingt alert te blijven, ogen en oren de kost te geven en de ontwikkelingen in ons zorgcentrum en de rest van de wereld te volgen. Ik zal de hersenen dagelijks aan het werk zetten en de gedachten netjes op een rij houden. Hersengymnastiek houdt de geest soepel. Het afgelopen jaar heb ik ook te vaak gedacht hoe jammer het was dat ik niets meer opschreef als er weer eens een bejaarde in een paar sloten tegelijk was gelopen, het personeel er een potje van maakte of de directrice al te hooghartig regeerde over haar onderdanen. Ik heb er weer zin in.

Zaterdag 3 januari

Een directeur van een verpleegtehuis heeft in de krant het goede voorbeeld gegeven met een eerlijk verhaal: 'De verwachtingen die wij als samenleving gecreëerd hebben over professionele ouderenzorg kunnen onder de huidige omstandigheden niet worden waargemaakt.'

Oftewel: het is niet te voorkomen dat er af en toe een luier niet meteen wordt verschoond, een gebit zoekraakt of iemand tijdelijk aan een bed vastgebonden moet worden. Jammer maar helaas. Als alle steen-en-beenklagers, alle sensatiebeluste journalisten en alle tweeëndertig controlerende instanties van verpleegtehuizen het anders willen, zullen ze de meerderheid van de Nederlanders ervan moeten overtuigen dat de zorgpremie flink omhoog moet. Succes!

Ik zal onze directrice het betreffende artikel persoonlijk over-handigen.

Ja, daar kijkt u van op, hè? Brave Hendrik is niet meer. We mo-gen nog niet spreken van dappere Hendrik maar ik heb mij een jaar geleden, bij de begrafenis van Eefje, voorgenomen die eeuwige voorzichtigheid te laten varen. Ik zeg steeds vaker waar het op staat en dat voelt meestal uitstekend. Van tevoren moet ik nog altijd even slikken, klopt mijn hart in mijn keel en aarzel ik een moment, maar vervolgens spring ik van de hoge duikplank in het diepe, om juichend weer boven water te komen. De steun van de andere leden van de Oud-maar-niet-dood-club is hierbij onontbeerlijk. Vooral Evert, die én mijn beste vriend is én er totaal geen moeite mee heeft om te zeggen waar het op staat, is mijn steun en toeverlaat.

Er is ook dit jaar weer een horrorwinter voorspeld. Ondanks alle vorige foutieve voorspellingen van ijskoude wintermaanden wordt ook deze prognose weer zeer serieus genomen. Mijn medebewo-ners hebben volop gehamsterd. De kastjes puilen uit van koekjes, chocolaatjes, frisdrank en wc-papier. Dat laatste sinds we daar uit bezuinigingsoverwegingen zelf voor moeten zorgen. Er wordt sindsdien gemiddeld veel zuiniger geveegd, met alle consequenties van dien. Wat aan papier wordt uitgespaard, moet aan extra was-middel worden uitgegeven.

Zondag 4 januari

De directrice, mevrouw Stelwagen, kijkt er inmiddels niet meer van op als ik haar een krantenartikel geef of anderszins ongevraagd adviseer.

Stelwagen kent geen ander belang dan eigenbelang: een goede reputatie voor haarzelf. Die is gediend met rust in haar tent en met tevreden bewoners. Zij weet dat ik dat weet. Zij weet ook dat ik een kleine achterban heb die ze niet moet onderschatten, en dat doet ze dan ook niet.

De strijd tussen de directrice en Omanido is subtiel en voorzichtig, met nu eens een kleine overwinning voor de een en dan weer voor de ander. Niemand is gebaat bij openlijke oorlogvoering. Daarvoor zijn de belangen te groot.

'Dank u wel, meneer Groen. U hebt weer iets gevonden waar wij wellicht ons voordeel mee kunnen doen?'

'Inderdaad. Een interessant artikel over een collega van u. Over verwachtingen ten aanzien van zorg en de openheid daarover.'

'Openheid, daar ben ik een groot voorstander van, openheid waar mogelijk. En altijd in dienst van het algemeen belang.'

'Algemeen belang is een pet waar veel onder past, mevrouw Stelwagen.'

'Klopt helemaal, meneer Groen.'

Zo ongeveer is de toon van onze conversaties. Meestal moet ik daarna even bijkomen van de zenuwen, maar dat heb ik er wel voor over. Wat adrenaline op zijn tijd kan geen kwaad.

Maandag 5 januari

Het was prachtig weer gistermiddag en dus heb ik getest of ik mijn bankjes nog haal. Het is 400 meter naar bankje 1, daarna 600 meter naar bankje 2 en ten slotte weer 400 meter om thuis te komen. De afstanden zijn bij benadering.

Ik heb het met enige moeite gehaald. Mijn actieradius is nu al een jaar stabiel en ik durf tevreden te stellen dat in dit geval stilstand vooruitgang is.

Voor mij geldt: de snelste manier om ergens te komen is langzaamaan doen. Dan stort ik niet tussen twee bankjes ter aarde. Heel rustig lopen en dan toch een zekere kwiekheid uitstralen valt nog niet mee. Ik weiger de rollator en vertrouw op een stok die nog van mijn vader is geweest en die ik iets te hoog door de lucht zwaai. Verder probeer ik op de bankjes zo pittig mogelijk te zitten. IJdele Hendrik. God weet waarom.

Het dagelijks schrijven in mijn dagboek bevalt me nu al weer uitstekend. Ik ben blij dat ik de pen weer heb opgepakt en betreur dat ik hem een jaar heb laten liggen.

Zoals mijn vrouw vroeger zei: je krijgt vooral spijt van de dingen die je niet hebt gedaan.

Ik zal de komende dagen het verloren jaar 2014 in grote lijnen even doornemen voor wat betreft de gebeurtenissen in ons tehuis.

Dinsdag 6 januari

De belangrijkste gebeurtenis van 2014 vond plaats toen het jaar pas twee dagen oud was: de begrafenis van Eefje. Mijn schat lag erbij als een prachtige Sneeuwwitje-op-leeftijd, voordat het deksel van de kist de definitieve schaduw wierp.

De afscheidsdienst was waardig, er was mooie muziek en er werd ontroerend gesproken. Maar dat alles gaf toch nauwelijks troost.

De belangrijkste reden dat ik maandenlang geen zin had in schrijven, was dat ik haar miste. Zodra ik achter de computer ging zitten tikte ik, bij wijze van spreken, meteen haar naam. Heel langzaam heeft de tijd het verdriet geheeld.

De op een na belangrijkste gebeurtenis is dat Grietje in november is verhuisd naar 'de andere kant', de gesloten afdeling. De heer Alzheimer heeft sneller toegeslagen dan verwacht. Ze was steeds vaker de weg kwijt. Letterlijk, als ze op de verkeerde verdieping haar oude huis aan het zoeken was, en figuurlijk als ze geen idee had waar een theepot ook alweer voor diende. Tot het einde toe hebben we veel gelachen. Ze was altijd zeer opgewekt in de war. Geen woede en geen angst. Welgemoed liep ze bij de verhuizing heen en weer achter het karretje waarmee haar spulletjes werden verhuisd.

Zo wil iedereen wel dement worden. Maar bij mijn bezoekjes aan Grietje zie ik dat zij de roos is tussen de brandnetels.

In Hillegom is een selectie van dementerenden uit verpleeghuis Den Weeligenberg weer zelfstandig gaan wonen. Aanleunend, maar toch. Ik heb eens goed rondgekeken op de gesloten afdeling hier, maar daar zag ik niemand die ik weer de sleutels van een eigen kamer zou geven. Tenzij om de noodscenario's te testen: wat te doen bij een overstroming, brand of ontploffing? Hebben ze in Hillegom sommige oudjes misschien iets te snel opgesloten?

Mevrouw Quint, een beroepspessimist, heeft een aanslag op paus Franciscus voorspeld. Met een half speculaasje in haar mond wist zij het zeker: 'Die gaat het einde van het jaar niet halen, hoe hard we ook bidden.' Daarbij sproeide ze vrolijk koek in het rond.

Evert wilde met haar wedden om honderd euro dat deze vriendelijke plaatsvervanger van Jezus op aarde ook op 1 januari 2016 nog springlevend zou zijn, maar zo veel vertrouwen had Quint ook weer niet in haar eigen voorspellingen.

Ik moet zeggen dat Franciscus mijn warme sympathie heeft, alleen al omdat hij rijdt in een witte Renault 4 uit 1984.

Wat zou er met die rare pausmobiel gebeurd zijn?

Woensdag 7 januari

Onze club Omanido had in 2014 een overgangsjaar. Met Eefje was een steunpilaar weggevallen en Grietje moest in de lente ook afhaken bij onze uitjes, omdat ze steeds vaker alles wilde aanraken. Dat gaf bijvoorbeeld in het nieuwe Rijksmuseum nogal wat gedoe met zaalwachten.

'Ik wil alleen maar even weten hoe het voelt.'

'Mevrouw, dat mag echt niet.'

'O, dan zal ik het ook echt niet meer doen.' Twee zalen verder was ze dat al weer vergeten.

Maar er is ook goed nieuws: we hebben twee nieuwe leden aangenomen. Op mijn voorspraak is meneer Geert Hoogdalen, mijn vriend van weinig woorden en bezitter van een Ferrari van een scootmobiel, in het voorjaar bij de club gekomen. Kort daarna heeft Edward mevrouw Van der Horst voorgedragen als lid. Hij vond dat er enige compensatie moest komen voor zijn eigen afasie, waardoor hij steeds onverstaanbaarder gaat praten, en voor de zwijgzaamheid van Geert. Leonie van der Horst praat graag, is vrolijk, een beetje gek en vol ideeën. En ze vindt Evert leuk, die daar maar zeer mondjesmaat van gediend is, wat Leonie er weer toe verleidt hem extra vaak over zijn kale bol te aaien.

Kortom: twee aanwinsten voor de club.

De zorgwet is al maandenlang onderwerp van gesprek. Hoewel er nog geen kopje thee minder is uitgeserveerd, beweren sommige bewoners de gevolgen van de bezuinigingen nu al aan den lijve te ondervinden.

Toen ik mevrouw Slothouwer, die zoals gebruikelijk het hoogste woord voerde, om een voorbeeld vroeg, wist ze niets anders te bedenken dan: 'Daar heb je meneer Groen weer hoor, met zijn voorbeelden.'

Voorheen vormde mevrouw Slothouwer een onuitstaanbaar duo met haar zus. Sinds die vorig jaar plotseling overleed, heeft de overgebleven Slothouwer haar zusters portie kwaadaardigheid erbij genomen.

Ik kreeg steun. 'Nou, ik ben het wel met de geachte afgevaardigde Groen eens, mevrouw Slothouwer, geef eens een voorbeeld,' zei Graeme. Toen vond ze het onderwerp ineens niet meer interessant.

Donderdag 8 januari

Het nieuws van de slachtpartij bij het Franse blad *Charlie Hebdo* heeft me diep geraakt. Het overkomt me niet vaak meer dat ik emotioneel word van een gebeurtenis in het nieuws, maar gisteren was ik de hele dag van slag.

En, alsof het afgesproken was, onthielden mijn medebewoners zich van de gebruikelijke onzinnige commentaren. Alleen Bakker vond dat iedere buitenlander met een baard opgesloten moest worden.

'Je bedoelt bijvoorbeeld Sinterklaas en de Kerstman?' vroeg Leonie.

'Nee, die natuurlijk niet. Alleen bruine en zwarte mensen.'

Je zou zijn mond graag dichtplakken met stevig tape. Met een klein gaatje voor een rietje om alleen vloeibaar voedsel mee op te zuigen.

Er is hier bij mijn weten nog nooit een islamitische bewoner geweest. Ik vermoed dat Turkse en Marokkaanse ouderen hun dagen slijten in het land van herkomst of opgesloten zitten in de flat van een van hun kinderen. Met het trappenhuis als een onneembare barrière.

Er zijn wel moslims onder het personeel, maar er is geen bewoner die eens een praatje over Allah begint met een schoonmaker of een huishoudelijke hulp met een hoofddoekje. Wij weten niets van hen, zij weten niets van ons.

Ik heb het misschien al eens gezegd, maar God en ik hebben afgesproken elkaar niet lastig te vallen. En een God die tweeënzeventig maagden uitlooft, voor wat dan ook, lijkt me van alle goden wel een van de domste. Nog los van het feit dat een beetje kerel in een paar maanden door zijn maagden heen is. En wat is de beloning voor vrouwen eigenlijk?

Straks is er een minuut stilte. Ik zou graag mijn pen omhoog houden, maar ik ben bang dat het niet begrepen zal worden.

Vrijdag 9 januari

Het Aanjaagteam Langer Zelfstandig Wonen heeft een brief gestuurd aan alle burgemeesters met de oproep om aandacht voor transitie in de ouderenzorg. Bejaarden houden niet van verandering, maar transitie vinden ze minder erg.

Ooit was het doel van het bejaardenhuis te zorgen voor de drie C's: comfort, controle en contact. Wonderlijk genoeg zijn die C's een beetje uit het zicht geraakt.

Oude mensen moeten tegenwoordig zo lang mogelijk zelfstandig blijven wonen. Dat klinkt aardig, maar er zitten toch wat haken en ogen aan. Volgens het cbs zijn er 300.000 extreem eenzame bejaarden. Het grootste deel woont thuis en moet daar volgens de nieuwe opvatting dus zo lang mogelijk zelfstandig extreem eenzaam blijven.

We slaan door. Het idee om middels bejaardenhuizen te zorgen voor comfort, controle en contact is prima. Het schort alleen aan de uitvoering. Bejaardenhuizen zorgen vooral voor betutteling, onzelfstandigheid en luiheid.

Overal lees je over groepen ouderen die nieuwe vormen zoeken van bij elkaar wonen om te zorgen voor... jawel: comfort, controle en contact. Alleen zijn dat geen ouderen van dik over de tachtig, maar vitale zestigers en zeventigers met ideeën en geld.

Zo, dit stokpaard kan weer voor een tijdje op stal.

Ik heb twee voornemens voor 2015. Het eerste is 2016 halen en het tweede is elke dag iets weggooien. Mensen zijn verzamelaars. Er is niet zo lang geleden een kamer ontruimd van een overleden bewoonster, waar tientallen pakken suiker, stukken zeep, kuipjes boter en pakken houdbare melk werden gevonden. Zeg maar alles wat in de oorlog op de bon was. Daarnaast ook nog kasten vol prullen: vaasjes, kopjes, beeldjes, bordjes, kaarsjes, flesjes en blikjes. Ik heb toen eens kritisch rondgekeken in mijn eigen kamer: vol overbodige spulletjes.

Eigenlijk zou ik elke dag één nutteloos ding weg moeten gooien. Koop ik iets nieuws, dan moet ik die dag twee dingen weggooien. Aan het eind van het jaar zou ik dan toch maar mooi 365 overbodige dingen minder hebben.

Zaterdag 10 januari

Nog even over 2014.

Langzaam herstelde Omanido zich van het overlijden van Eefje en het terugtreden van Grietje. In het late voorjaar pakten we de uitstapjes weer op. Een nieuwe ketting met pareltjes. Toen bleek dat we die nieuwe uitjes en nieuwe inspiratie nodig hebben om niet weg te sukkelen in lamlendigheid. We hebben afgesproken dat het ons geen tweede keer zal overkomen dat we zomaar een paar maanden weggooien. Doden, ook zeer dierbare, mogen in ons geval geen excuus zijn.

'Dan kan je wel aan de gang blijven!' zei Evert en hij vroeg zich vervolgens hardop af of er een workshop grafkisten beschilderen bestaat. 'Dat je een beetje vrolijk de grond in gaat.'

Hij heeft nog niets gevonden, hoewel het volgens hem een gat in de markt is. Hij heeft ook meegedeeld dat hij graag wil dat we op zijn begrafenis vrolijk en kleurrijk gekleed gaan. Dat gold ook voor de dragers. Of we daarop wilden toezien.

Er is een nieuwe bewoonster die vanmiddag bij de thee achter elkaar tien bastognekoeken heeft opgegeten. Om haar heen werd het zo rond de vierde koek langzaam stil en daarna zaten een stuk of zes bewoners ademloos te kijken hoe bastogne na bastogne in haar kleine mondje verdween. Het was haar eigen pak koeken dus de zuster kon er eigenlijk niet veel van zeggen. Maar bij de achtste koek hield ze het niet meer.

'Mevrouw Lacroix, is dat nou wel zo verstandig?'

'Sst,' probeerde ze te zeggen met een mond vol koek. Tenminste, daar leek het op.

Na haar tiende koek keek ze de kring rond en vroeg of iemand anders misschien ook een bastognekoek wilde.

'Waarom doet u dat?'

'Ik ben performancekunstenares,' antwoordde ze.

'Dat hebben wij weer...' zei meneer Bakker.

'Wat is ze?' vroeg mevrouw Duits.

Ik heb het verhaal uit de eerste hand van Edward. Hij was erbij en vond het prachtig.

Ik moet maar eens kennismaken met mevrouw Lacroix.

Zondag 11 januari

Uit onderzoek is gebleken dat tachtigjarigen gelukkiger zijn dan toen ze veertig waren. Bij veertig zit je op je geluksdieptepunt. Dan maak je je zowel zorgen om je ouders als om je kinderen en brengt je baan ook nog de nodige stress.

Het zijn de bevindingen van een professor van tachtig. Die weet waarover hij praat. Maar loopt deze professor, ene meneer Vaillant, wel eens rond in een bejaardenhuis als het onze? Dan wist hij dat het geluk hier niet bepaald van de tachtigjarige gezichten straalt. Dat de oudjes hun geluk heel goed onder stoelen en banken kunnen steken.

Misschien moet hij eens een paar colleges komen geven om een en ander uit te leggen. Het is tenslotte een beetje nu of nooit, qua gelukkig zijn.

Ik wil als voorbeeld graag het weer nemen.

Het stormt nu al bijna een week en na een dipje van windkracht zes gaan we de komende dagen weer naar de acht. Als je maar half zo gelukkig bent als de professor beweert, laat je jouw geluk natuurlijk niet dagenlang verknallen door een stevige bries. Integendeel: dan ga je de straat op en laat je de wind door je haren waaien.

Maar dat gebeurt weinig. Er is voornamelijk gejammer over kapsels die in de war raken. Alsof die laatste paar haren nog zo nodig keurig in het gelid moeten staan.

Zelf ben ik erachter gekomen dat mijn scootmobiel toch enigszins zijwindgevoelig is. Vanochtend sloeg ik bijna om toen ik bij een rukwind tussen twee flats door een hoge stoeprand schampte. Ik gooide mijn gewicht juist op tijd naar de andere kant en stuiterde terug. Achter me hoorde ik Geert hard lachen in zijn scoot. Een paar honderd meter verder kon ik schateren toen hij de volle laag kreeg van een auto die naast hem door een plas reed. Twee ouwe kwajongens op een stille, stormachtige zondagochtend in Amsterdam-Noord. Domweg gelukkig in weer en wind.

Maandag 12 januari

Het lichamelijk leed gaat ook aan de leden van Omanido niet voorbij. Niet om te klagen maar wel om rekening mee te houden: Evert zit in een rolstoel en heeft suiker. Antoine en Ria vormen het klassieke duo van de lamme en de blinde: hij heeft reuma, zij ziet slecht. Edward is na een beroerte zo goed als onverstaanbaar. Geert heeft een stoma en een slaapstoornis. Leonie bibbert heel erg en is incontinent. Ikzelf ben kortademig, loop slecht, druppel en heb van tijd tot tijd jicht. Alleen Graeme is nog in zeer goeden doen.

Een indrukwekkende rij kwalen, nietwaar?

Binnen de club zijn daar duidelijke afspraken over gemaakt: er mag niet over worden gezeurd maar wel de spot mee worden gedreven. Dat helpt enorm. We lachen veel om onze ellende. Dat maakt het leven met de beperkingen die de lichamelijke aftakeling met zich meebrengt een stuk eenvoudiger.

Er is een mooi nieuw plan geboren tijdens een min of meer toevallige samenscholing van de Oud-maar-niet-dood-club. We hadden qua uitjes, min of meer per ongeluk, een kleine winterstop tot na de feestdagen, maar het beviel niemand om zo lang niets te hebben om naar uit te zien. Ria en Antoine kwamen, bij de thee gisteren, enigszins aarzelend met een idee voor een tweede soort activiteit.

'Iets met eten, dachten wij eigenlijk aan.'

'Goh, dat is verrassend,' zei Edward.

'We dachten dat het misschien wel leuk zou zijn om bijvoorbeeld eens in de maand uit eten te gaan met zijn allen en dat steeds iemand anders een restaurant uitkiest uit telkens een ander land.'

'Zo,' zei Evert, 'en dat leek jullie wel een leuk plan?'

Ria en Antoine keken een beetje beteuterd. 'Het hoeft niet hoor.'

'Het lijkt mij eerlijk gezegd... een geweldig plan,' zei Evert met een brede grijns. 'Misschien zou het alleen iets vaker moeten.'

En aldus is besloten: eens in de drie weken gaan we uit eten, in een restaurant uit steeds een ander land, naar keuze van een steeds wisselend lid van de club. De Chinees en de Italiaan zijn van deelname uitgesloten. Dit project komt niet in plaats van, maar boven op de uitjesreeks die binnenkort ook weer gaat starten.

Dinsdag 13 januari

De eerste dode bekende Nederlander van het jaar is Frans Molenaar. Van de trap gevallen en er niet meer bovenop gekomen. Een wonderlijke man uit de wonderlijke wereld van de haute couture. Een wereld geheel losgezongen van de werkelijkheid.

'Ze maken alleen kleren voor carnaval. Dat draagt toch geen mens,' vond mevrouw Van Diemen.

'Zo'n hoed is wel meteen handig als paraplu,' merkte haar buurvrouw op over een middelgrote ufo die een mannequin op haar hoofd had.

'En altijd homo's, en altijd de mooiste vrouwen om zich heen,' zei meneer Dickhout misprijzend.

'Tenminste als je van graten met een vel eromheen houdt. Er zit geen draadje vlees aan,' vond zijn buurman weer.

Frans Molenaar zou zijn pedante neusje opgehaald hebben voor deze analyses.

Wij zijn hier in huis niet meer zo erg modebewust. Alleen qua afgezakte broeken, kruis tussen de knieën, en losse bretels zijn we zeer bij de tijd. Dat is ook in de 'echte' wereld in de mode bij hippe jongens. Je zou kunnen zeggen dat we op dat gebied de trend hebben gezet.

Evert kwam gisteren voor het eten even een borrel halen, want zijn voorraad was op en hij had geen zin storm en regen te trotseren om naar de slijter te gaan.

Hij heeft wel eens een verzoek ingediend bij de directrice, of onze superette beneden niet ook drank kon gaan verkopen. Nee, dat was 'vergunningstechnisch' niet mogelijk.

'Ik verwacht trouwens als ik doodga een mooie krans van Gall & Gall,' zei Evert tegen mij, 'omdat ik, ondanks mijn suiker, zo'n trouwe klant ben gebleven. Een lichtend voorbeeld van eigenwijsheid.'

Mijn vriend is vorig jaar, wonder boven wonder, nieuwe amputaties en andere ellende bespaard gebleven. Eigenlijk ziet hij er prima uit in zijn rolstoel. Scherp als een mes.

Hij mag absoluut niet eerder doodgaan dan ik. Dus schenk ik hem kleine borrels in. Evert heeft aan zijn rolstoel een flessenhouder geknutseld, maar ik sta erop de jenever steeds weer in de koelkast te zetten. 'Niet dat ik je wil betuttelen hoor, goede vriend.'

'Zak in een wak, Groen.'

Woensdag 14 januari

Een mysterieuze zaak houdt de gemoederen bezig.

Er is voor de vijfde maal op een vreemde plek een appel gevonden. Een paar dagen geleden lag de eerste appel in de lift, daarna vond iemand er een bij de voordeur, twee keer lag er een op verschillende gangen en vanochtend dreef er een Granny Smith in het aquarium. Gelukkig waren er geen vissen overleden. Omdat kleine gebeurtenissen in ons huis, bij gebrek aan belangrijke zaken, graag wat worden uitvergroot, is het feit dat iemand zomaar 'overal' appels neerlegt het gesprek van de dag.

De eerlijkheid gebiedt te zeggen dat de vijfde appel oorspronkelijk náást het aquarium lag. Ik heb hem erin gelegd. Het ging vanzelf. Er was niemand op de gang die me kon zien. Voor alle duidelijkheid: ik ben niet de appellegger. Ik hoop wel dat de dader enigszins in de war is nu er een appel in het aquarium is opgedoken.

Volgens mevrouw Schaap kunnen vijf appels bijna geen toeval zijn. Goed zo, Sherlock Schaap.

De mensen zijn begonnen elkaars fruitschaal te inspecteren.

In storm en regen een ritje gemaakt in de scoot en de eerste narcissen in bloei gezien. Voor wie mij niet gelooft: in een grasstrook aan het einde van de Kamperfoelieweg. Sneeuwklokjes had ik vorige week al gezien, dat is niet heel uitzonderlijk, maar die narcissen in januari zijn toch een beetje in de war.

Ik zou graag een dikke laag ijs op de wateren zien, dik genoeg voor de scootmobiel. Voor het eerst in jaren zou ik weer het ijs op durven. Voorwaarde is dat er een geschikte plek is om het ijs op en af te rijden. Het lijkt me geweldig om bijvoorbeeld over de Gouwzee van Volendam naar Marken te scooteren. Geert heeft beloofd mee te gaan met zijn Ferrari-scoot.

Donderdag 15 januari

Er lag vandaag een mandarijntje in de lift.

'Waren we net een beetje gewend aan die appels en nu dit weer,' verzuchtte mevrouw Schaap.

Het fruit is het belangrijkste onderwerp van gesprek bij de koffie en de thee. Sommige bewoners worden er erg zenuwachtig van. Die vermoeden dat het een voorbode is van groot onheil.

'Het is maar een mandarijntje hoor. Geen bom,' stelde een zuster de mensen gerust.

Ik heb met Evert een weddenschap lopen. Ik denk dat het iemand van het personeel is die stiekem met fruit strooit, hij is ervan overtuigd dat een bewoner de dader is. De inzet: een boek naar keuze van de verliezer. Evert heeft moeten zweren niet zelf degene te zijn die het fruit neerlegt. Eerst wilden we wedden wat het volgende was dat gevonden zou worden, maar we vertrouwden elkaar voor geen cent. Als hij bijvoorbeeld had voorspeld dat er als eerste een banaan zou worden gevonden, had er binnen het kwartier ergens een banaan in een plantenbak gelegen.

Intussen heeft het personeel van Stelwagen opdracht gekregen om extra goed op te letten. Dat hoorde ik van mevrouw Morales. Zij is nog niet zo lang geleden in dienst gekomen als verzorgster. Een babbelgrage Spaanse die een zwak voor me heeft. Veel van haar zinnen beginnen met: 'Niet verder vertellen hoor, maar...' Daar moet je dan een grappig Spaans accent bij denken.

Met haar heb ik misschien weer een nuttige 'welingelichte bron' onder het personeel. Vroeger werd die rol vervuld door mijn goede vriendin Anja Appelboom, die lange tijd bij Stelwagen op kantoor werkte en mij regelmatig van informatie voorzag die niet voor bewoners bestemd was. Anja is door Stelwagen met vervroegd pensioen gestuurd.

Als het gaat om het informeren van de bewoners huldigt onze geachte directrice de opvatting: wat niet weet, dat niet deert. Ik heb de indruk dat Stelwagen oprecht vindt dat je bewoners niet moet opzadelen met kennis waar ze alleen maar nerveus van worden. Ze ziet oude mensen niet helemaal voor vol aan en ze is niet de enige. Ikzelf, bijvoorbeeld, ben het in veel gevallen met haar eens. Als je mensen jarenlang als een kleuter behandelt gaan de meesten vanzelf kleutergedrag vertonen.

Vrijdag 16 januari

De vitaliteit van de bewoners is er het voorbije jaar niet op vooruitgegaan, helaas. De zwaksten en de oudsten zijn ons ontvallen en in hun plaats kwamen geen fitte zeventigers, maar mochten we kneuzen van dik in de tachtig welkom heten.

Het record van het kortste verblijf komt op naam van een mevrouw van wie we zelfs de naam nooit te weten zijn gekomen. Anderhalve dag na haar entree per rolstoel door de voordeur heeft ze het pand in een houten kist via de achterdeur weer verlaten. Misschien waren de emoties van de verhuizing haar te veel geworden.

'Ze had één kopje thee gedronken, één!' zei mevrouw Duits wel vier keer.

'Ja, nou en?' zei Bakker. Ook vier keer.

Iemand vroeg zich af of de overledene toch voor de hele maand huur heeft moeten betalen.

Volgens de nieuwe richtlijnen mogen mensen alleen nog maar naar een verzorgingshuis als ze nog maar heel weinig zelf kunnen en dus veel verzorging nodig hebben. Nieuwe bewoners zijn, bij binnenkomst al, nog maar een klein stapje verwijderd van de dood of de verpleegafdeling.

Gezonde bewoners zijn in de minderheid. De gemiddelde leeftijd gaat naar de negentig. De doorloopsnelheid wordt steeds groter. Het wordt er allemaal niet vrolijker op.

Er lag een ananas in onze 'gymzaal', een ongebruikt kantoortje. De dader gaat nu blijkbaar voor het grotere fruit.

Grappig toch, hoe iets onbenulligs als een onbeheerd achtergelaten vrucht voor zo veel opschudding kan zorgen. Normaal draaien onze bewoners hun hand niet om voor de meest vreemde complottheorieën maar in dit geval staan ze met hun mond vol tanden. Hier kunnen ze niks mee. Het is te vreemd.

'Ik snap er niks van. Wie doet nou zoiets?' is de meest gehoorde analyse.

Het zou voor het mysterie mooi zijn als het neerleggen van fruit weer zou stoppen zonder dat de dader ooit bekend wordt. Voor onze weddenschap zou het jammer zijn.

Zaterdag 17 januari

De strengere criteria voor opname in een verzorgingshuis leiden onvermijdelijk tot leegstand. In 2020 moeten achthonderd van de tweeduizend verzorgingshuizen gesloten zijn. Dat is een op de tweeënhalf. Dat betekent ook dat er binnen de vijf jaar flink wat gedwongen verhuisd moet worden, want een bestuur wacht niet met sluiting van een huis tot het de laatste bewoner belieft de pijp uit te gaan.

Hier ten huize werden we anderhalf jaar geleden opgeschrikt door verbouwingsplannen. Iedereen slaakte een zucht van verlichting toen die werden afgeblazen. Die opluchting kon wel eens onterecht zijn. Mijn boerenverstand zegt me dat als dit oude huis niet verbouwd gaat worden, dat best zou kunnen zijn omdat het naar het lijstje 'te slopen' is verhuisd.

Ik ben van plan om daar binnenkort eens belangstellend naar te informeren bij mevrouw Stelwagen.

Wij klagen wel over alle betutteling die we ons hier moeten laten welgevallen, maar het kan altijd erger. Het *AD* meldt dat Sientje van der Lee (91) niet langer plantjes op de vensterbank op de galerij van haar aanleunwoning mag zetten omdat de glazenwasser er elk half jaar weer last van heeft. En ook omdat er af en toe blaadjes van de plantjes vallen. Woningcorporatie De Woonveste heeft bevolen de plantjes te verwijderen. Sientje is haar hele leven boerin geweest. Ze jammert: 'Ik moet groen om me heen hebben,' en ze voert keihard actie: ze heeft een spandoek opgehangen met BLIJF VAN MIJN PLANTJES AF. Naast zulke problemen verbleekt al die opwinding over aanslagen in Parijs en België toch een beetje.

Zondag 18 januari

Morgenavond is er een vergadering van Omanido. Op de agenda staan de uitwerking van het restaurantplan en het opstellen van een nieuw schema voor uitjes.

De winterslaap heeft lang genoeg geduurd. Tijd voor reuring. De vergadering vindt plaats bij Geert, die zich daar naar eigen zeggen 'gedegen op aan het voorbereiden is'.

De overheveling van de zorg van het Rijk naar de gemeenten was, naast een ordinaire bezuiniging, bedoeld om de zeggenschap over zorg dichter bij de ontvangers van zorg te leggen.

Dat bezuinigen is vrij aardig gelukt, maar het decentraliseren loopt toch wat averij op. De gemeenteraden die het opeens voor het zeggen hebben, hebben namelijk massaal besloten weer te dé-decentraliseren. Om geld te besparen slaan tientallen gemeenten de handen ineen en werken samen om goedkoper zorg in te kunnen kopen.

Dus in plaats van met één minister of staatssecretaris, heeft 'de zorgsector' nu te maken met, pak hem beet, 37 wethouders uit 37 steden en dorpen. Die worden niet gecontroleerd door 150 Tweede

Kamerleden maar door 500 raadsleden die bijvoorbeeld de belangen van *Lutjebroek Vooruit* verdedigen. Ik ben benieuwd wat dat ons gaat brengen.

Ik denk trouwens wel dat de bewoners van Lutjebroek ervan balen altijd maar weer als voorbeeld-kop-van-jut te moeten fungeren alleen vanwege de naam.

Mijn vriend Edward vroeg zich af waarom de profeet Mohammed eigenlijk niet mag worden afgebeeld. Een goede vraag waarop niemand het antwoord wist. De suggestie van Evert dat de profeet 'misschien zo scheel als een meloen was' werd beleefd terzijde gelegd toen hij geen antwoord had op de wedervraag 'hoe scheel is een meloen?'.

Ben ik ongemerkt weer bij het fruit aanbeland: gisteren is er een banaan gevonden in de pantry. Er gaan geruchten over een klopjacht van het personeel op de dader. Vooralsnog zonder succes. De directrice heeft de bewoners opgeroepen kalm te blijven. Oproepen als deze werken meestal averechts, dat moet Stelwagen toch zo langzamerhand wel weten.

Maandag 19 januari

Het afgelopen weekend waren de vogelteldagen. Ik moest aan mijn overleden vriendin Eefje denken, die dan voor haar raam ging zitten om een uur lang liefdevol en onverstoorbaar mussen en mezen te tellen.

Ik mocht dan niet helpen. 'Alleen echte vogelliefhebbers mogen meedoen, Henk. Jij bent een gelukzoeker die afleidt. Kom over een uur maar terug.' En ze kon daar zo prachtig bij lachen. Ik smolt dan helemaal weg. Ik mis haar. Verliefdheid kent zelden een happy end.

Ik heb van mevrouw Morales gehoord dat onze directrice overweegt tijdens het eten in de eetzaal een telefoneerverbod af te kondigen. Niet dat er veel wordt gebeld, maar als er iemand belt mag de hele zaal meegenieten. Alsof ze het buiten ook moeten horen. 'WAAR ZIT JE? ... AAN TAFEL ... ANDIJVIE MET EEN BALLETJE ... GAAT WEL ... NEE, SLECHT, GEEN OOG DICHTGEDAAN ... MET DIT WEER ZEKER ... WANNEER KOM JE EINDELIJK WEER EENS?'

En zo gaat het nog even door.

Bejaarden en moderne telefonie gaan niet goed samen. Van al die onbegrijpelijke toetertjes en belletjes worden ze zenuwachtig. Het liefst zouden ze een draadloos bakelieten toestel met zich meeslepen om overal ouderwets te kunnen draaien. Met al die kleine toetsjes en knopjes zijn ze nu regelmatig de eerste keer verkeerd verbonden. 'MET WIE??'

Zo'n piepklein plat telefoontje met ook nog eens een heel telefoonboek erin, het is me wat. Zelfs de extra grote cijfers voor oude ogen en trillende vingers bieden maar ten dele soelaas.

Er lag een kiwi in de wc.

Stelwagen is niet blij. Ze heeft geen grip op zoiets onbenulligs als hier en daar opduikende stukken fruit en dat voelt als ondermijning van haar gezag. Vooral omdat het al dagenlang onderwerp van gesprek is bij de bewoners.

Het fascineert me enorm. Evert heeft beloofd de actievoerder, als die bekend wordt, een enorme fruitmand te gaan brengen.

Dinsdag 20 januari

Het was gisteren blauwe maandag. Deze derde maandag van januari is uitgeroepen tot de meest deprimerende dag van het jaar. Door wie? Geen idee. Maar Omanido doet er niet aan mee. Die hield een uitbundige ledenvergadering bij gastheer Geert. Het was de eerste keer dat Geert onze club ontving en hij had zich nogal uitgesloofd qua spijs en drank. Ik denk dat hij nog wel tot de zomer genoeg drank in huis heeft. Hij had van alles zo veel ingeslagen dat als iedereen bijvoorbeeld de hele avond alleen maar bier zou drinken, er toch genoeg bier zou zijn. En dat gold ook voor alle kleuren wijn, cola, spa, fanta, jus d'orange, jenever, advocaat en cognac. Er was zelfs een fles bessenjenever, ik wist niet eens dat dat nog bestond. Plus een hoeveelheid hapjes alsof we net de Hongerwinter achter de rug hadden. Iedereen ging met een *doggie bag* naar huis, Evert met een extra grote omdat hij als enige een hond heeft. Zijn Mo is een hele grote alleseter van een hond. Maakt niet uit wat je erin gooit, alles wordt poep. Evert heeft aangeboden om, mochten er flessen drank over de datum dreigen te geraken, te komen helpen opmaken.

'Alleen om verspilling tegen te gaan,' beweerde hij met een grijns. Ook bij hem maakt het weinig uit wat je erin gooit.

Eten, drinken, lachen... Er was nauwelijks nog tijd voor vergaderen.

We hebben twee schema's opgesteld, een voor het restaurants-van-de-wereld-plan en een voor een nieuwe reeks clubuitjes. Het is de bedoeling dat we er dit jaar ten minste eens in de twee weken op uit trekken.

Er is een fonds voor armlastige leden opgericht waaruit, indien nodig, geput kan worden. Daar deed niemand moeilijk over. Ik ben tot penningmeester verkozen en heb zelf een anonieme bodem gestort. Ik ben tenslotte een man in bonis. Clubleden kunnen zich discreet bij mij melden voor geldelijke ondersteuning. We gaan er namelijk flink wat euro's doorheen jagen.

'Zorg dat je rood staat als je doodgaat!' is onze eerste officiële clublijfspreuk. We zoeken nog naar meer slogans. En een clublied. Ja, het was een tamelijk melige avond.

We hadden van tevoren Geerts buren gewaarschuwd dat er mogelijk enige geluidsoverlast zou kunnen ontstaan. Of ze dat dan eerst bij ons wilden komen melden en pas daarna bij de directie?

Evert stond erop dat 'even te gaan regelen'. Ik verwacht geen nagekomen klachten.

Woensdag 21 januari

De dag van het overlijden van mijn kleine meisje. Een kinderfietsje gaat een halve meter te veel naar rechts of naar links en komt op een schuine helling naar een slootje. Ik keek schoolschriften na en mijn vrouw hing de was op. We dachten beiden dat de ander op haar lette.

Een leven lang verdriet, een leven lang zinloos zelfverwijt.

Donderdag 22 januari

Er is gisteren géén fruit gevonden en dat was uitgebreid onderwerp van gesprek. Wonderlijk, er werd jarenlang nooit ook maar een losse druif ergens aangetroffen en niemand die het er ooit over had. Nu missen de mensen al na één dag hun appel of peer. Ik hoop niet dat het raadsel voor eeuwig onopgelost blijft.

Volgende week donderdag gaan we voor het eerst uit eten. Edward gaat een restaurant uitzoeken. Evert gokt op Argentijns en wil tien tegen één wedden. Alleen niet met Edward.

Er zijn in de gangen bij enkele gevaarlijke hoeken en kruispunten spiegels geplaatst nadat er in een week tijd twee botsingen tussen scootmobielen hebben plaatsgevonden. Gelukkig was er slechts een lichtgewonde en wat materiële schade. Een verkeersdode ín een verzorgingshuis haalt vast en zeker de krant en dat moet koste wat kost voorkomen worden. Dus dacht de directie de veiligheid met verkeersspiegels te vergroten, maar daar had men toch een beetje buiten de bejaarde waard gerekend.

Inmiddels zijn er al een paar ongelukjes gebeurd zonder dat er een tegenligger te zien was. Zaten de oudjes zo ingespannen naar de spiegel te kijken dat ze pardoes tegen een muur reden. En op die muren zit, volgens de laatste mode van de jaren zeventig, grove crèmekleurige structuurverf. Dat betekent meestal wel een paar flinke schaafwonden. Het klinkt een beetje luguber maar je krijgt door die structuurverf het bloed ook niet zo makkelijk van de muur. Dus zie je zo hier en daar de sporen van ongelukjes. Niet zo lang geleden zijn de verontrustende strepen overgeschilderd met een iets andere crèmekleur. Stelwagen denkt er voorlopig nog niet over de spiegels maar weer weg te halen. Dat zou namelijk betekenen dat ze een verkeerd besluit heeft genomen.

Vrijdag 23 januari

Ik heb gisteren mijn jaarlijkse bezoek aan de geriater afgelegd. Tot mijn verrassing bleek mijn oude dokter Jonge met pensioen te zijn gegaan. Hij was een jaar of zeventig en dus ervaringsdeskundige. Die expertise moet de nieuwe geriater missen. Dat is een vrouw van rond de veertig, dokter Van Vlaanderen.

'Zegt u maar Emma.'

Ik ben soms een beetje ouderwets. Dat mag als je vijfentachtig bent. Ik zeg liever geen Emma tegen een dokter, zelfs al heet ze zo.

Ze leek mij een zachtaardige vrouw met een welwillend luisterend oor, maar ik geloof toch dat ik liever mijn oude dokter had. Die was kort, duidelijk en grappig. Dokter Emma behandelde mij toch een beetje als een dove kleuter. Ze praatte iets te hard in Jipen-Janneketaal.

'Ik ben niet doof en niet dom, dokter Emma,' overwoog ik even te zeggen, maar dat leek me wat bot bij een eerste kennismaking. Nog een minpuntje: bij mijn oude dokter was ik net een eindje op weg in het bespreekbaar maken van euthanasie en nu kon ik weer opnieuw beginnen. Daar had ik deze keer geen zin in.

De cijfers spreken trouwens erg in het nadeel van huisarts of geriater: slechts een doodenkel verzoek om euthanasie wordt ingewilligd. De levenseindekliniek kan nauwelijks betere cijfers overleggen: in maar vier procent van de gevallen maakte die kliniek zijn naam waar. Stichting De Einder schijnt de beste kansen te bieden. Gewoon via internet pillen in huis halen, heb ik gehoord. Dat moet me wel lukken, nu ik steeds handiger word op mijn computer. In het begin gebruikte ik hem alleen als typemachine, maar nu kan ik ook al van alles opzoeken. Ik ga het op korte termijn regelen. Tenslotte ben ik de enige die beslissingsbevoegd is, vind ik zelf. Het grootste gevaar schuilt in het feit dat je langzaam en ongemerkt of juist plotseling in een situatie belandt waarin het onmogelijk is nog zelf te beslissen. Zoals in het geval van Eefje. Het is zaak de pillen kant-en-klaar te hebben liggen. Opgeborgen op een plaats in huis die verder alleen een betrouwbare vriend weet. Mocht je onverhoopt niet meer op eigen kracht in staat zijn de pillen in te nemen als de nood aan de man is, dan kan die vriend of vriendin je een illegaal handje helpen. Wel zorgen voor een waterdicht alibi.

Ik ga er werk van maken. Eerst de pillen regelen en daarna Evert instrueren. De juiste man: een hart van goud en maling aan regels.